Antony Penrose

Immer lieber woanders hin

Die Leben der Lee Miller

Mit zahlreichen Abbildungen
Aus dem Englischen von
Brigitte Heinrich

Insel Verlag

Erste Auflage 2023
insel taschenbuch 4964
Deutsche Erstausgabe
© der deutschsprachigen Ausgabe Insel Verlag
Anton Kippenberg GmbH & Co. KG, Berlin, 2023
Alle Rechte vorbehalten. Wir behalten uns auch eine Nutzung des
Werks für Text und Data Mining im Sinn von § 44b UrhG vor.
Umschlaggestaltung: Designbüro Lübbeke, Naumann, Thoben, Köln
Umschlagfoto: Lee Miller, Selbstporträt mit Stirnband,
New York, 1932, © Lee Miller Archives, 2021
Druck: C. H. Beck, Nördlingen
Printed in Germany
ISBN 978-3-458-68264-6

www.insel-verlag.de

INHALT

*Für David E. Scherman, der mir den Titel schenkte
und Mut machte, um ihn herum dieses Buch zu schreiben,
und für Suzanna – ohne sie wäre es nie dazu gekommen.*

Kapitel 1
Frühe Jahre

1907-1929

Lee Miller, Model. Lee Miller, Fotografin. Lee Miller, Kriegsberichterstatterin, Lee Miller, Schriftstellerin. Lee Miller, Liebhaberin klassischer Musik. Lee Miller, Haute-Cuisine-Köchin. Lee Miller, Reisende. In all diesen unterschiedlichen Welten bewegte Lee sich souverän und unerschrocken und war in allen Rollen immer sie selbst.

Eine temperamentvolle Person voller Widersprüche – ebenso reizbar wie warmherzig, hoch talentiert, aber auch hoffnungslos inkompetent: Lee Miller führte ein Leben, das dem Ritt auf dem Rücken eines durchgegangenen Drachens glich. Manchmal triumphierte der Drache, und Lee stürzte in schwarze, schluchzende Verzweiflung, doch meist behielt sie die Oberhand und ging nach einem knappen Rennen als Siegerin gegen sich selbst und alle Widrigkeiten hervor. Ihre Erfolge hinterließen stets bleibenden Eindruck. Es gefiel ihr, etwas zu lernen, zu gestalten oder an etwas teilzuhaben und dann weiterzuziehen. Manche ihrer ›Kicks‹, wie sie ihre jeweiligen Obsessionen nannte, dauerten lediglich ein paar Tage, andere hingegen Jahre. Ihre größte Leidenschaft war die Fotografie, und sie gab sie erst auf, als sie nach dreißig Jahren sämtliche ihrer aufregenden Möglichkeiten ausgeschöpft hatte.

Lees weitgespannte Interessen gingen über oberflächliches Dilettieren hinaus. Wann immer sie sich auf etwas einließ, geschah es mit vollem Einsatz; die Folgen für sie selbst und andere waren von untergeordneter Bedeutung. Obwohl Lee die große Gabe besaß, von anderen Menschen zu lernen, ist ein nachhaltiger Einfluss nur in wenigen Fällen erkennbar. Sie selbst veränderte sich kaum im Umgang mit den bedeutenden Persönlichkeiten, die ihre diversen Welten bevölkerten. Ihr Charakter wurde schon früh unter Aufsicht eines außergewöhnlichen Menschen geformt, geprägt und endgültig besiegelt. Dieser Mensch war ihr Vater, der Maschinenbauingenieur Theodore Miller.

Theodore Millers Familie stammte von einem hessischen Soldaten ab, der sich nach der Revolution in Lancaster, Pennsylvania, niedergelassen hatte. Sein Vater war ein Maurer aus Richmond, Indiana, doch Theodore begann sein Arbeitsleben in der Fabrik und stellte Holzräder für Rollschuhe her. Er bildete sich an der International Correspondence School weiter und gelangte mit zähem Fleiß in immer bessere Positionen. Wenn man ihm in späteren Jahren Sturheit vorwarf, winkte er ab und meinte, Sturheit sei nichts anderes als praktizierte Entschlossenheit. Diese Willensstärke sowie die unersättliche Neugier auf alles Mechanische und Wissenschaftliche und die Fähigkeit, vollkommen unbekümmert Fragen zu stellen, waren Charakterzüge, die er an seine Tochter weitergab.

Um 1895, mit Mitte zwanzig, entschloss sich Theodore, die Welt zu bereisen. Wegen seiner begrenzten Mittel kam er nur bis Monterey, Mexiko, wo er in einer Stahlfabrik Arbeit fand. Leider war sein großes Abenteuer nur von kurzer Dauer. Er erkrankte an Typhus und landete im örtlichen Krankenhaus. Gewöhnlich wurden die Patienten dort von ihren Familien mit Essen versorgt; Theodore, ohne eine eigene Familie in Reichweite, hatte das Glück, dass seine Freunde aus der Fabrik ihm ab und zu etwas brachten und die Nonnen aus einem benachbarten Kloster so freundlich waren, seinen Atheismus zu ignorieren und seine mageren Rationen aufzustocken.

Sobald er wieder in der Lage war zu reisen, kehrte er zurück in die Vereinigten Staaten. Da sich neue Karrieremöglichkeiten auftaten, legte er weitere Reisepläne auf Eis und nahm zunächst eine Stelle als Vorarbeiter bei der Mergenthaler Linotype Company in Brooklyn, New York, an; später wechselte er dann zur Utica Drop Forge and Tool Company, wo er bald zum General

Manager ernannt wurde. Uticas Anziehungskraft wurde entschieden erhöht dank einer kanadischen Krankenschwester des Saint-Luke's-Krankenhauses – Florence MacDonald, eine freundliche, fleißige Frau, Tochter schottisch-irischer Siedler aus Ontario, mit der er sich verlobte. Es wurde eine lange Verlobungszeit, denn Theodore weigerte sich, eine Heirat in Betracht zu ziehen, bevor er nicht eine bessere Position erlangt hatte und seiner zukünftigen Frau ein sicheres Leben bieten konnte. Um ihr die langen Wartejahre zu verkürzen, kam er auf die Idee, sie für sein Lieblingshobby – die Fotografie – zu begeistern. Und so stand sie zurückhaltend und selbstbewusst für ihn nackt Modell, und es entstand ein sepiafarbenes, dem Zeitgeschmack entsprechendes, elegantes Porträt.

Zu dieser Zeit hatte die De Laval Separator Company in Poughkeepsie mit Produktionsproblemen und Streiks zu kämpfen, und als man von dem intelligenten jungen Mann in Utica und seinem außergewöhnlichen Führungstalent hörte, schickte man nach ihm. Kaum war Theodore zum leitenden Manager ernannt, verbesserte er radikal die Arbeitsbedingungen und erhöhte die Löhne; Arbeiter, die danach immer noch unzufrieden waren, feuerte er.

Theodore richtete sich in Poughkeepsie ein, und nach einer einjährigen Trennung heirateten er und Florence 1904. Der jungen Frau gefiel ihr neues Zuhause nicht gleich: Während der Wartezeit hatte sie in Utica einen anderen Mann kennengelernt und war sich nicht sicher, ob sie die richtige Wahl getroffen hatte. Als echter Pragmatiker schickte Theodore sie zurück nach Utica, damit sie eine Entscheidung traf. Ein paar Wochen später kehrte sie zurück, vollkommen überzeugt, dass sie dem Mann den Vorzug gab, den sie bereits geehelicht hatte.

De Laval war das größte und prestigeträchtigste Unternehmen der Stadt mit ungefähr 11 000 Beschäftigten und einem ausgedehnten Vertriebsnetz. Möglicherweise aufgrund seines neugewonnenen Status durch die Verbindung zu diesem Unternehmen zog das junge Paar die schmeichelhafte Aufmerksamkeit der »Töchter der Amerikanischen Revolution« auf sich. Florence wurde eingeladen, sich dieser Institution der gesellschaftlichen Elite anzuschließen, die sich auf die Abstammung von loyalen Amerikanern berief. Sie nahm die Einladung dankbar an, und alles verlief erfreulich, bis Nachforschungen zu ihrer Herkunft ergaben, dass ihre Eltern Kanadier waren, die gegen die Revolutionäre gekämpft hatten, und, schlimmer noch, dass die Eltern Theodores von hessischen Söldnern abstammten, die man losgeschickt hatte, um den Aufstand niederzuschlagen. Florence' Bewerbung wurde kurzerhand abgelehnt, die Geschichte jedoch zu einem bleibenden Bestandteil der Familienfolklore.

1905 kam John MacDonald, der Erstgeborene, zur Welt, und am 23. April 1907 Elizabeth. Sie wurde von Anfang an Li Li genannt, später nannten ihre sie Eltern Te Te, doch alle anderen kannten sie als Lee. 1910 folgte Erik. Dank seines Talents und seines Fleißes wurde Theodore schließlich zum Personalchef befördert, und die Familie zog auf eine ca. 60 Hektar große Farm außerhalb von Poughkeepsie, an der Albany Road.

Die Leitung der Farm wurde einem Kanadier überlassen, ›Onkel‹ Ephraim Miller, der trotz seines Nachnamens nicht mit der Familie verwandt war. Onkel Ephraim teilte Theodores Begeisterung für Innovationen nicht, sondern zog die althergebrachten Methoden vor. Das erwies sich als Problem, denn Theodore war zwar für seine ausgeprägte Toleranz bekannt, doch dass jemand die Vorzüge moderner Methoden nicht aufgriff, ertrug er nicht. Onkel Ephraim musste gehen und wurde durch Jimmy Burns, einen fortschrittlicheren Manager, ersetzt. Unter ihm wurde die Farm schnell zu einem Testbetrieb für sämtliche neuen Melkmaschinen und Zentrifugen aus dem Hause De Laval.

Dank seiner Position bei De Laval besuchte Theodore mehrere Male deren Muttergesellschaft in Stockholm und nutzte diese Gelegenheiten, so viel wie möglich von Skandinavien zu sehen und sich still und heimlich alles an neuen Ideen zu notieren, was ihm unterwegs begegnete. Eines Winters hieß es kurz nach seiner Stockholmreise, Mr Miller sei verrückt geworden: Er wurde dabei beobachtet, wie er auf zwei Brettern mit spitzen Enden einen Hügel hinunterrutschte. Und so wurde Poughkeepsie in das Skifahren eingeführt, und es dauerte nicht lange, bis die drei Kinder und auch etliche Nachbarn mit Skiern versorgt waren, die Theodore selbst angefertigt hatte.

Für Lee und ihre Brüder war die Farm eine einzige Spielwiese. Ihr Vater ermutigte die Kinder zu ihren Abenteuern und förderte jedes erdenkliche wissenschaftliche Interesse. Unter Johns Aufsicht bauten sie an einem kleinen Bach ein Wasserrad und konstruierten einen hölzernen Schienenstrang, der an der einen Seite eines Tals hinunterführte und an der anderen wieder hinauf. Die Räder der Lokomotive und der Tender wurden in der De Laval'schen Fabrik gegossen, doch einen Motor gab es nicht. Die Kinder lieferten selbst die nötige Energie, indem sie die Lokomotive bis zum Ende der Schienen hinaufzogen, sich dann hineinquetschten und den Bremskeil unter den Rädern hervorzogen. Auf der Ebene zwischen den beiden Steigungen legte John einen kurzen parallelen Schienenstrang als Ausweichgleis mit zwei Schnittpunkten. So konnten Lokomotive und Tender gleichzeitig von den gegenüberliegenden Enden der Strecke losfahren, wobei sie sich auf das sekundengenaue Timing verließen, mit dem zwei Personen die Weichen stellten, um einen Frontalzusammenstoß zu verhindern.

Die Spiele waren aufregend und gefährlich und meist mit irgendeiner Technik verbunden. Lees Lieblingsspielzeug war ein Chemiebaukasten, eine wunderbare, wohldurchdachte Ansammlung von Gerätschaften und Chemikalien. Während der langen

Wintermonate verbrachte sie ganze Tage damit, Mixturen anzu-
rühren und Gestank zu produzieren, und tolerierte dabei gutmütig, dass Erik mitmachen wollte. Ohne es zu ahnen, schufen sie
damit nicht nur die Grundlagen für ihre späteren fotografischen
Arbeiten, sondern auch für ihre Zusammenarbeit.

Die Fotografie kam zu Lee wie alles andere auch – als Teil
ihrer Umgebung. Theodore hatte in einem engen Schrank unter
der Treppe eine Dunkelkammer eingerichtet. Seine sorgfältig be-
schrifteten Alben waren vollgestopft mit Fotos von Lokomotiven,
Schlachtschiffen, Brücken, Dämmen, Straßen oder Wunderwer-
ken wie einem frühen Doppeldecker-Flugzeug (Bildunterschrift:
»Erster Flug in einer Maschine, die schwerer ist als die Luft«),
das 1910 bei einem Jahrmarkt aufgenommen worden war. Doch
diese Errungenschaften der modernen Technik kamen deutlich an
zweiter Stelle, nach unzähligen Aufnahmen von Lee, die ganze
Alben füllten. Jedes denkbare Ereignis, wie »Te Te, 3 Monate alt«,
wurde liebevoll in einem kleinen Schnappschuss festgehalten und
mit einer sorgfältig getippten Bildunterschrift versehen. Mit diesem Haufen winziger Fotos ließ er seiner väterlichen Bewunderung freien Lauf.

Theodore und Florence teilten eine unschuldige Begeisterung
für das Theater und nahmen die Kinder häufig zu Vorstellungen
mit. Beinahe fünfzig Jahre später schrieb Lee:

Meine erste Theatervorstellung erlebte ich im Opernhaus von
Poughkeepsie. Es mag sehr unwahrscheinlich klingen, aber
ich kann mich noch erinnern, dass zum ›Programm‹ tatsächlich Sarah Bernhardt persönlich gehörte; auf einer Chaiselongue
hingestreckt, spielte sie ›die größten Passagen aus ihren größten Rollen‹; außerdem gab es regungslose künstlerische Nack-
te, die griechische Skulpturen nachstellten (bleich, zitternd im
Rampenlicht), und als spezielle Attraktion einen garantiert

echten ›Film‹. Die göttliche Sarah, sterbend auf dem Diwan, war für mich als Siebenjährige von beträchtlichem, morbidem Interesse. Obwohl ich kein Französisch verstand, wirkte ihre flehende Portia durchaus drängend (zu diesem Zweck wurde sie gestützt und aufgerichtet); die Nacktskulpturen waren einfach Kunst. Doch der ›Film‹ war eine hochgradig aufregende Aufnahme mit einer funkensprühenden Lokomotive, die durch Tunnels und über Böcke raste. Held war der unerschrockene Kameramann selbst, der seine Mütze verkehrt herum trug und eine ›Gefahrenzulage‹ erhielt. In einer Kurve über einem Abgrund starrte die Spitze des Zuges auf ihr eigenes Ende; die Geschwindigkeit war schwindelerregend, nichts blieb jemals still, und in meinem begeistert jubelnden Überschwang zupfte ich Fransen im Wert von acht Dollar vom Geländer unserer Loge. (1)

Im Alter von sieben Jahren wurde Lee während einer kurzen Krankheit ihrer Mutter zu Freunden der Familie nach Brooklyn geschickt. Die Familie hatte einen Sohn, der bei der Marine und während Lees Aufenthalt auf Heimaturlaub war. Details und Umstände seiner Beziehung zu Lee sind nicht bekannt, sicher ist aber, dass sie Opfer eines sexuellen Übergriffs wurde, der verheerende Folgen hatte. Nach ihrer Rückkehr wurde bei Lee eine Geschlechtskrankheit diagnostiziert. Es war die Zeit vor der Entdeckung des Penicillins, und die einzige Heilmethode bestand aus einer Dusche mit Quecksilberchlorid. Als ausgebildete Krankenschwester oblag es Florence, diese Behandlung durchzuführen, für beide eine Qual.

Um dem unvermeidlichen emotionalen Trauma ihrer Tochter entgegenzuwirken, suchten Florence und Theodore Hilfe bei einem Psychiater. Er riet ihnen, Lee zu erklären, dass Sex und Liebe nicht zusammengehörten – Sex sei nur ein körperlicher Akt ohne eine Verbindung zur Liebe. Durch das Trivialisieren von Sex hoffte man, eventuell aufkommende Schuldgefühle bei Lee abzuwehren. Ob diese Behandlung gewirkt hat, lässt sich nicht sagen, denn ein paar Jahre später erlebte sie eine weitere Tragödie.

Es war Sommer, Lee ein junger Teenager und zum ersten Mal in einen Jungen aus der Nachbarschaft verliebt. Für sie bedeutete er die Erfüllung all ihrer Wünsche – er sah gut aus, war lustig und wie sie selbst auf Abenteuer aus. An einem heißen Sommernachmittag waren sie in einem Ruderboot auf einem See unterwegs. Niemand weiß, ob er aus dem Boot fiel oder zum Spaß ins Wasser sprang. Jedenfalls versagte sein Herz, und er war auf der Stelle tot. Die Wunden, die diese beiden Ereignisse hinterließen, begleiteten Lee bis ins Grab.

In ihrem Bemühen, Lee diese schreckliche Zeit zu erleichtern, verwöhnten die Eltern sie und, kaum überraschend, nutzte Lee ihre Nachgiebigkeit entschlossen aus. Mit einer für den kindlichen Verstand völlig normalen Logik erkannte sie, dass sie sich dank ihres Ausnahmezustands vor Haushaltspflichten drücken und die meisten anderen Familienangelegenheiten zu ihrem Vorteil manipulieren konnte.

So geschickt sie zu Hause darin war, ihren Willen durchzusetzen, so problematisch war es in der Schule. Wenn ein Fach sie nicht interessierte, war sie durch keinen Zwang dazu zu überreden, sich trotzdem damit zu beschäftigen. Zu Hause stürzte Lee sich mit großer Hingabe in ihre eigenen Projekte, doch in der Schule war sie durch nichts dazu zu bewegen, sich den Autoritäten zu beugen. Ihr Widerstand äußerte sich in einer ganzen Reihe oft einfallsreicher, übermütiger Streiche, die unvermeidlich dazu führten, dass eine Schule nach der anderen sie loswerden wollte.

Theodore war hin- und hergerissen zwischen Wut und Stolz auf den rebellischen jungen Geist, den er herangezogen hatte. Er machte immer wieder neue, zunehmend strengere Schulen ausfindig, die meist religiösen Orden unterstanden, dabei war er selbst bekennender Atheist. Ein letzter Schlag war, als Lee medizinisches Kontrastblau in die Finger bekam und es heimlich einer besonders empfindlichen Klassenkameradin verabreichte. Das arme Mädchen wurde beim Anblick ihres leuchtend blauen Urins beinahe hysterisch. Jetzt reichte es. Lee wurde erneut der Schule verwiesen, und dieses Mal gab es keine weiteren Schulen mehr, die sie aufnahmen.

Rettung kam von unerwarteter Seite in Gestalt von Madame Kockashinski, einer polnischen alten Jungfer, die an der Privatschule Putnam Hall Französisch unterrichtet hatte, wo Lee kurze Zeit Schülerin gewesen war. Sie bat um die Erlaubnis, Lee zusammen mit einer Freundin nach Paris zu begleiten und sie dort der stabilisierenden Wirkung klassischer europäischer Kunst und Kultur auszusetzen. Die Reise würde mit einem kurzen Aufenthalt in einer Haushaltsschule für höhere Töchter in Nizza abgerundet werden. Lee war restlos begeistert und hatte Theodore und Florence bald überredet, ihre Bedenken beiseitezuschieben. Immerhin verhieß dieser Vorschlag die Lösung des schwierigen Problems, wie sich Lees Erziehung fortsetzen ließe, und mit zwei solch aufrechten Anstandsdamen konnte sie schließlich unmöglich zu Schaden kommen.

Am 30. Mai 1925 fuhr die gesamte Familie Miller nach New York, um Lee an Bord der *S.S. Minehaha* zu verabschieden. Lee wusste von Anfang an, dass es ihr nicht schwerfallen würde, ihren Anstandsdamen zu entkommen, und sie sollte recht behalten. Als das Schiff in Boulogne anlegte, erwies sich Madame Kockashinskis Französisch als so miserabel, dass sie nicht einmal ein Taxi bestellen konnte. Eine Farce führte zur nächsten, und Lee erinnert sich: »Wie sich herausstellte, war ihr erstes Hotel in Paris ein *maison de passe*. Meine Anstandsdamen brauchten fünf Tage, um das zu merken, aber ich fand es göttlich! Entweder hing ich unter dem Fenster und beobachtete das Kommen und Gehen der Kunden oder sah zu, wie die Schuhe auf dem Flur mit erstaunlichem Tempo ausgewechselt wurden.« (2)

Dieser erste Besuch in Paris war berauschend. Er war der Katalysator, auf den Lee gewartet hatte. Ganz anders als vorgesehen, brachte er nicht den kultivierenden Einfluss, den ihre Eltern sich erhofft hatten, sondern bot Lee die erste Berührung mit einer Welt, nach der sie sich unbewusst gesehnt hatte. Bei ihren Anstandsdamen blieb sie gerade lange genug, um mit der Stadt vertraut zu werden. Dann ergriff sie die Flucht.

Sie lernte schnell, sich allein durchzuschlagen, und verkündete ihren Eltern, sie wolle Künstlerin werden. Nachdem die ihren ersten Schock überwunden hatten, gaben sie widerwillig nach und bezahlten die Gebühr für die neu eröffnete École Medgyes pour la Téchnique du Théâtre in der Rue de Sèvres, die von Ladislas Medgyes, einem begabten Bühnenbildner, der als ›architecte‹ firmierte, und Ernő Goldfinger geleitet wurde, der später als Architekt und Stadtplaner berühmt wurde.

Lee zählte nicht zu den Stareleven der Schule. Sie war achtzehn, gesellig, sah dem Stil der Zeit entsprechend fantastisch aus und war wesentlich mehr daran interessiert, ihre neugefundene Freiheit zu feiern, als sich formal ausbilden zu lassen. Inoffiziell lernte sie, was es bedeutete, als voll emanzipierte Frau ihr Schicksal in die eigenen Hände zu nehmen. Ihre Ankunft in Paris fiel mit der Blütezeit der Überlebenden der ›Verlorenen Generation‹ zusammen – jener Personen, die F. Scott Fitzgerald beschrieben hatte als »eine Generation, die heranwuchs und feststellte, dass alle Götter tot, alle Kriege gekämpft, alle menschlichen Überzeugungen erschüttert waren«. Leichtlebigkeit war eine Tugend, Vergnügungssucht eine Obsession.

Paris war das Treibhaus, in dem künstlerische Revolutionen

gediehen. Die nihilistische Dada-Bewegung, aus dem Abscheu gegen das Schlachten des Ersten Weltkriegs entstanden, wurde vom Surrealismus abgelöst. André Breton beschrieb diese Bewegung mit den Worten Apollinaires als: »Purer psychischer Automatismus, der mündlich, schriftlich oder auf andere Weise den wahren Denkprozess darstellt. Er ist das Diktat des Gedankens, frei von Vernunft und jeder anderer ästhetischen oder moralischen Voreingenommenheit.« Träume, Halluzinationen und Fantasien waren der Stoff der Bewegung, ihr Stil war libertär. Lee hätte sich zu keinem günstigeren Zeitpunkt auf die Suche nach ihrer persönlichen Freiheit machen können.

Künstler, deren Werke später als zentral gelten sollten, waren auf dem Sprung zum Ruhm. Giorgio de Chiricos traumartige Landschaften lieferten das Signal für den Beginn dieser Ära. Die Dichter Paul Éluard und André Breton und die Maler Max Ernst, Marcel Duchamp, André Masson, Yves Tanguy und René Magritte, um nur einige zu nennen, waren jugendliche Helden aufregender bilderstürmender Ideen. Picasso, Braque und Miró suchten mit ihren Werken einen eigenen Weg, aber in enger Nachbarschaft zu den Surrealisten.

Im Mittelpunkt der Fotografie-Szene stand Man Ray, ein junger amerikanischer Fotograf, der es vorzog, für einen Maler gehalten zu werden. Zusätzlich zu seinen ausdrucksstarken Porträts stellte er Fotografien ohne Kamera her, die er ›Rayografien‹ nannte. Dazu ordnete er mehrere Objekte auf Fotopapier an, das er zunächst belichtete und dann auf übliche Weise entwickelte. Da er die Objekte häufig mehrfach belichtete, bildeten ihre weißen oder grauen Schatten seltsame, traumartige Muster. Derartige Zufallsanordnungen waren sehr nach dem Geschmack der Surrealisten, doch etablierte Fotografen blickten verächtlich auf Man Ray herab und nannten ihn »nichts als einen cleveren Dunkelkammer-Scharlatan«. (3)

Das Tempo der *haute couture* wurde von Chanel, Patou und Lelong bestimmt, die mit ihren sportlichen Tageskleidern einen Stil jungenhafter Einfachheit kreierten. Sowohl dieser schlichte, frische Look als auch die perlenbesetzten Etui-Abendkleider standen Lee so gut, dass es schien, als wäre diese *mode* speziell für sie entworfen worden. Auf der Bühne waren die Ballette von Djagilew und Massine der letzte Schrei. Jean Cocteau und Christian Bérard waren die aufsteigenden Stars unter den Bühnenbildnern, auch wenn Cocteau damals vor allem als Dichter bekannt war. Gertrude Stein, Ezra Pound, Ford Madox Ford und Ernest Hemingway glänzten am Literatenhimmel.

Schwer zu sagen, mit welchen dieser kreativen Köpfe, die im späteren Verlauf der Geschichte so berühmt werden sollten, Lee persönlich in Berührung kam. Ob sie ihnen tatsächlich begegnete oder nicht, sie war von ihnen fasziniert und wurde von ihnen beeinflusst. So überrascht es wenig, dass sie sich so lange weigerte, nach Hause zu kommen, bis Theodore im Herbst 1926 nach Paris reiste und sie nach Poughkeepsie zurückschleppte.

Das Leben auf der Farm bot kaum Ersatz für das Leben in Paris, also begann Lee, ihre Eltern an ihre Abwesenheit zu gewöhnen. Sie unternahm immer längere Ausflüge nach New York und schrieb sich schließlich in der Art Students League ein. Der Kurs konzentrierte sich auf Theaterdesign und Beleuchtung, doch für sie war er nur ein Vorwand, sich wieder dem Leben in der Großstadt zu widmen und mit leidenschaftlichem Furor ins hedonistische studentische Leben zu stürzen. Gleichzeitig begann sie ein Training als Tänzerin für die Hippodrome Spectaculars, hatte einen kurzen Auftritt in der George White's Scandals Variety Show und übernahm einen Part in einer Nachtclub-Produktion mit dem Titel ›The Great Temptation‹. Theodores bescheidene Unterstützung erlaubte es ihr, in einem Brownstone-Gebäude in der East 49th Street eine kleine Wohnung zu mieten.

An den Wochenenden in Kingwood Park war Lee die Assistentin ihres leidenschaftlich fotografierenden Vaters. Theodore hatte sich eine Stereokamera gekauft, die gleichzeitig zwei Bilder auf ein 85 mm × 170 mm großes Nitratnegativ fotografierte. Wenn man den Kontaktabzug durch ein Gerät mit prismatischen Linsen betrachtete, kombinierten sich die Bilder zu dreidimensionalen Effekten. Brücken und andere Wunder der Ingenieurskunst waren seine bevorzugten Objekte, doch seine geheime Leidenschaft galt darüber hinaus der Aktdarstellung. Unzählige Male posierte Lee für ihn, im Haus und im Freien, gelassen, mit Haltung und gelegentlich ein wenig feierlich. Nur Bilder, auf denen sie gemeinsam mit nackten Freundinnen posiert, verrieten ihre Befangenheit.

Und so hätte das Leben noch jahrelang weitergehen können, wäre nicht ein Beinaheunfall passiert, der alles veränderte. Als Lee eines Tages in New York die Straße überquerte, lief sie achtlos vor ein Auto. Ein Passant riss sie gerade noch rechtzeitig zurück, und Lee brach in seinen Armen zusammen. Ihr Retter war der neue Selfmade-König der Zeitschriftenmacher, Condé Nast. (4) Vor lauter Schreck plapperte Lee Französisch, und das beeindruckte Condé Nast offenbar ebenso wie ihr europäischer Kleidungsstil. Er freundete sich mit ihr an und bot ihr an, als Modell für die *Vogue* zu arbeiten. Das wurde sofort ein Erfolg, und Georges Lepapes Porträt von Lee erschien bereits auf der Titelseite der März-Ausgabe 1927. Den Hintergrund bilden die funkelnden Lichter von Manhattan, und Lees entschlossener Blick unter der Krempe einer blauen Cloche kontrastiert den raffinierten Putz ihrer Kleidung.

Edward Steichen wetteiferte mit Baron de Meyer um den Titel des höchstbezahlten Fotografen der Welt. Steichen war ebenfalls ein enger Freund Condé Nasts und der Hauptfotograf der *Vogue*; für Lee war es eine besondere Ehre, wenn sie als Modell zu ihm geschickt wurde. Bald posierte sie regelmäßig für ihn und erschien auf den Seiten der *Vogue* und anderer Condé-Nast-Zeitschriften. Für Steichen war Lee das ideale Modell für die *mode* der Mittzwanziger Jahre. Sie war groß, bewegte sich selbstbewusst, und ihr ausdrucksvolles Profil sowie ihr feines Blondhaar passten exakt zu seinem klaren, eleganten Stil. Sie strahlte eine gewisse Distanziertheit aus und war herrlich fotogen. Steichen verpasste ihr einen raffiniert weltläufigen Look, der ihrem Alter weit voraus war und perfekt zu dem ungekünstelten, entspannten Stil passte, der die *belle époque* endgültig ablöste. Viele Jahre später sagte Lee über diese Zeit: »Ich war sehr, sehr hübsch. Ich sah aus wie ein Engel, aber innerlich war ich ein Teufel.«

Arnold Genthe wiederum war einer der wenigen Fotografen, die Lee erlaubten, wie ein romantisches junges Mädchen auszusehen. Die zurückhaltende Weichzeichnung seiner Porträts und zudem vielleicht die Tatsache, dass er sie aus Vergnügen, nicht wegen des Geldes fotografierte, verleihen ihr Zartheit und Verletzlichkeit, die niemandem sonst je gelangen. Genthe war weit über siebzig, dennoch sah man ihn häufig mit drei roten Rosen in der Hand am Fuß der Treppe zu Lees Wohnung. Lee mochte diesen klugen, sanften alten Mann und liebte es, stundenlang seinen Kommentaren zu Kunst und Kultur zuzuhören.

Freundschaft schloss sie auch mit Frank Crowninshield, dem Herausgeber von *Vanity Fair*, ebenfalls ein Mann, dem zuzuhören sich lohnte; er wurde gelegentlich auch ›Condé Nasts Svengali‹ genannt. Nast, dessen Manieren weniger geschliffen waren, als er selbst für wünschenswert hielt, ließ sich gern von Crowninshields außerordentlich kultivierten Vorstellungen von gutem Geschmack leiten.

Daneben hatte Lee zahlreiche Freunde ihres eigenen Alters. Belle Van de Water und Artida Warner aus Poughkeepsie waren gute Freundinnen, doch das engste Band knüpfte sie mit Tanja

Ramm, die sie bei der Art Student's League kennenlernte. Tanja, deren Eltern aus Norwegen stammten, war sehr schön und mit ihren dunklen Haaren und Augenbrauen ein optischer Gegensatz zu Lee. Gemeinsam besuchten sie Condé Nasts elegante Partys in seinem Appartement in 1040 Park Avenue. Nast mischte seine Gäste wie ein meisterhafter Maler die Farben auf seiner Palette. Die Seiten seiner Zeitschriften schienen lebendig zu werden mit all den schillernden Persönlichkeiten der Gesellschaft, der Wirtschaft und des Theaters, dazu einem Strauß hübscher junger Mädchen, um dem Ganzen noch zusätzlichen Glanz zu verleihen.

An den Wochenenden in Kingwood Park hießen Theodore und Florence unermüdlich Lees sämtliche Freunde willkommen, besonders die Mädchen, die Theodore dann darum bat, nackt für seine Stereofotos zu posieren. Ihr Bruder John war mittlerweile Fliegerpionier geworden und hatte in einer der Scheunen ein zerstörtes Standard-J1-Doppeldeckerflugzeug, einen Zweisitzer, restauriert. Er wurde ein ausgesprochen erfahrener Pilot und besaß nach einiger Zeit mehrere Flugzeugtypen, einschließlich eines Gyrocopters. Gelegentlich wurden Lee und ihre Freunde zu einem Kurzflug über die Nachbarschaft eingeladen – meist mit einem Looping über dem Haus als Höhepunkt.

Trotz ihres freizügigen Lebensstils war Lee entsetzt, als sie im Juli 1928 feststellte, dass Kotex-Damenbinden mit einem Steichen-Foto von ihr warben. Es war das erste Mal überhaupt, dass ein Porträt für diesen Zweck verwendet wurde. Zu jener Zeit hielt man diese weiblichen Angelegenheiten für viel zu delikat, um offen darüber zu sprechen, und höchstwahrscheinlich galt jede Frau, die zuließ, dass ihr Bild ein solches Produkt lancieren half, als völlig verkommen. Die Kotex-Anzeige erschien landesweit in allen angesagten Zeitschriften – heute wäre eine solche Verbreitung am ehesten mit einer massiven Fernsehkampagne vergleichbar. Zeitschriften und Werbeagentur erhielten haufenweise

Protestbriefe, mit am heftigsten intervenierte Lees Liebhaber, Alfred de Liagre, der Condé Nast in dieser Sache persönlich zur Rede stellte. Doch alle Proteste waren vergeblich; Lee hatte als Modell die Abtretungserklärung unterschrieben, und die Agentur handelte vollkommen im Rahmen des Rechts. Die Werbung lief bis Dezember, und bis dahin war Lee bereits ziemlich stolz auf die Tatsache, dass sie so viele zimperliche Seelen vor den Kopf gestoßen hatte.

Für Lee bedeutete ihr Erfolg in New York wenig mehr als ein Zeitgewinn. Sie genoss das aufregende Leben in den großen Fotostudios und ihre Kontakte zur gesellschaftlichen und intellektuellen Elite, doch mit den berauschenden Studientagen in Paris war all das keineswegs zu vergleichen. Sie war jetzt zweiundzwanzig und von der Idee besessen, dorthin zurückzukehren. Steichen gab ihr ein Empfehlungsschreiben für Man Ray, Condé Nast verwies sie an George Hoyningen-Huene, den Leiter des französischen *Vogue*-Studios, und ein Modedesigner bot ihr einen kleinen Forschungsauftrag an, der etwas Geld versprach. Im Vertrauen auf diese Aussichten und Tanjas Versprechen, sie auf dieser Reise zu begleiten, buchte sie eine Überfahrt auf der *Comte de Grasse*.

Lees Liebesaffäre mit de Liagre, der später erfolgreich gediegene Broadway-Stücke inszenierte, war stürmisch, voller Schuldzuweisungen und leidenschaftlicher Ausbrüche. Mit seiner Zustimmung unterhielt sie gleichzeitig eine Liaison mit einem jungen kanadischen Flieger namens Argylle, ein Arrangement, das dadurch erleichtert wurde, dass die beiden Männer eng befreundet waren. Als Lees Abschied nahte, warfen sie eine Münze, um zu entscheiden, wer von ihnen sie im Hafen verabschieden sollte. De Liagre gewann, doch Argylle tröstete sich damit, dass er in seinem Jenny-Doppeldecker im Tiefflug über den Dampfer hinwegflog, während der den Hudson River hinunterstampfte, und rote Rosen auf das Sonnendeck niederregnen ließ. Nach vollendeter Mission kehrte er zum Flugplatz Roosevelt zurück, um einen Schüler aufzunehmen. Bei Soloflügen wurde die Jenny normalerweise vom vorderen Cockpit aus gesteuert, doch beim Flugunterricht saß der Schüler vorne, damit der Lehrer ihn mit einem Schraubenschlüssel k.o. schlagen konnte, sollte er vor Angst am Steuer erstarren. Doch an diesem Tag, vielleicht noch von der Aufregung des Abschieds überwältigt, stoppte Argylle das Flugzeug gerade lange genug, um seinen Schüler ins hintere Cockpit einsteigen zu lassen. Wenige Minuten nach dem Start trudelte die Jenny zu Boden. Argylle und der Schüler waren auf der Stelle tot. Unterdessen stürzte sich Lee ins Gesellschaftsleben an Bord. Vom tragischen Tod ihres Liebhabers ahnte sie nichts.

Kapitel 2

Fotografie im Paris der Surrealisten

1929–1932

Lee und Tanja machten einen kurzen Zwischenstopp in Paris, dann bestiegen sie den Zug nach Florenz. Ein älterer Kunsthändler nahm sich ihrer an und zeigte ihnen die Stadt und die Orte auf den nahen Hügeln. Lees »Forschungsauftrag«, an sich kaum bedeutend, führte zu einer entscheidenden Wendung in ihrem Leben.

Ihr Auftrag lautete, peinlich genaue Zeichnungen von Gürtelschließen, Schleifen, Spitzen und anderem Kleidungszierrat in Renaissancegemälden anzufertigen und diese in die Vereinigten Staaten zu schicken, damit sie in der zeitgenössischen Mode Anwendung finden konnten. Eine mühevolle, anstrengende Arbeit, und nach kurzer Zeit begann Lee, mit dem Einsatz einer Kamera zu experimentieren. Heutzutage erscheint das mehr als naheliegend, allerdings standen ihr damals nur eine Kodak-Faltkamera und ein klappriges, tragbares Stativ zur Verfügung. Nahaufnahmen bei schlechtem Licht waren der denkbar schwierigste Weg, eine Technik zu erkunden, doch es entsprach Lees Charakter, sich sofort in eine neue Aufgabe zu stürzen. Den Berichten zufolge war ihr Sponsor offenbar mit dem Ergebnis zufrieden.

Von Florenz reisten die beiden Frauen weiter nach Rom, von wo Tanja nach Deutschland aufbrach, um Freunde zu besuchen, während Lee nach Paris zurückkehrte. Ursprünglich hatte sie weiter als Mannequin arbeiten wollen, doch inzwischen hatte eine andere Idee von ihr Besitz ergriffen: Sie wollte Fotografin werden. Man Ray galt als der aufregendste Fotograf von Paris; anstatt für ihn Modell zu stehen, würde sie seine Schülerin werden.

Sie fragte sich durch zu seinem Studio im Erdgeschoss von 31bis Rue Campagne Première, dem wohl hässlichsten Art-Nouveau-Gebäude von ganz Paris. Zu ihrer Enttäuschung erfuhr sie von der Concièrge, dass Man Ray nach Biarritz gereist sei. Lee war am Boden zerstört: Für sie mussten die Dinge immer *sofort* passieren, um sie zu fesseln; wenn Man Ray in einem Monat zurückkehrte, wäre ihr kühner Entschluss verpufft. Bekümmert verkroch sie sich ins Bâteau Ivre, ein kleines Café in der Nähe, und bestellte einen Pernod mit viel Eis. Da tauchte Man Ray plötzlich auf.

Es war, als würde er am Ende einer Wendeltreppe aus dem Fußboden aufsteigen. Er sah aus wie ein Stier, mit einem außergewöhnlichen Rumpf, sehr dunklen Augenbrauen und dunklem Haar. Beherzt erklärte ich ihm, ich sei seine neue Schülerin. Er sagte, er nehme keine Studenten an und werde Paris außerdem für die Ferien verlassen. Ich sagte, ich weiß, ich gehe mit Ihnen – und tat es. Wir lebten drei Jahre zusammen. Man kannte mich als Madame Man Ray, denn so ist es in Frankreich üblich. (1)

Tatsächlich war es nicht ganz so einfach, denn damals lebte Man Ray noch mit Kiki de Montparnasse zusammen, der Kabarettkünstlerin, die ihre Liebhaber nicht nur mit ihrer leidenschaftlichen Zuneigung, sondern auch mit ihrer Eifersucht überschüttete. Es kam zu diversen Szenen in den Cafés, wo Kiki Man Ray wütende Beschimpfungen und Teller entgegenschleuderte. Doch nach einiger Zeit beruhigte sie sich und verhielt sich Lee gegenüber freundschaftlich.

Zwischen Man Ray und Lees Vater gab es auffallende Ähnlichkeiten, nicht nur, was beider Begeisterung für Technik und Wissenschaft betraf. So schreibt Henry Miller in seinen *Recollections of Man Ray in Hollywood*: »Er hatte eine Art, alles neu erscheinen zu lassen und, wenn schon nicht bedeutend, dann sicherlich beachtenswert, überlegenswert … Es fiel ihm nicht schwer, Fremdes zu verstehen, denn nichts war oder ist ihm fremd … Seine Neugier war unersättlich, und sie führte ihn häufig weit über das

Übliche hinaus. Er war nie einfach nur Maler oder Fotograf, er war ein Abenteurer und Forscher.« (2)

Diese Worte beschreiben sehr genau Theodore und natürlich auch Lee.

Lee und Man Ray hatten eine fruchtbare Partnerschaft: Sie stand für ihn Modell, und er unterrichtete sie. Sie lebten und liebten gemeinsam, doch einfach war es wohl nicht. Selbst für einen überzeugten Surrealisten muss das Dogma der freien Liebe mit solch grundlegenden Instinkten wie Besitz und Eifersucht in Konflikt geraten sein. Doch Lee lebte erfolgreicher als die meisten anderen nach diesem Prinzip. Sie fand, dass die Treue zu einem aktuellen Liebhaber nicht mit ihren sexuellen Wünschen in Konflikt geraten sollte, und erklärte, sie gehe ins Bett mit wem immer sie wolle; warum solle das den Menschen, den sie liebte, stören? Das Prinzip der freien Liebe wurde meist vom männlichen Standpunkt aus formuliert. Lee stellte diesen in seiner Doppelmoral als Eifersucht bloß, zum Kummer und zur Verwirrung der Männer in ihrer Umgebung. Man Rays ehrliche Beschreibung eines aufwendigen Kostümballs bei Graf und Gräfin Pecci-Blunt ist nicht frei von Gekränktheit:

Thema war die Farbe Weiß; jedes Kostüm war erlaubt, doch es musste vollkommen weiß sein. Im Garten wurde eine große weiße Tanzfläche errichtet, das Orchester war im Gebüsch verborgen. Ich wurde gebeten, mir eine zusätzliche Attraktion auszudenken. Also mietete ich einen Filmprojektor, der in einem Zimmer im oberen Stock mit einem Fenster zum Garten aufgebaut wurde. Ich machte einen alten, handkolorierten Film des französischen Filmpioniers Méliès ausfindig. Während sich die weißen Paare auf der weißen Tanzfläche drehten, wurde der Film auf diese bewegliche Leinwand projiziert – die, die nicht tanzten, sahen von den Fenstern des Hauses aus zu. Die

Wirkung war gespenstisch – Personen und Gesichter in dem Film waren verzerrt, aber erkennbar. Zudem baute ich in einem der Zimmer eine Kamera auf, um die Gäste zu fotografieren.

Dem Ballthema entsprechend, war ich als Tennisspieler ganz in Weiß gekleidet und brachte als Assistentin eine Schülerin mit, die zu dieser Zeit bei mir Fotografie studierte – Lee Miller. Auch sie war im Tennisdress, mit todschicken Shorts und einer Bluse von einer bekannten Couturière, Mme Vionnet. Von schlanker Gestalt, mit blondem Haar und herrlichen Beinen, wurde sie ständig zum Tanzen entführt, so dass ich mich ganz auf meine Fotografie konzentrieren konnte. Ich freute mich über ihren Erfolg, war aber gleichzeitig verärgert, nicht wegen der zusätzlichen Arbeit, sondern aus Eifersucht; ich war in sie verliebt. Im Laufe des Abends sah ich immer weniger von ihr, kämpfte mit meinem Material und verlor irgendwann den Überblick über meine Filmkassetten. Schließlich ließ ich das Fotografieren sein, ging nach unten ans Büfett, um etwas zu trinken, und zog mich von der Party zurück. Hin und wieder tauchte Lee zwischen zwei Tänzen auf, um mir zu erzählen, was für ein wunderbarer Abend es sei; alle Männer seien so reizend zu ihr. Es war ihre Einführung in die französische Gesellschaft. (3)

Lee lernte schnell. Die technische Seite des Fotografierens beherrschte sie bald und betrachtete die strengen Anforderungen bei der Arbeit in der Dunkelkammer weniger als lästige Pflicht denn als Herausforderung. Doch wichtiger noch war, dass Man Ray sie darin bestärkte, auf den eigenen Blick zu vertrauen, und die Kontakte mit seinen surrealistischen Freunden stimulierten ihre Vorstellungskraft.

Nur wenige ihrer frühen Fotografien haben ihre späteren Reisen und die seltsame Verachtung, die sie ihren eigenen Arbeiten entgegenbrachte, überlebt. Die geretteten zeigen, dass sie die Welt mit zarter, kühler Eleganz betrachtete. Die Bilder sind direkt und scharfsichtig, der surrealistische Einfluss häufig in Form witziger Kontrastierungen erkennbar. Der Stil ist pur und unschuldig, die Fotografien entstanden alle um ihrer selbst willen.

Der Großteil der Arbeit geschah auf den kleinformatigeren Glasplatten, und die Abzüge wurden später vergrößert. Lee beschreibt Man Rays Arbeitsbereich so: »Die Dunkelkammer war nicht einmal so groß wie eine Badezimmermatte. Es gab ein hölzernes Spülbecken, das mit säureresistenter Farbe gestrichen war, ein großes Entwicklerbad und darüber einen Tank, so dass das Wasser durchlaufen und alles wässern konnte. Man war ungeheuer sorgfältig, was die Art und Weise der Fixierung und das Wässern seiner Fotos betraf.« (4)

In regelmäßigen Abständen unterbrach sie ihre Ausbildung bei Man Ray und ging zu den Pariser Studios der *Vogue*, um für George Hoyningen-Huene Modell zu stehen, einen weißrussischen Baron und berühmten Modefotografen. Ein Teil seiner Ausstrahlung beruhte auf seinem furchterregenden Ruf, seine Modelle einzuschüchtern. Lee ließ sich von diesem äußerlichen Zurschaustellen seiner Abneigung nicht beeindrucken, und mit ihrer menschlichen Wärme gewann sie ihn zum treuen Freund. Während ihres gesamten Parisaufenthalts stand sie für ihn Modell, und obwohl Hoyningen-Huene es nicht mochte, wenn seine Modelle für andere Fotografen posierten, schätzte er Lee so sehr, dass er in ihrem Fall darüber hinwegsah.

Ein Schlüssel zu Hoyningen-Huenes Erfolg war die meisterhafte Ausleuchtung seines Studios, und bei der gemeinsamen Arbeit schnappte Lee etliche seiner technischen Tricks auf. Ihr Charme und ihre Neugier waren gepaart mit der Gabe, die Menschen zum Reden zu bringen und ihr Tun zu erklären. Die Modellsitzungen mit Hoyningen-Huene glichen einem privilegierten Seminar und erlaubten es Lee, die Arbeit auf beiden Seiten der Kamera gleichzeitig zu studieren. In den folgenden drei Jahren feierten Hochglanzmagazine und künstlerische Foto-Editionen ihr Konterfei. Viele Jahre später schrieb Cecil Beaton über diese Zeit: »Damals ... schnitt eine weitere Amerikanerin, Lee Miller, ihr helles Haar ab und sah aus wie ein sonnenverbrannter Ziegenhirte von der Via Appia. Nur eine Skulptur konnte mit der Schönheit ihrer geschwungenen Lippen, ihrer länglichen hellen Augen und ihres schlanken, hohen Halses wetteifern.« (5)

Hoyningen-Huenes Assistent war damals ein junger Deutscher, Horst P. Horst, der gerade seine ersten Aufträge übernahm. Um sein Portfolio zu erweitern, bat er Lee, für ihn Modell zu stehen. Er widmete dem Porträt seine ganze Mühe, einer Studie der versonnenen Lee, die ein paar Maiglöckchen in der Hand hält, und als er ihr stolz den fertigen Abzug zeigte, rief sie beifällig: »Wow! Das ist ein Knaller!« Horst verstand dies als Missbilligung und entschied, sie nie wieder zu fotografieren. Als sie einige Wochen später mit einer Brust auf einem Teller in seinem Studio erschien, war er zutiefst angewidert. Sie hatte in einem Krankenhaus bei einer radikalen Mastektomie zugesehen, den Chirurgen um die Hinterlassenschaft gebeten und die Brust unter einem Tuch durch die Straßen getragen. Ihre Idee war, sie, umgeben von Essbesteck, als surrealistisches Objekt zu inszenieren. Michel de Brunhoff, Herausgeber der französischen *Vogue*, war entsetzt und warf Lee samt Brust hinaus, doch davor gelang es ihr noch schnell, einen Schnappschuss anzufertigen. (6)

Nach einer ungefähr neunmonatigen Ausbildung bei Man Ray bekam Lee erste eigene Aufträge von der *Vogue* und anderen Zeitschriften. Wie groß Lees und Man Rays Respekt füreinander war, zeigt, dass keiner der beiden ernsthaft beunruhigt war, wenn eine Würdigung an den anderen ging. So schob Man Ray ziem-

lich viele seiner Aufträge Lee zu, um sich für die Malerei freizu-
halten, wobei Lee behauptete, nur die Aufträge zu bekommen,
die er entweder nicht mochte oder die nicht gut genug bezahlt
wurden. Beide arbeiteten zusammen an einem Prospekt für die
Compagnie Parisienne de Distribution d'Électricité. Sie schufen
ein Album in einer Auflage von 500 Exemplaren, versehen mit
einem Vorwort von Pierre Bost, das den wichtigsten Kunden der
Gesellschaft überreicht wurde. Lee erzählte später, dass »die Verwendung eines Akts ... die Offiziellen ein wenig hart ankam, da
sie ein öffentliches Versorgungsunternehmen waren. Außerdem
waren wir ganz schön durcheinander, denn wir hatten eines
Nachts auf der Place de la Concorde ein wunderschönes Foto
gemacht (ich hatte mir bei jemandem Zugang zu seinem Dach
erbeten), und später stellten wir fest, dass der Platz mit Gas beleuchtet wird!« (7)

Einer ihrer bekanntesten gemeinsamen Erfolge war die Entwicklung der ›Solarisations‹-Technik. Mehrere Jahre zuvor hatte Man Ray ein solarisiertes Foto von Stieglitz gesehen, das man
als fehlgeschlagen verworfen hatte. Damals war Man Ray allerdings nicht auf die Idee gekommen, mit dieser Technik Versuche
anzustellen, bis Lee zufällig ein glückliches Missgeschick passierte:

Irgendetwas kroch in der Dunkelkammer über meinen Fuß,
und ich stieß einen Schrei aus und schaltete das Licht an. Ich
fand nie heraus, was es war, eine Maus vielleicht. Dann stellte ich fest, dass der Film völlig überbelichtet war: In den Ent-
wicklungsbädern lag, bereit, herausgenommen zu werden, ein
Dutzend praktisch voll entwickelter Negative eines Akts vor
schwarzem Hintergrund. Man Ray griff danach, legte sie ins
Klärbad und betrachtete sie: Die unbelichteten Teile des Ne-
gativs, also der schwarze Hintergrund, wurden dem harten

Licht ausgesetzt, das ich eingeschaltet hatte, sie waren entwickelt und reichten bis zum Rand des nackten weißen Körpers ... Es war zwar nett, dass ich diese zufällige Entdeckung gemacht hatte, doch Man musste erst herausfinden, wie der Vorgang sich kontrollieren ließ, so dass jedes Mal genau das herauskam, was er im Sinn hatte. (8)

Die Ergebnisse können als Ausdruck ihrer erfolgreichen künstlerischen Verbindung gelten.

Bei anderer Gelegenheit machte Man Ray aus der Untersicht eine weich gezeichnete Aufnahme von Lees Kopf, die ihren Hals betonte. Das Ergebnis entsprach nicht seinen Wünschen, deshalb verwarf er das Negativ. Lee rettete die Platte, machte einen sorgfältigen Abzug und arbeitete so lange an seiner Verbesserung, bis sie mit dem Ergebnis zufrieden war. Man Ray war beeindruckt; als Lee jedoch erklärte, das Bild sei nun *ihr* Kunstwerk, nicht seines, wurde er wütend. Der Streit war kurz und heftig und endete wie üblich damit, dass Man Ray Lee aus dem Studio warf. Als sie ein paar Stunden später zurückkehrte, war das Bild an die Wand geheftet, allerdings mit einem rasiermesserscharfen Schnitt durch die Kehle, aus dem scharlachrotes Blut strömte. (9) Wie so viele andere Traumata in seinem Leben versuchte Man Ray, auch diese Erfahrung in seinem Werk zu sublimieren. Sein Gemälde *Le Logis de l'artiste* (Heim des Künstlers) zeigt den zarten, weichen Hals, der sich aus lauter Gegenständen, die als das vertraute Durcheinander des Studios erkennbar sind, nach oben reckt. Die Reduktion von Lees Kopf auf ein Objekt und seine Einbindung in diesen Kontext enthüllen möglicherweise mehr, als Man Ray beabsichtigt hatte.

Trotz ihrer zahlreichen fotografischen Arbeiten machte Lee als Modell den nachhaltigsten Eindruck, damals wie heute. Sie posierte für zahlreiche von Man Rays eindrücklichsten Porträts und Aktaufnahmen; ihr Bild wurde zu einer Ikone. Man Rays *Boule de Neige* war eines seiner ersten vervielfachten Werke und bestand »aus einer wassergefüllten Glaskugel, in der überlebensgroß die Fotografie eines Mädchenauges (Lee Millers) schwebte, umhüllt von einem Schneesturm weißer Flocken, sobald man die Kugel drehte«. (10)

Ein Glashersteller entwarf ein Champagnerglas, das ihrer Brust nachempfunden war, und das Magazin *Time* brachte einen Artikel über Lee mit einem Foto Man Rays. Der abschließende Kommentar lautete, Lee Miller werde »überall gefeiert für den schönsten Nabel von Paris«. (11) Theodore war nicht erfreut. Er verpflichtete *Time*, einen Brief zu veröffentlichen, in dem er darlegte, dass »der Artikel einen sehr beleidigenden und völlig unzutreffenden Bezug zu Miss Lee Miller enthielt« (12), gefolgt von einer Entschuldigung des Herausgebers, der behauptete, der Artikel basiere auf Falschinformationen.

Inzwischen hatte Lee eine eigene Wohnung mit Studio in 12, Rue Victor Considérant, zehn Fußminuten von Man Rays Studio entfernt. Das hohe verputzte Gebäude aus den 1920er Jahren steht am Ende einer Straße mit alten Steinhäusern, die zum Friedhof Montparnasse führt; an ihrem anderen Ende bewacht der Löwe von Belfort die Place Denfert-Rochereau. Wie viele Gebäude in Montparnasse wurde es für Künstler errichtet und verfügte über sechs zweigeschossige Studios. Lee richtete ihres für fotografische Zwecke ein. Ihre Ausrüstung war einfach – ein paar Lampen, eine Rolle Hintergrundpapier und eine kleine Dunkelkammer. Für anspruchsvollere Aufträge lieh sie sich die Ausrüstung gewöhnlich bei Man Ray. Die Wände dekorierte sie mit regenbogenfarbenem Chiffon, auf den sie bunte deutsche Grammophonplatten heftete wie riesige Pastillen. Über dem Bett hing eine Tapisserie nach einem Entwurf von Man Ray.

Lee stellte rasch fest, dass ihre Porträtkunden in Schüben auftauchten. Zuerst erschien eine Reihe königlicher Kunden, die Maharani von Cooch-Behar, der Manee von Mindi, der Herzog von Vallombrosa, die Herzogin von Alba. Es folgten die Literatenszene, danach dutzendweise Kinder und schließlich wurden durch Zufall Haustiere das Thema. Dieser Trend begann, als sie eine prominente französische Gesellschaftsdame fotografierte, die ein paar Tage später wiederkam, um ihre Schoß-Eidechse porträtieren zu lassen. Lee fotografierte das Tier auf einer blühenden Stylosa kauernd und war verwegen genug, dafür 100 Dollar zu verlangen, das volle Honorar für ein Kinderporträt.

Das Studio verschaffte Lee die Unabhängigkeit, nach der sie sich so gesehnt hatte, und auch wenn Man Ray die meisten Nächte dort verbrachte, lebten beide ihr eigenes Leben und hatten ihren eigenen Freundeskreis. Im darauffolgenden Frühling kehrte Tanja Ramm nach Paris zurück und zog für ein paar Wochen bei Lee ein, während sie sich als Modell etablierte und eine Ausbildung als Designerin bei dem Modeschöpfer Mainbocher begann, einem ehemaligen Redakteur der *Vogue*.

1930 besuchte Lees Bruder Erik Paris, und Lee und Man Ray holten ihn vom Schiff ab. Er war gerade zwanzig geworden und genau im richtigen Alter, um sich von der Romantik und der Schönheit Frankreichs bezaubern zu lassen. Außerdem beflügelte ihn die Tatsache, dass er sich auf der Überfahrt in Mary Frances Rowley (genannt Mafy) aus Ohio verliebt hatte, seine zukünftige Braut.

Einer der Ersten, denen Lee Erik und Mafy vorstellte, war Hoyningen-Huene in den *Vogue*-Studios. Gemeinsam gingen sie in ein nahe gelegenes Restaurant zum Mittagessen, und Erik erinnert sich: »Hoyningen-Huene bekam ein Glas warmen Champagner mit einer Schaumkrone. Er bat um ein Stück Käse, von dem er winzig kleine Würfelchen abschnitt, nicht größer als 2 mm, die er behutsam in den Champagner fallen ließ und die Schaumkrone so im Handumdrehen zum Verschwinden brachte. Dann trank er das Glas in aller Ruhe aus. In meinen Augen war das der Gipfel der Eleganz.« (13) Nach dem Mittagessen kehrten sie zurück ins Studio, und Hoyningen-Huene machte bereitwillig Porträts von Lee und Erik, Erik und Mafy und Mafy allein.

Lee hatte viele Freunde unter den Surrealisten, wollte sich aber nicht in ihre Fehden hineinziehen lassen. Als Jean Cocteau sie in der weiblichen Hauptrolle von *Das Blut eines Dichters* besetzte, gab es Protestgeheul seitens seiner Freunde und eine erbitterte Auseinandersetzung mit Man Ray, der Cocteau voller Neid verachtete. Die Gelegenheit für Lee, in dem Film mitzuwirken, hatte sich zufällig eines Abends in dem Nachtclub Bœuf sur le Toit ergeben, als Cocteau seine Freunde demonstrativ befragte, wen er für die Rolle der Statue vorsprechen lassen sollte. Lee sprang auf und hatte Cocteau im Handumdrehen davon überzeugt, dass sie für diese Rolle wie geschaffen sei. Man Ray, selbst ein Filmemacher, musste doppelt verbittert gewesen sein, als er herausfand, dass sein ehemaliger Förderer, der Vicomte Charles de Noailles, die Produktion unterstützte. Die Fehde mit Man Ray dauerte Monate, doch Lee ließ sich nicht beirren und machte den Film.

Kostüm und Make-up hoben Lees Aussehen nicht gerade, und die Rolle bot ihr wenig Spielraum, doch ihr Auftritt hatte etwas Machtvoll-Beherrschendes. Sie ließ sich bereitwillig fesseln und zurechtdrapieren, um in der ersten Szene wie eine Statue mit Armstümpfen zu wirken. Die Butter-Mehl-Mischung, die ihr das Papiermaché-Haar an der Stirn festklebte, schmolz, wurde ranzig und machte Flecken auf dem Gips ihrer Stümpfe. Die folgenden Szenen erlaubten ihr, bei einem Kartenspiel beide Armstümpfe zu benutzen, und waren ziemlich einfach für sie. Schwierig wurde es im Finale, wenn die Statue mit einem Stier im Gefolge abtritt. Ein riesiger Ochse bekam eine Galgenfrist vom Schlachthof und wurde ins Studio gebracht. Ihm fehlte ein Horn, weshalb die Requisite eines anfertigen und am Kopf des Tiers befestigen musste. Dann stellte sich heraus, dass der Bulle keine Anstalten machte, sich im richtigen Moment zu bewegen. Also wurde an seinem Kopf ein Draht befestigt, damit an der entscheidenden Stelle daran gezogen und er zum Weitergehen bewegt werden konnte. Doch der Ochse hatte andere Vorstellungen. Sobald der Draht sich spannte, bockte er durchs Set, wo er mit Lee kollidierte und sie durch die Luft segeln ließ. Verzweifelt schickte man einen Assistenten mit dem Auto aufs Land. Er kam mit einem Ochsentreiber zurück, der versteckt am Rand stand und mit einer Reihe gegrunzter Kommandos umgehend die absolute Kontrolle über das Tier übernahm.

Viele Jahre später erinnert sich Lee:

> Das Skript wurde ständig geändert. Féral Benga, der schwarze Jazztänzer, hatte sich den Knöchel verstaucht und musste einen hinkenden Engel spielen ... Cocteau gefiel es besser so, doch die Leute haben alles Mögliche hineininterpretiert. Den Stern auf Enrique Riveros Rücken hatte Cocteau dort angebracht, um eine Narbe zu verbergen ... der Schauspieler war vom Ehemann seiner Geliebten angeschossen worden. Nach neunzehn Takes der Kartenspielszene zerriss Rivero die Karten, damit es kein zwanzigstes gäbe ... er wollte zu einer Party. (14)

In der *Vogue* schrieb sie außerdem:

> Wenn Gedichte und Meisterwerke meist in verdreckter Umgebung wie Dachgeschossen und Gefängnissen entstehen, wenn Chaos und Missverständnisse das Los eines Dichters sind, dann lag ein Segen auf diesem Film ... alle Vorzeichen standen günstig. Das Studio war in Windeseile schalldicht aus-

gestattet worden: mit sämtlichen gebrauchten Matratzen von Paris abgedichtet, die zu ergattern waren. Die Matratzen wiederum waren mit sämtlichen Arten von Insekten besiedelt, die in Matratzen typischerweise vorkommen; wir wurden schier aufgefressen, ertrugen aber stoisch das Jucken. Der fantastische Kristallkronleuchter für das Kartenspiel wurde im Nullkommanichts geliefert, jedoch in dreitausend durchnummerierten Einzelteilen, ein jedes ordentlich in säurefreies Seidenpapier gewickelt.

Dann, nach Beendigung des Films:

> Die Kirche drehte durch, die ›Förderer‹ wurden angeklagt, und der fertige Film schmachtete ein paar Jahre in einem Tresor dahin … Kein Unglück, kein Unfall bei der Produktion, zu dem Cocteau nicht eine Lösung einfiel, die sich später als Vorteil erwies. Er selbst, elegant, schrill und voller Elan, wusste genau, was er wollte und bekam es auch. Er schrie, und er schmeichelte. Er elektrisierte jeden, der etwas mit dem Film zu tun hatte, vom Ausputzer bis zum Steuereintreiber. Und wir, im Zustand der Gnade, hatten teil an der Entstehung eines Gedichts. (15)

Der Ochse wurde in den Schlachthof zurückgeschickt, und *Das Blut eines Dichters* wurde sowohl aufs Heftigste verdammt als auch in den höchsten Tönen gelobt. Doch Lee spielte nie wieder in einem Film. »Ich kann einfach nicht schauspielern«, sagte sie, wenn sie gefragt wurde. Vielleicht kam die Tatsache, dass Schauspielerei so sehr Teil ihres Wesens war, dass sie nicht auf Kommando spielen konnte, der Wahrheit näher. Und dennoch war sie ein aufsteigender Stern – inzwischen weithin bekannt und gemocht.

Lee arbeitete weiter an ihrer florierenden Karriere als Fotografin. Ihr Ruf war mittlerweile gefestigt, und dank ihrer eigenen Erfahrungen bei Modeaufnahmen bekam sie regelmäßig Aufträge von erstklassigen Kunden wie Patou, Schiaparelli und Chanel. Bei manchen Gelegenheiten kombinierte sie erfolgreich beide Künste und trat als Modell in ihren eigenen Bildern auf. Als der Druck im Zuge des kommerziellen Wettbewerbs zunahm, waren Fotografien im Stil der Surrealisten weniger gefragt, doch sie knüpfte die richtigen Kontakte.

Der Kunsthändler Julien Levy, der später in seiner Galerie in New York auf der Madison Avenue ihre erste Fotoausstellung ausrichtete, beschreibt ein Treffen mit Lee:

Am Morgen nach meiner Ankunft erschien die Fotografin Lee Miller. Plötzlich war sie da, schritt in einer kühnen, hellen Aura direkt vor mir her den Boulevard Raspail entlang. Alles an Lee leuchtete. Ihr Geist leuchtete, ihr Denken, ihre Fotokunst und ihr schimmerndes blondes Haar. Sie hatte die richtige Sorte Haar, wippend, aber nicht drahtig, fein, aber nicht glatt und leblos. Sie war keine dieser Blondinen, über die man sang ›pourquoi les femmes blondes ...?‹ Stattdessen würde man lieber ›Auprès de ma blonde ...‹ singen. ... Ich holte sie ein und verabredete mich für denselben Abend mit ihr im Jockey Club. (16)

Im Dezember 1930 unternahm Theodore einen seiner Schwedenbesuche und arrangierte es so, dass er über Paris reiste und Lee mitnehmen konnte. Sie verbrachten Weihnachten im Stockholmer Grandhotel, wo Theodore die Gelegenheit wahrnahm, mehrere Stereo-Aktstudien seiner Tochter anzufertigen. Ein paar Tage nach Neujahr waren sie wieder in Paris, wo Theodore und Man Ray unzertrennlich wurden. Es war eine höchst eigenartige Verbindung, doch mit Man Rays Leidenschaft für alles Technische und Theodores Liebe zur Fotografie hatten sie jede Menge Gesprächsstoff. Theodore war von Man Rays Erfindungsgeist beeindruckt. So hatte er unter anderem ein Stativ entwickelt, dessen Standfuß sich mittels eines Zahnrads anheben ließ, etwas, das seiner Zeit um Jahre voraus war. Man Ray war auch der Erste, der auf die Idee kam, eine Niedrigvolt-Glühbirne an die Hauptleitung anzuschließen, um die Leuchtkraft einer Fotoflood-Lampe zu erreichen.

Im Nachhinein betrachtet, ist es wohl Theodores unanfechtbare Stellung im Leben seiner Tochter, die bei diesem Zwischenstopp in Paris den stärksten Eindruck hinterlässt – mehr noch als das gute Verhältnis der beiden Männer. Die Fotos von Lee, auf denen sie ihren Kopf an seine Schulter legt, bestätigen, dass er von allen Männern in ihrem Leben derjenige war, den sie am meisten liebte. Die völlig ungeschützte Art, mit der sie ihren Kopf an seine Schulter kuschelt wie ein schläfriger Welpe, verrät uns, wo sie sich am sichersten fühlte, am zärtlichsten und am glücklichsten. Sie war ihr Leben lang unfähig, stabile Beziehungen zu ihren Liebhabern einzugehen, obwohl sie viele Male eine dauerhafte gewollt hätte, doch immer gab es irgendeine unerklärliche Schwierigkeit, die das verhinderte.

Man Ray litt besonders unter Lees Kaprizen. Er gab sich große Mühe, nicht unter ihren Affären zu leiden, doch es war mehr, als er ertragen konnte. Während ihrer kurzen Abwesenheiten, die meist auf einen Streit folgten, entblößte er in Briefen seine Seele:

Ich habe Dich! schrecklich, eifersüchtig geliebt; alle meine anderen Neigungen wurden dadurch geschmälert, und um das auszugleichen, habe ich versucht, diese Liebe zu rechtfertigen, indem ich Dir jede in meiner Macht stehende Möglichkeit bot, alles Interessante aus Dir herauszuholen. Je talentierter Du warst, desto berechtigter war meine Liebe, und desto weniger bedauerte ich alles, was mir dadurch entging. Tatsächlich war das für mich eine wesentlich befriedigendere Form des Umgangs mit Dir. Du kamst mir bei jeder Gelegenheit auf halbem Wege entgegen – bis dieser neue Typ auftauchte [Man Ray bezieht sich auf einen russischen Immigranten, den Innendekorateur Zizzi Svirsky, mit dem Lee eine kurze Affäre hatte], der Dir die Illusion verschaffte, Du befreitest Dich von Deinem Dasein als mein Accessoire. Ich habe versucht, aus Dir mein Gegenstück zu machen, doch diese Ablenkungen haben Dich ins Wanken gebracht, Du hast das Vertrauen in Dich selbst verloren, und deshalb willst Du Dich unabhängig machen, um Dich Deiner selbst zu versichern. Du bringst Dich jedoch lediglich unter die wesentlich subtilere und unentbehrlichere Kontrolle eines anderen. Ich sehe schon, wie aus Dir eine von diesen hilflosen, dekorativen Frauen wird, die Zizzi umschwärmen, was Dich immer kraftloser macht, bis Dir alles egal ist und Du Dich nur noch treiben lässt und jede Ablenkung jedes neuen Moments begrüßt, tolerant gegen alles, hilfreich bei allen Intrigen und, da Dir selbst jede feste Anbindung fehlt, immer müde und mit einem schlechten Nachgeschmack. Du weißt sehr gut, dass ich von Anfang an jede Gelegenheit genutzt habe, Dich weiterzubringen oder zu amüsieren, selbst auf die Gefahr hin, Dich zu verlieren; zumindest habe ich mich immer erst hinterher eingemischt und wieder damit aufgehört, ehe es zu einem Bruch führte; und so konnten wir leicht wieder zusammenkommen, denn jeder Streit und jede Versöhnung sind ein Schritt in Richtung eines endgültigen Bruchs, und ich wollte Dich nicht verlieren.

Lees Renommee verschaffte ihr einige einträgliche Aufträge. So unternahm sie mehrere Reisen nach London und fotografierte dort in den Elstree Studios für ein Feature in der Ausgabe von *The Bioscope* vom 1. Juli 1931 die Stars des Paramount-Films *Stamboul*; außerdem fotografierte sie die englische Sommersportkollektion für die Ausgabe vom 10. Juni der britischen *Vogue*, in der sie auch als Modell für ein Tennisensemble von Rodier auftrat. Man Ray schrieb ihr oft, schalt sie wegen ihrer Untreue und bat sie, für immer mit ihm zusammenzuleben, verheiratet oder unverheiratet, gab aber auch nützlichen technischen Rat. In einem Brief teilt er ihr voller Freude mit, dass Mehemed Fehmy Agha, Condé Nasts neuer Artdirector, sich sehr für seine Arbeit interessiere:

Er hält meine Art der kontrastarmen Belichtung in nur drei oder vier Tönen und den Abzug auf rauem Papier für die kommende große Sache – ist der Steichen-Schule überdrüssig. Er sprach mehrmals über Deine ersten Sachen in der *Vogue* und hofft, dass Du Dich wieder unter meinen Einfluss begibst. Er hat eine Kopie des Elektrischen Buchs mitgenommen, das möglicherweise in *Vanity Fair* abgedruckt wird, zusammen mit einer der Verfremdungen [solarisierte Fotos], der große Kopf auf rauem Papier, wo seitlich der Arm hochragt, das Du mysteriös fandest. Wie dem auch sei, in Amerika dreht sich gerade der Wind, und Du und ich müssen bis zum Herbst bereit sein, den Markt zu überschwemmen. Agha schien zu glauben, dass es für mich an der Zeit sei, nach Amerika zurückzukehren, dass man mich inzwischen möge und verstehe, aber ich glaube nicht, dass man ohne ein klares Vorhaben etwas unternehmen sollte.

Man Ray verstärkte den Druck seiner Briefe durch häufige Telefonate. Eines Tages lag Lee frühmorgens in einem Hotel in der Londoner Park Lane im Bett und sprach mit Man Ray, als plötzlich das Zimmer bebte. »Wir haben ein Erdbeben«, kreischte sie. »Sei nicht albern«, erwiderte Man Ray. »In England gibt es keine Erdbeben.« Es war der 7. Juni 1931, und tatsächlich handelte es sich um ein echtes Beben, wenn auch nicht vergleichbar mit jenem, das kurz darauf Man Rays Leben erschüttern würde.

Tanja Ramm machte Lee mit Aziz Eloui Bey, einem Ägypter, bekannt. Aziz wohnte im Haus von Anatole France, der Villa Said, im ersten Stock, und seine schöne Frau Nimet, eine Tscherkessin, wohnte im zweiten. Man Ray, Hoyningen-Huene und Horst kannten Nimet bereits; wegen ihrer hochmütigen, aristokratischen Züge hatten sie sie gerne als Modell eingesetzt. Man nannte sie eine der fünf schönsten Frauen der Welt. »Das sollte sie auch sein«, bemerkte Aziz, »sie verbringt den ganzen Tag damit, ihr Gesicht anzumalen.« Die ergebenen Bewunderer, die sich um sie scharten, während sie auf ihrer Chaiselongue ruhte und Hof hielt, waren da weniger zynisch.

Niemand, am allerwenigsten Man Ray, hätte vermutet, dass dieser sanfte, stille, unauffällige Ägypter, der beinahe zwanzig Jahre älter war als Lee, eine nachhaltige Wirkung auf sie ausüben würde. Doch dann tauchte Lee, zufällig oder absichtlich, in Sankt Moritz auf, wo Aziz mit Nimet in ihrem Chalet Villa Nimet Ferien machte. Aziz zählte Charlie Chaplin zu seinen Freunden. Chaplin, der gerade *Lichter der Großstadt* abgedreht hatte und ebenfalls in Sankt Moritz weilte, fasste Zuneigung zu Lee, die ihn ihrerseits mehrmals fotografierte, in ernsthafter und amüsierter Stimmung.

Bevor irgendjemand begriff, was geschah, war Aziz von Lee betört und sie von ihm. Als sie nach Paris zurückkehrte, gab es eine explosive Auseinandersetzung. Man Ray verbreitete, er besitze eine Pistole, doch niemand wusste, ob er in seinem Wahn beabsichtigte, sie gegen sich selbst zu richten oder auf Lee oder ihren neuen Liebhaber. Allgemein war bekannt, dass Selbstmord ihn faszinierte, weshalb man fürchtete, er könne seine Drohungen wahr machen. Eines seiner Selbstporträts aus jener Zeit zeigt ihn, die Pistole in der Hand und einen Strick um den Hals, mit einem Ausdruck äußerster Niedergeschlagenheit. Wochenlang schwankte er zwischen wilden Tobsuchtsanfällen und anhaltender Gekränktheit. Er schickte Lee eine ausgerissene Seite aus seinem Notizbuch. Ihre Augen und ihr Mund, mit Bleistift gezeichnet und zu einer Maske arrangiert, verschwinden beinahe unter den mit Tinte geschriebenen Worten: »Elizabeth Elizabeth Lee Elizabeth Elizabeth Elizabeth«, in einer wilden Handschrift so lange wiederholt, bis die ganze Seite bedeckt war. Auf der Rückseite ist zu lesen »Konten sind niemals ausgeglichen, man bezahlt nie genug etc. etc. In Liebe Man«. In die zusammengefaltete Seite hatte er ein Foto von Lees Auge gelegt, knapp überlebensgroß, und mit roter Tinte auf die Rückseite geschrieben:

Postskriptum: 11. Okt. 1932

Immer ein Auge in Reserve
Unzerstörbares Material ...
Für immer beiseitegelegt
Reingelegt ...
In die Enge getrieben ...
Der Schwindel geht weiter –
Ich bin immer in Reserve.
MR

Mit dem bei islamischen Scheidungen geltenden Vorrecht des Mannes löste Aziz seine Verbindung mit Nimet auf.

Lee wurde im Zentrum eines leidenschaftlichen Sturms hin und her geschleudert. Was sie für Aziz empfand, war ihr alles andere als klar, und seine übereilte Reaktion hatte sie sicher nicht erwartet. So gern sie Man Ray zweifellos mochte, liebte sie ihn doch nicht. Nebenherlaufende Affären erhöhten die Verwirrung. Wohin sie auch blickte, sie schien von Männern umgeben, die von ihr besessen waren und bereit, sehr weit zu gehen, um sie an sich zu binden. Nur eine Option stand ihr offen – weiterzuziehen.

Eingedenk Aghas Interesse für ihre Arbeit überlegte sie gründlich, ob sie nicht in die Vereinigten Staaten zurückkehren sollte. Arnold Freeman, der geschäftsführende Herausgeber von *Vanity Fair*, hatte sie noch zusätzlich ermutigt, und so schien alles darauf hinauszulaufen, dass sie den Bruch vollziehen und in New York ihr eigenes Studio gründen sollte. Im November 1932 schloss sie ihr Pariser Studio und kehrte, nicht ohne tiefes Bedauern, nach Hause zurück.

Man Ray war zunächst untröstlich. Dann fand seine wilde Verzweiflung ein Ventil. Er nahm ein Werk, das er geschaffen hatte – mit dem Titel *Object to be Destroyed* –, ein Metronom mit dem Foto eines Auges, das an seinem schwingenden Arm befestigt ist. Er ersetzte das Originalauge mit einem Ausschnitt aus einem Porträt von Lee, und, wie um sicherzugehen, dass niemand das Objekt zerstörte, fertigte er davon eine Zeichnung an, so dass es rekonstruiert werden konnte. Auf die Rückseite schrieb er: »Bildunterschrift. Schneide das Auge aus einem Porträt von jemandem aus, der geliebt wurde, aber nicht mehr gesehen wird. Befestige das Auge am Pendel des Metronoms und reguliere das Gewicht so, dass es dem jeweiligen Tempo entspricht. Gehe bis an die Grenze des Erträglichen. Versuche, das Ganze mit einem wohlgezielten Hammerschlag zu zerstören.« (17) Lee behauptete, es sei, als habe er eine Wachspuppe hergestellt und mit Nadeln gespickt.

Das Erschaffen dieses Objekts schien Man Ray Erleichterung zu bringen, auch wenn Gedanken an Lee an anderer Stelle auf-

1 Lee, drei Jahre und fünf Monate, fotografiert von ihrem Vater in 40 South Clinton Street, Poughkeepsie, New York. 1910 (Theodore Miller)

2 Lee, 11 Jahre. 1918. (Unbekannter Fotograf)

3 Die Familie Miller, 1923. Von links nach rechts: Florence, John, Erik, Lee (16 Jahre), Theodore. (Unbekannter Fotograf)

4 Lee vor der Abreise nach Paris auf der *S. S. Minehaha.* New York, 1925. (Theodore Miller)

5 Lee. New York, ca. 1927. (Nickolas Muray)

6 Lee. New York, ca. 1927. (Arnold Genthe)

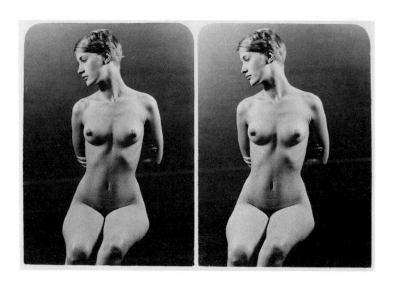

7 Aktstudie von Lee, 1. Juli 1928, Kingwood Park, Poughkeepsie, New York. Eine Stereo-Aufnahme, die beim Blick durch ein 3-D-Gerät einen dreidimensionalen Effekt ergibt. (Theodore Miller)

8 Ausgabe der amerikanischen *Vogue*, März 1927. Entwurf: Georges Lepape.

9 Lee. Paris, ca. 1930. (Horst P. Horst)

10 Lee. Paris, 1932. (George Hoyningen-Huene)

11 Foto von Lee mit Hilfe der Solarisationstechnik, die von ihr und Man Ray entwickelt wurde. Paris, ca. 1929. (Man Ray)

12 Man Ray. Paris, 1931. (Lee Miller)

13 Lee Miller, Hals. Paris, ca. 1929. (Man Ray mit Lee Miller)

14 *Le Logis de l'artiste* von Man Ray, ca. 1931. Lee, mit zerschnittenem Hals, abgebildet im Studio des Künstlers.

15 Lee und ihr Bruder
Erik. Paris, Juni 1930.
(George Hoyningen-
Huene)

16 Lee mit ihrem
Vater. Paris, Januar
1931. (Man Ray)

17 Lee mit Tanja Ramm beim Sonntagsfrühstück im Bett in Lees Studio. Paris, 6. Januar 1931. Wandbehang nach einem Glas-Design von Man Ray. (Theodore Miller)

18 Modestudie. Paris, 1932. (Lee Miller)

19 Enrique Rivero und Lee. Standfoto aus Jean Cocteaus Film *The Blood of a Poet*. 1930.

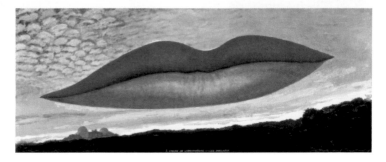

20 Seite aus Man Rays Notizbuch, Paris, 1932.

21 Man Ray, Object to Be Destroyed. Paris, 1928. (Antony Penrose)

22 Man Ray, Observatory Time – The Lovers. Paris, 1934. (Man Ray)

tauchten. Ursprünglich angeregt durch einen roten Lippenstift-
kuss seiner früheren Geliebten Kiki auf seinem weißen Hemd-
kragen, begann er, an einer riesigen Leinwand von ungefähr
zweieinhalb Meter Länge zu arbeiten, die er über sein Bett hängte. Es dauerte zwei Jahre immer wieder unterbrochener Arbeit,
bis er das Gemälde fertigstellte, das den Titel *Observatory Time –
The Lovers 1932-34* trug. Es zeigt ein Paar Riesenlippen, das über
den brustähnlichen Zwillingskuppeln des Observatoriums in der
Nähe des Jardin de Luxembourg am Himmel schwebt. Die ur-
sprüngliche Komposition zeigte Kikis Rosenknospenlippen in
horizontaler Position, doch im Laufe der Monate verwandelten
sie sich in Lees Lippen – dünner, langgezogener, empfindsamer,
wie der Umriss zweier engumschlungener Liebender, leicht an-
gehoben, bereit, am fischgrauen Himmel ungehindert dahinzu-
fliegen.

Kapitel 3

Fotografie im eleganten New York

1932-1934

Nach der Wallstreet-Krise von 1929 waren die frühen dreißiger Jahre eine denkbar schlechte Zeit, um ein Geschäft zu gründen, zumal ein so flüchtiges wie ein Fotostudio, das sich auf Mode spezialisierte. Zum Glück hatte Lee einflussreiche Freunde. Ihre Kontakte zum Condé-Nast-Imperium sicherten ihr zumindest ein Entrée in Wirtschaftskreisen, doch sie benötigte Startkapital, und hier kam ihr die Verbindung mit der gesellschaftlichen Elite zugute, und zwar in Gestalt zweier ›Engel‹: Christian Holmes und Cliff Smith.

Holmes war Erbe des Fleischmann-Hefe-Vermögens, und seine Mutter hatte ihm eine Maklerfirma in der Wall Street vermittelt. Normalerweise segelte er täglich auf einer Yacht über den Long Island Sound nach Manhattan, wo sein Chauffeur ihn erwartete und ins Büro kutschierte. Er interessierte sich für Fotografie, und als Lees Studio eingerichtet war, verbrachte er viel Zeit dort, war einfach da und schaute zu. Der andere Engel war der Playboy Cliff Smith, einer der Erben des Western-Union-Vermögens. Gemeinsam gründeten sie die ›Lee Miller Studios‹ mit einem Startkapital von 10 000 Dollar und halfen Lee, in einem sechsstöckigen Gebäude in 8 East 48th Street, einen Block südlich der Radio City Music Hall, zwei Appartements zu mieten. Die Appartements, beide im dritten Stock gelegen, waren durch eine kleine Küche verbunden. Lee nutzte das eine als Wohnung, das andere wurde zu einem Studio umgerüstet.

Ihren Bruder Erik machte sie zu ihrem Assistenten. Erik hatte vorher für Toni von Horn gearbeitet, eine deutsche Fotografin, die auf Mode und Werbung spezialisiert war. Lee zahlte ihm ein monatliches Gehalt von 100 Dollar. Mit den beim Vater gelernten Ingenieurskenntnissen leistete Erik seinen größten Beitrag. Er richtete die Dunkelkammern ein und beaufsichtigte den Bau einer

Reihe von Tanks aus Zypressenholz, die groß und tief genug sein mussten für die 10" × 8" großen Platten, das Standardformat. Dann stellte er sämtliche Requisiten und Kulissen für das Studio her und installierte die Beleuchtung. Mit der für die Millers typischen Vorliebe für Innovationen waren die Kabel unter Putz verborgen, und für die Lampen gab es eine Schaltanlage in einem anderen Raum – eine besondere Errungenschaft, da die großformatigen Kameras mit geringer Filmgeschwindigkeit nach gewaltigen Lampen und dicken Kabeln verlangten. Für dieses Unsichtbarmachen gab es einen triftigen Grund. Porträts machten einen Großteil von Lees Arbeit aus, und sie war sehr darauf bedacht, dass ihre Kunden so natürlich und entspannt wie möglich wirkten. Und trotz ihrer Liebe zur Technik war sie sich bewusst, dass technische Spielereien und Ausrüstungsgegenstände ablenkend und einschüchternd wirkten. Vielleicht aus demselben Grund »dekorierte sie die Fenster mit Chiffonschläuchen in Spektralfarben, wie eine Reihe Weihnachtsgeschenkstrümpfe. Die Fenstertüren wurden mit glatten Vorhängen in denselben Farbtönen verhängt.« (1)

Als Sekretärin und für die Buchhaltung heuerte Lee eine Frau namens Jackie Braun an, und da sie nie gern hinter sich aufräumte, wenn sie es vermeiden konnte, engagierte sie auch eine Köchin und Haushälterin. Das Mädchen war jung, schwarz und allzeit gutgelaunt, und das von ihr zubereitete Mittagessen wurde bald zu einem zentralen Teil des Studioalltags, für Kunden und vorbeischauende Engel genauso wie für die Angestellten. Wenn sie allein waren, aßen Lee und Erik an einem Kartentisch im Studio. Sie versuchten dann, einander gegenseitig den Appetit zu verderben, um den Anteil des anderen zu ergattern, indem sie abstoßende Geschichten über chirurgische Eingriffe oder abscheuliche Parasiten erzählten. Es spielte keine Rolle, ob einer von beiden in diesem Wettbewerb siegte; es war das Unerhörte an dem Versuch, das sie amüsierte.

Erik wurde bald zum Gebieter über die Dunkelkammer und lernte unter Lees Anleitung, hervorragende Abzüge herzustellen. Er erinnert sich:

> Anfangs war es hart, denn Lee bestand auf höchster Qualität. Sie kam in die Dunkelkammer, prüfte die Abzüge und griff sich jeden, der auch nur den mindesten Makel hatte und riss die Ecken ab. Ich staunte immer, wie schnell sie erkannte, was an einem Abzug nicht stimmte, oft etwas, das meiner Aufmerksamkeit völlig entgangen war, aber wenn die Sache dann in Ordnung gebracht war, sah der ganze Abzug entschieden besser aus. Unsere Sache war nie das vorsichtige Herumfummeln mit der Entwicklerzange. Wir griffen einfach in die Schale, strichen mit den Fingerspitzen über den Abzug und bliesen manchmal darauf, damit die Wärme den Farbton an einer bestimmten Stelle hervorhob. Wir hatten ein riesiges Sortiment an Chemikalien, mit denen wir die üblichen Entwicklungsvorgänge beeinflussten, und das entstehende Gebräu war manchmal ganz schön mörderisch. Wir husteten und spuckten in den Dämpfen, und meine Fingernägel wurden ganz braun. Wenn es damals schon so etwas wie Sicherheitsinspektionen gegeben hätte, wären wir unsere Jobs garantiert losgeworden. (2)

Lees erste Ausstellung in New York fand vom 20. Februar bis zum 11. März 1932 in der Julien Levy Gallery statt, während sie selbst sich noch in Paris aufhielt. Sie war eine von zwanzig Fotografen in einer Schau mit dem Titel ›Modern European Photographers‹, an der Walter Hege, Helmar Lerski, Peter Hans, Maurice Tabard, Roger Parry, Umbo, Moholy-Nagy und natürlich Man Ray teilnahmen. In einer zweiten Schau, zum Jahreswechsel, in derselben Galerie, hatte Lee einen prominenteren Auftritt. Die Ausstellung lief vom 30. Dezember bis zum 25. Januar. Der halbe Raum war mit Gemälden und Zeichnungen von Charles Howard bestückt, die zweite Hälfte gehörte ausschließlich Lees Fotografien. Frank Crowninshield schrieb die Ankündigung, elegant gedruckt in weißer Tinte auf einem langen, schmalen Streifen aus dunkelrosa Papier.

Vor vier Jahren verließ Lee Miller New York und ging nach Paris ... ein Mädchen Anfang zwanzig. Inzwischen ist sie zurückgekehrt ... als vollendete Künstlerin und vielseitige Fotografin. Während der vier Jahre in Paris studierte sie die Kunst der Kamera in all ihren Verästelungen und kam in direkten Kontakt mit der künstlerischen Avantgarde Frankreichs, den Surrealisten, und mit dem Meister der Fotokunst, Man Ray; und sie entwickelte sich schnell von der Schülerin zur kreativen Fotografin. In ihrer französischen Umgebung lernte sie, sich nicht auf formale Aufnahmen zu beschränken, sondern die künstlerischen Möglichkeiten in jedem Gegenstand zu erkennen. Ihre Kamera war unablässig auf Landschaften, Architektur, Blumen, Straßenszenen, Stillleben gerichtet – als Kulisse für Werbezwecke ebenso wie für Porträtaufnahmen.

Vor Kurzem hat sie in New York ein Studio eröffnet, in dem sie nun mit großer Sensibilität ihr reiches Talent in einer Kunst erproben wird, für die sie sich als besonders begabt erwiesen hat.

Die Fotografien verkauften sich nicht gut. Trotz Julien Levys Engagement als Sammler und seiner kühnen ersten Ausstellungen wurde die Fotografie damals und auch in den kommenden Jahrzehnten kaum als Kunstform begriffen. Surrealistische Gemälde und Skulpturen fielen ins Auge und waren erfolgreich, doch die surrealistische Fotografie erlangte nie die ihr angemessene Bedeutung. Fünfundvierzig Jahre später war der Großteil von Levys

Fotosammlung noch immer nicht verkauft, eine Tatsache, die ihn nicht im Geringsten beunruhigte, da er Fotografien leidenschaftlich liebte. Es war bezeichnend für seine Weitsicht, dass er zahlreiche Fotos aus seiner Sammlung dem Art Institute of Chicago vermachte und damit einen Beitrag zu einem der weltbesten Fotoarchive für Aufnahmen der 1930er Jahre leistete. (3)

Die mangelnde Anerkennung für ihre Fotokunst zwang die meisten Fotografen zu einem Doppelleben. Lee, Man Ray und viele andere stellten fest, dass sie nur dann ihre hohen Rechnungen bezahlen konnten, wenn sie, häufig im Geheimen, kommerziell arbeiteten, um sich so die exklusiven Ausflüge in den eigenen künstlerischen Ausdruck zu finanzieren; natürlich profitierten die kommerziellen Aufträge vom Erfindungsreichtum der künstlerischen Arbeiten.

Lees Auftragsarbeit in ihrem neuen Studio kam nur langsam in Gang. Viele ihrer europäischen Mode-Kontakte verkümmerten aufgrund der anhaltenden Auswirkungen der Depression, und die meisten der vereinbarten Aufträge wurden nicht eingehalten. Condé Nasts Imperium hatte mit eigenen Schwierigkeiten zu kämpfen, und Bekleidungs- und Kosmetikfirmen kürzten ihre Ausgaben. Es waren Lees alte Freunde unter den professionellen Fotografen, besonders Nickolas Muray, ein Pionier der Farbfotografie, die ihr gelegentlich Aufträge zuschanzten. (4) Für Fotografen ist die persönliche Empfehlung die einzige Werbung, die zählt, so dass die ersten Monate, bevor es sich herumsprach und Aufträge hereinkamen, für Lee quälend gewesen sein müssen. Sie begann mit Werbung für so wenig inspirierende Dinge wie Parfüm, Schuhe, Strümpfe, Accessoires und Kosmetik. Dann kamen Aufträge für *Vogue*, *Harper's Bazaar* und *Vanity Fair*, wo Arnold Freeman sie weiterhin unterstützte. Manchmal stand Lee selbst Modell, und Erik bediente unter ihrer Anleitung die Kamera. Die Fotos waren immer technisch perfekt, ein paar sind sogar von ausgesuchter Schönheit, und doch haben sie etwas Gestelztes, Unfreies an sich. Damals lagen Lees künstlerischer und ihr kommerzieller Stil sehr weit auseinander und inspirierten einander in keiner Weise. Erst Mitte 1933, als die Porträtaufträge weiter zunahmen, befreite sie sich aus den kommerziellen Zwängen.

Einer ihrer ersten Porträtkunden war ›Prinz Mike Romanoff‹, beim US-Einwanderungskommissariat als Harry F. Gerguson bekannt, der wegen seiner illegalen Einreise in die Vereinigten Staaten und dem Gebrauch falscher Titel gesucht wurde. Er war als blinder Passagier auf der S. S. Europa ins Land gelangt, dem deutschen Dampfer, mit dem auch Lee nach New York zurückgekehrt war. Gerguson wurde »am 9. Dezember aus einem Pariser Gefängnis entlassen, nachdem er eine Strafe wegen Reisens als blinder Passagier verbüßt hatte. Die französischen Behörden forderten ihn auf, sich Richtung Grenze zu begeben ... Offenbar war er an Bord des ersten Schiffs gestiegen, dessen Bestimmungsort und Passagierliste ihm zusagten ... es heißt, er habe behauptet, einfach hinter Marilyn Miller von Bord geschlendert zu sein.« (5) Marilyn Miller war ein Musicalstar und nicht mit Lee verwandt. Lee hatte Gerguson auf der Überfahrt kennengelernt, und da exotische Charaktere sie schon immer angezogen hatten, wirkte er unwiderstehlich auf sie. Nicht alle Freunde, die sie auf diese Weise kennenlernte, waren so zwielichtig wie ›Prinz Mike‹, der in Wirklichkeit eher ein Abenteurer war als ein Betrüger. Sie organisierte ihm für ein paar Tage ein Versteck in Kingwood Park, bis er Gelegenheit hatte, die kanadische Grenze zu überqueren und von dort wieder legal in die Vereinigten Staaten einzureisen. Anschließend vervollkommnete er seinen falschen Akzent und nahm bei Alfred Dunhill eine Stelle als Verkäufer an.

Die Kunden, die dann kamen, waren von anderem Kaliber. Die Porträts der Hollywoodschauspielerinnen Selena Royale und Claire Luce sind ganz in der typisch kühlen, romantischen Eleganz der Zeit gehalten. Und Lilian Harvey, britischer Star deutscher Filme, besaß das perfekte Aussehen und die perfekte Figur einer schönen Porzellanpuppe. Ihre Karriere hatte gerade den Höhepunkt erreicht, und sie suchte wiederholt das Studio auf für Porträtaufnahmen, mit denen ihr Agent erfolgreich die Produzenten in Hollywood lockte. Eines der bemerkenswertesten Porträts dieser Serie ist das der amerikanischen Schauspielerin Kendall Lee Glaenzer. Lee fotografierte sie ganz in Schwarz, neben einer Vase mit metallenen Blumen, so dass sie wie die Verkörperung des Geistes wirkte, der den Blumen fehlte.

Einer von Lees meistgeschätzten Porträtkunden war John Houseman, ein junger Geschäftsmann, der mit Weizen ein gewaltiges Vermögen verdient und jeden Penny wieder verloren hatte, als der Markt 1929 zusammenbrach. In seiner Autobiografie beschreibt er seine Teilnahme an einer nächtlichen Pokerrunde mit unbedeutenden Einsätzen in Lee Millers Appartement, »zu der es mich weniger aus Spielleidenschaft denn aus unerwiderter Lust auf meine Gastgeberin hinzog ... Sie hatte einen ständigen Begleiter – den besten der Pokerspieler [John Rodell, einen Literaturagenten] –, auf den ich furchtbar eifersüchtig war. In einem verwegenen Versuch, sie ihm auszuspannen, begleitete ich sie eines Abends zum Casino im Park, sie in einem langen weißen Abendkleid aus Satin, wo wir zur Musik von Eddie Duchin tanzten. Am nächsten Morgen war ich, um zwei Drittel meines Wochenbudgets erleichtert, wieder in Lewis Galantières Zimmer, lauschte Schnabels Beethoven-Sonaten und wartete darauf, dass frischer Wind meine Segel füllte.« (6)

Als dieser Wind für John Houseman dann tatsächlich blies, stellte er sicher, dass auch Lee davon profitierte. Im winterlichen Trübsinn von 1933 produzierte er ein Theaterstück, bei dem er gleichzeitig Regie führte. Gefördert wurde das Stück mit dem Titel

Four Saints in Three Acts von einer Gruppe namens ›Die Freunde
und Feinde der modernen Musik‹; am ehesten lässt es sich als
surrealistische Oper bezeichnen. Als Libretto diente ein Gedicht
von Gertrude Stein, und die Musik stammte von Virgil Thomson.
Thomson bestand darauf, dass das Stück ausschließlich mit Schwarzen besetzt wurde; die Proben fanden in der Saint Philip's Epis-
copal Church in der 137th Street in Harlem statt. Lee war mehrere
Male dort, um die Truppe für das Programmheft zu fotografieren.
Houseman und der Choreograf, der junge, aber vielbeachtete
Freddy Ashton, besuchten ebenfalls das Studio, um sich porträtieren zu lassen. Bei der Uraufführung, die als Einweihungsveran-
staltung des Avery Memorial Theatre am Wadsworth Atheneum
in Hartford, Connecticut, stattfand, erwies es sich als eines der
seltenen Stücke, das sowohl die Intelligenzia zufriedenstellte als
auch die Kritik begeisterte.

Dieses Zusammentreffen trug dazu bei, Lees Terminkalender
mit Terminanfragen der gesellschaftlichen und intellektuellen
Elite New Yorks zu füllen. Eine Porträtsitzung bei Lee Miller war
das Gesprächsthema bei Cocktailpartys, besonders dann, wenn
es dem jeweiligen Gegenüber bisher nicht gelungen war, eine
Sitzung zu vereinbaren. Der Verleger Donald Friede, Lewis Ga-
lantière, der Literaturkritiker, der Direktor des Wadsworth Atheneum, Chick Austin, saßen für Porträts, die realitätsnah und trotzdem schmeichelhaft waren. Unzählige Damen der Gesellschaft
meldeten sich und verlangten, dass ihre faden Mienen in fesseln-
de Bilder verwandelt würden, doch die wahre Prüfung erschien
in Gestalt Helena Rubinsteins. Nichts schien ihren schweren russischen Zügen Grazie zu verleihen. Die Sitzung verlief sehr schlecht,
und sie beschwerte sich über alles, doch Lee ließ sich nicht ein-
schüchtern und konnte sie schließlich für sich gewinnen. Sie gingen als Freundinnen auseinander, doch das Porträt wurde nie veröffentlicht.

Lee ließ es sich nicht nehmen, Menschen, die sie interessierten, auch dann zu porträtieren, wenn diese sich ihr Honorar nicht leisten konnten. Joseph Cornell, der surrealistische Künstler, wurde meist als bemitleidenswerter kleiner Verrückter aus Brooklyn belächelt. Alle zwei oder drei Wochen tauchte er in Lees Studio auf mit seiner neuesten Kreation – häufig irgendein unheimliches Arrangement aus zerbrochenen Puppengliedern, wunderschön unter einer Glaskuppel arrangiert. Lee schätzte und verstand seine Kunst; sie ermutigte ihn und fotografierte ihn häufig mit seinen Objekten.

All das weckte die Neugier der Presse. »Miss Millers Technik ist faszinierend«, schrieb ein Reporter:

Sie macht eine Sitzung am Tag. Niemals mehr ...

Jede Sitzung dauert mehrere Stunden. Wenn ihre Kunden nichts gegessen haben und hungrig werden, lässt Miss Miller ein kleines Mittagessen servieren. Wenn sie müde sind, lässt sie sie auf einer Chaiselongue ausruhen, daneben, auf einem niedrigen Beistelltisch, Getränke, Zigaretten und Sandwichs. Sie mag es nicht, wenn ihre Klienten von Freunden begleitet werden, denn, so erklärt sie: ›Sie bewirken bei der betreffenden Person immer einen ›Zuschauerkomplex‹ oder ein ›Galerie-Lächeln‹, und beides ist unnatürlich. ›Kinder mit ihren Müttern sind unter meinen Klienten die schlimmsten‹, sagte Miss Miller. ›Nur in den seltensten Fällen lässt die Mutter ihr Kind in Ruhe und fordert es nicht auf, dies oder jenes zu tun, so süß, wie du es gestern gemacht hast. Es dauert, ein gutes Porträt anzufertigen‹, fuhr Miss Miller fort. ›Ich muss mich mit den Klienten unterhalten, um herauszufinden, welche Vorstellung sie von sich haben. Auch, ob es ein Porträt für eine Großmutter, einen Ehemann oder eine Ehefrau sein soll. Junge Männer wissen nie, ob sie wie ein Boxer aussehen wollen oder lieber wie Clark Gable‹, sagte sie. ›Ältere Männer möchten häufig, dass man das Funkeln in ihren Augen einfängt, ihr Profil in einem bestimmten Winkel zeigt oder einer hätte gern sein Mussolini-Kinn betont, weil eine Frau ihm erzählt hat, dass sie genau das an ihm liebe. Männer sind so viel befangener als Frauen. Frauen sind es gewohnt, angeschaut zu werden.‹ Miss Miller glaubt, Fotografin sei für eine Frau der perfekte Beruf … ›Mir scheint, dass Frauen in der Fotografie größere Erfolgschancen haben als Männer‹, erzählte sie mir. ›Frauen sind schneller und anpassungsfähiger als Männer. Und ich glaube, sie besitzen Intuition, die ihnen hilft, Charaktere schneller zu begreifen als Männer … Und eine gute Fotografie soll natürlich genau das leisten, sie soll die Person nicht in einem Moment erfassen, wenn sie es gerade nicht merkt, sondern wenn sie am natürlichsten ist.‹ (7)

Lees und Eriks erster Ausflug ins Reich der Farbfotografie, bei dem sie drei getrennte Negative benutzten, hätte beinahe in einem Desaster geendet. Sie verwendeten eine 8"×10"-Kamera in der Absicht, einen Schwarzweißfilm zu benutzen, um drei verschiedene, sorgfältig im Register abgespeicherte Lichtsetzungen zu erhalten und dabei zwischen einem gelben, einem roten und einem blauen Filter zu wechseln. Die Negative würden dann die verschiedenen Grautöne aufweisen, die erforderlich waren, um separate Farbnegative herzustellen. Das war damals die übliche Vorgehensweis bei Farbfotografien, die gewöhnlich jedoch von einem Spezialistenteam mit einer Podiumskamera aufgenommen wurden.

Das Problem für Lee und Erik war nicht die Technik, sondern der Gegenstand – eine Parfümwerbung. Die Fläschchen wurden auf einem ungefähr 50 cm² großen quadratischen Spiegel mit einem Rahmen präsentiert, der mit echten Gardenien umlegt war.

Die starke Hitze der Lampen brachte die Blatt- und Blütenspitzen rasch zum Welken, sie bewegten sich, und das Bild veränderte sich zwischen den verschiedenen Einstellungen. Erik erinnerte sich:

> Zum Glück hatten wir keinen Artdirector dabei. Sonst würden wir jetzt immer noch herumprobieren. Wir waren auf uns selbst gestellt, und in solchen Situationen klemmte Lee sich wirklich dahinter. Sie konnte unerträglich faul sein, wenn sie wollte, aber wenn es hart auf hart ging, ließ sie einfach nicht locker. Wir arbeiteten beinahe vierundzwanzig Stunden durch, unterbrachen nur, um etwas zu essen oder zur Toilette zu gehen. Es endete so, dass wir die Gardenien kurz vorher aus dem Kühlschrank holten, sie besprühten und dann vorsichtig auf dem Spiegel platzierten, ohne Wasserflecken zu verursachen. Der Film war bereits eingelegt, wir schalteten die Lampen ein, dann die erste Einstellung, dann, bing, bing, wechselten wir den Film und den Filter ein zweites und ein drittes Mal. Nun, schließlich kriegten wir es hin, und es wurde eine sehr, sehr erfolgreiche Aufnahme. (8)

Trotz ihrer engen Zusammenarbeit bewegten sich Lee und Erik nie in denselben Kreisen. Es war charakteristisch für die Art, wie Lee ihr Leben unterteilte. Abends widmete sie sich ihrem gesellschaftlichen Leben: den dämonischen Pokerrunden, Theater- und Filmbesuchen oder wilden Partys, an denen Erik nie teilnahm. Er marschierte derweil in seine düstere Junggesellenbude in einem billigen Hotel ein paar Blocks entfernt und verbrachte seine Abende damit, Flugzeugmodelle zu basteln oder die Radio City Music Hall zu besuchen. Das war sehr umsichtig von ihm, denn nur wenige Menschen konnten mit Lees frenetischem Tempo mithalten und dabei auch noch effektiv arbeiten. Außerdem stand

Erik der Sinn nach anderen Dingen: Am 22. August 1933 heirateten er und Mafy.

Wohnungen in Manhattan waren bei Weitem zu teuer für Erik und seine Braut, und so sahen sie sich gezwungen, nach Flushing, Long Island, zu ziehen, was für Erik morgens und abends eine einstündige U-Bahn-Fahrt bedeutete. Doch die Genugtuung, den Grundstein für eine zufriedenstellende Karriere gelegt zu haben, entschädigte Erik für diese Umstände und die langen Arbeitstage.

Das Studio schien auf einem guten Weg zu sein, als eines Tages ein zurückhaltender, ägyptischer Gentleman in New York auftauchte, um Ausrüstung für die ägyptische Staatseisenbahn zu kaufen. Für die Familie war Aziz einfach ein weiterer von Lees zahlreichen Freunden. Zwar hatte seine Ankunft eine Diätrunde ausgelöst, für die Lee sich für eine Woche auf eine Schönheitsfarm zurückzog, doch das war nichts Ungewöhnliches. Ebenso wenig bemerkenswert war, dass Lee ihn zu einem Besuch bei ihren Eltern in Kingwood Park mitnahm und sie gemeinsam lange Spaziergänge auf der Farm machten. Das tat sie häufig mit John Rodell und auch mit anderen. Deshalb waren ihre Eltern nicht auf die Überraschung vorbereitet, als Lee eines Nachmittags anrief und ihre Mutter fragte: »Mochtest du Aziz?« Florence antwortete: »Ich kenne ihn kaum, aber er scheint in Ordnung zu sein – ja – doch, ich mag ihn.« »Das ist gut«, meinte Lee, »ich habe ihn heute Morgen geheiratet.« Die ersten Formalitäten hatten in einem Standesamt in Manhattan stattgefunden, wo der diensthabende Beamte Lee vor der Unratsamkeit warnte, einen Schwarzen zu heiraten und obendrein einen Ausländer. Lee ließ eine Tirade vom Stapel, die den unglücklichen Mann völlig konsternierte, und die Papiere wurden schleunigst ausgestellt. Im Königlichen Konsulat Ägyptens in New York City wurde das Paar besser empfangen, und am 19. Juli 1934 nach islamischem Recht getraut.

Völlig von ihrem neuen zukünftigen Leben in Kairo in Beschlag genommen, schickte Lee Man Ray ein Telegramm und fragte, ob er ihr Studio übernehmen wolle. »HOL DEINE KASTANIEN SELBST AUS DEM FEUER«, lautete die Antwort. In der glühenden Hitze des New Yorker Sommers packte Erik voller Sorge Lee Millers Studio zusammen. Das Geschäft war trotz der Depression gut gelaufen und hatte alle Aussichten, immer besser zu werden. Erik und Mafy hatten für ihre eigene Zukunft stark auf das Unternehmen gesetzt, und da Erik zu unerfahren war und nicht genügend Kontakte hatte, um selbst eins zu gründen, sah die Zukunft für die beiden jetzt düster aus. Dazu kam, dass kaum Arbeit zu bekommen war, sobald man nicht mehr unter dem Schutz eines gesicherten Rufs und wohlgesinnter Freunde in gehobenen Positionen stand. Wie konnte Lee derart rücksichtslos gegenüber all denen sein, die ihr so sehr geholfen hatten, und alles, was sie erreicht hatte, und sämtliche Aussichten auf einen Schlag über Bord werfen? Die Antwort liegt in Lees Charakter begründet: Für Lee war das Reisen immer von größerer Bedeutung als das Ankommen.

Sich auf eine neue Unternehmung einzulassen war aufregend. Immerzu wurden Pläne geschmiedet, und während sie lernte und Neuland betrat, war sie stets ganz bei der Sache. Veränderung – dieses sich selbst aufhebende Ziel – und das Meistern neuer Techniken waren ihre Stimulanzien. Als das Studio eingerichtet war und lief, gab es keine weiteren Grenzen mehr, die sich überschreiten ließen; die Vorstellung, es sei eine großartige Leistung, einfach als erfolgreiche Fotografin weiterzuarbeiten, reizte sie nicht im Geringsten. Während einer Flaute oder bei einem langweiligen Auftrag konnte sie tagelang im Bett liegen und schmollen. Ihre mutigsten Entscheidungen fällte sie immer aus einem blinden Instinkt heraus, niemals strategisch. Ihr tiefer Wunsch nach Selbstbestimmung war der Motor, der sie antrieb. Für eine

Frau machten die Zwänge jener Zeit dies beinahe unmöglich. Im Grunde suchte sie Abenteuer, Aufregung und die Freiheit von Verantwortung und Routine. Sie wollte fotografieren und reisen, und da sie weder reich noch als Mann geboren war, konnte sie das nur mit Hilfe anderer erreichen, etwa durch Aziz.

Die Flitterwochen führten sie zu den Niagarafällen. Lee fotografierte sich auftürmende Wolkenformationen, die übereinanderrollten und -stürzten und mit mehr Macht zu brüllen schienen als die herabstürzenden Wasser. Spiegelten diese Turbulenzen von göttlichen Ausmaßen Lees innersten Seelenzustand, wenn sie darüber nachdachte, wie ihre jüngste Bauchentscheidung sie dazu gebracht hatte, ihre Freunde, ihre Familie und ihre beruflichen Erfolge zurückzuweisen, um mit einem Mann, den sie kaum kannte, ans andere Ende der Welt zu ziehen?

Kapitel 4

Ägypten und erste Ehe

1934–1937

EISENBAHNLINIEN, TELEGRAFEN UND STAATSTELEFONE
Büro des Generaldirektors
Kairo

Meine zwei kleinen Lieblinge. Ich scheue mich immer noch ein wenig, Euch Mutter und Vater zu nennen. Vor allem deswegen, weil Mutter so jung ist und Dad trotz seiner ernsten Miene nachts wie ein Verrückter Auto fährt. Man geht keine Risiken ein, wenn man für eine große Familie verantwortlich ist, die aus einem Flieger mit verwegenem Ruf, einem kleinen Jungen, der bereit ist, sich ins Leben zu stürzen, einem Mädchen in einem fernen Land und einer Ehefrau, die den Ton angibt, besteht.

Würdest Du, Dad, auf der Straße bitte rechts fahren, besonders, wenn es in die Kurven geht? Ich habe auch so schon genug Sorgen.

Aber jetzt will ich Euch erzählen, wie es Lee geht. Zuerst gab es eine ungeheure Flut. Die höchste seit Beginn der Aufzeichnungen. Glücklicherweise hielten die Uferdämme des Nils, doch an einigen Orten standen große Gebiete unter Wasser. Das Ergebnis war eine Stechmückeninvasion. Das Wetter war perfekt für ihre Brut, kein Wind und die ganze Zeit konstante Temperaturen. Wegen des abnormen Drucks brach in Kairo außerdem das Abwassersystem zusammen. Deshalb brachte ich Lee nach Alexandria; Freunde hatten sie eingeladen. Sie verbrachte dort eine angenehme Zeit. Alle, die sie kennenlernten, mochten sie und hießen sie willkommen. Sie war ziemlich faul und ging nur zweimal im Meer schwimmen, obwohl wir gewissenhaft unsere Badesachen einpackten und jeden Tag am Strand verbrachten, wo unser Freund ein fabelhaftes Haus besitzt. Das

Mittagessen wurde uns gebracht, und das Leben war leicht und angenehm, so wie immer hier.

Wir aßen meist um drei Uhr oder noch später zu Mittag und spielten anschließend Bridge oder Poker, bis wir am Tisch einschliefen. Wenn ich ein Bad im Meer vorschlug, meinten alle: »Nein, wir müssen auf der Stelle zu Mittag essen.« Das bedeutete gewöhnlich in zwei Stunden. Und nach dem Essen konnte man unmöglich baden. Dann, während der Spiele, traute sich niemand, etwas zu sagen, außer um eine Handvoll Karten aufzurufen. Danach gingen wir gewöhnlich in einen Nachtclub und landeten schließlich bei jemandem zu Hause, wo wir tanzten oder zur Abwechslung ein anderes Spiel spielten.

Wir beschlossen, in die Stadt zurückzukehren, auch wenn es in Kairo langweilig war, da alle fort waren. Dann musste Lee gegen Typhus geimpft werden, was sie beunruhigte. Ihre Reaktion darauf war vergleichsweise mild. Ungefähr zwei Tage Fieber und Unwohlsein. Bei den ersten Anzeichen von Lees Krankheit wollte ich mich ebenfalls impfen lassen, um ihr Gesellschaft zu leisten, doch meiner Ergebenheit zum Trotz blieb es letztlich bei der Absicht.

Vergangene Woche wurden wir zu einer Dinnerparty eingeladen, wo sie mehrere Freunde aus den Ferien wiedertraf. Sie alle mochten Lee, was kaum verwunderlich ist. Könnte ich sie mit kühlem, abschätzendem Blick betrachten, würde ich sie aus jeder Menge herauspicken als eine ausgesprochen strahlende Gestalt; alle anderen würden mir als Mängelwesen erscheinen, vernachlässigbare Größen am Rande.

Ich habe große Chancen, zum Unterstaatssekretär ernannt zu werden, mein nächster Karriereschritt, was eine neue Welle von Reden auslösen würde. Das wäre aber wohl nicht schlimmer als bei meiner jetzigen Position, die ich nach nur zwanzig Jahren zufriedenstellender Arbeit erreicht habe.

Mir kam die Idee, Lee ein typisches Landhaus zu zeigen. Also fuhren wir zu einer etwa 100 Meilen entfernten Baumwollfarm. Natürlich mit einer Gruppe, so dass wir Karten spielten, statt die Plantage zu besichtigen. Mein Freund dort überließ uns ein hübsches Zimmer mit eigenem Bad, und wir hatten es sehr angenehm.

Wir aßen so viel, dass wir an einem Wochenende mindestens ein Pfund zunahmen. Lee fotografierte Kamele und Baumwollsäcke und Hunderttausende Tauben, die wegen ihres Mists gezüchtet werden. Es waren herrliche Tage, abgesehen von einer Moskito-Attacke, die Lee sehr zu schaffen machte. Diese Attacke in Kombination mit einer Hundert-Meilen-Fahrt im Automobil hätte beinahe unsere schöne Freundschaft zerstört. Jedes für sich hätte schon genügt, Lee verrückt zu machen. Ägypten ist nicht Amerika, und wir konnten nicht alle 20 Meilen anhalten und uns ein hübsches Hotel zum Übernachten suchen. Auch hatten wir nichts, um die Moskitos zu töten, so dass wir lediglich die Aussicht genießen konnten. Uns blieb nichts anderes übrig, als unter einem Moskitonetz zu schlafen und während der Autofahrt die anderen Verkehrsteilnehmer zu beschimpfen.

Nächsten Monat werden wir in unser Haus in Gizeh umziehen. Lee gefällt es, auch wenn sie entsetzt war über die Art, wie der Mieter Wände und Holzarbeiten behandelt hatte. Er hat in jeden Quadratmeter Wand einen Nagel eingeschlagen, selbst in die Eichentäfelung, um Bilder aufzuhängen. Es müsste sehr viel repariert werden, doch uns steht im Moment nicht der Sinn danach, Geld auszugeben. Der Umzug ist nötig, weil Lee in diesem Winter Freunde einladen muss. Sie wurde bereits mehr als zwanzigmal eingeladen, und das wird das ganze Jahr über so weitergehen.

Lee möchte ein Pferd kaufen, deshalb bin ich auf der Suche

nach einem lammfrommen Tier. Wenn ich eins finde, werden wir ein bisschen in der Wüste reiten, ich auf einem Esel oder einem Kamel, um mit ihr Schritt zu halten. Ich werde Euch ein Foto von unserer Prozession schicken.

Lee ist glücklich. Natürlich fällt es ihr nicht leicht, sich einzuleben, da ihr so viel auf der Seele lastet. Sicherlich sind gewisse Reaktionen nicht zu vermeiden. Kleinigkeiten wie plötzliche Langeweile. Sie arbeitet ja nicht mehr, und Lees Gehirn muss arbeiten, damit ihre Zeit vergeht. Solche Reaktionen allerdings sind selten und stets nur von sehr kurzer Dauer. Sobald sie sich von dem strapaziösen Leben in New York erholt hat, wird es ihr viel besser gehen. Ich werde immer für sie sorgen.

Erik tut mir sehr leid. Es bricht mir das Herz, dass ich schuld bin, dass er seine Arbeit verloren hat. Ich werde versuchen, hier etwas für ihn zu finden. Fragt ihn, ob er grundsätzlich einverstanden wäre. Vielleicht in einer Zementfabrik oder als Repräsentant einer Firma für Luftkühlanlagen.

Ich werde Euch regelmäßig schreiben.

In Liebe und Zuneigung

Aziz (1)

Im Sommer 1935, als die Temperatur in Kairo im Schatten feuchte 38° Celsius überstieg, entschieden Lee und Aziz, dem ägyptischen Sommer den Rücken zu kehren, nach Sankt Moritz und von dort mit dem Auto weiter nach London zu reisen. In Sankt Moritz stellten sie fest, dass der Temperatursturz eigene Probleme mit sich brachte.

Villa Nimet
St. Moritz

6. 8. 35

Lieber Dad,

wir hocken seit zwei Wochen hier oben. Es ist ein Plateau auf
über zweitausend Metern. Sehen können wir diese Höhe nicht,
doch wir spüren sie. Jeder Versuch, bergauf zu gehen, lässt uns
nach Luft schnappen, und dabei zittern wir vor Kälte.

Lee hat beschlossen, angesichts des plötzlichen Wetterwech-
sels die Leidende zu spielen. Eine Woche lang klagte sie über
geheimnisvolle Schmerzen im Rücken. Der deutsche Arzt, der
redet, als hätte er einen Schwamm im Mund, sagte etwas von
Nierenproblemen, und jetzt warten wir auf die Diagnose.

Unterdessen verschwanden die Schmerzen so plötzlich, wie
sie gekommen waren. Den einen Abend litt sie noch entsetz-
lich, und ich gab ihr ein Aspirin. Fünfzehn Minuten später
spielte sie Bezique mit mir. Am nächsten Tag machten die
Schmerzen einen erneuten Versuch, sie zu ärgern, und ich verabreichte ihr ein weiteres Aspirin. Dieses erwies sich als zu viel
und wirklich gemein, und die Schmerzen entschieden sich,
andere Gefilde aufzusuchen. Das nächstgelegene war ich, was
Lee allerdings nur ein, zwei Tage amüsierte, denn nachdem ich
zwischen zwei Regenschauern Golf gespielt hatte war ich wieder gesund.

Inzwischen sind wir körperlich wieder fit, langweilen uns
aber zu Tode. Die extrem hohen Lebenshaltungskosten ver-
scheuchen Besucher. Die wenigen, die es trotzdem hierherge-
schafft haben, sind gewöhnlich furchtbar alt und miesepetrig.
Um sie zu ärgern, beschlossen wir, uns auf den Straßen nur
beim Bergabgehen sehen zu lassen, damit wir nicht nach Luft

schnappen müssen. Beim Bergaufgehen verstecken wir uns oder nehmen das Auto. So wirkt es, als fühlten wir uns zu Hause, was die meisten Menschen nur noch mehr gegen dieses kalte, ungastliche Kaff einnimmt.

Dieses Land steckt in einer ernsten Klemme. Denk doch nur: Ich will nicht von dem Kohl sprechen, den wir in unserem Land an die Esel verfüttern, wenn auch nur, um ihre Gesichter zu sehen, sobald sie ihn riechen, und von dem ein winziges, melonengroßes Exemplar hier bereits 60 Cent kostet – oder von den Bohnen, die es nicht gibt, weil kein einziger Millionär mehr übrig ist, oder der Tasse Schokolade, die einen Dollar kostet. Ich will nur kurz erwähnen, dass Kohle hier oben pro Tonne 30 Dollar kostet, während Holz eigentlich als etwas Kostbares in Schaufenstern ausgestellt werden sollte. Wenn du bedenkst, dass 10° Celsius im Sommer als warm gelten, kannst Du Dir die tiefe Besorgnis der Regierung um ihre Bevölkerung vorstellen. Wie es scheint, besteht die Mehrheit der Regierung aus Hoteliers. Diese Dickschädel würden lieber sterben, als ein Zimmer für drei oder vier Dollar zu vergeben. Wir würden gern Forellenfischen gehen, doch das ist völlig unmöglich. Eine Fliege kostet dank der hohen Transportkosten zwei Dollar.

Ich habe jetzt eine Idee: nämlich dieses Haus zu verkaufen und für immer von hier zu verschwinden. Letztes Jahr musste ich 3000 Dollar für den Unterhalt bezahlen, obwohl ich nicht einmal darin gewohnt habe. Im Vergleich zu dem, was ich hier sehe, ist unsere Regierung der reinste Engel.

Wir werden bis Ende des Monats bleiben. Danach gehen wir nach Berlin. Vielleicht können wir etwas wegen unserer dortigen Häuser unternehmen. Das Auto lassen wir in Basel und nehmen den Zug. Dann reisen wir weiter nach London. Dort werden wir mindestens 10 Tage bleiben.

Meine besten Wünsche an Mutter und Dich. Wo stecken Erik und Mafy? Und John, der offenbar wie Kemal immer in der Luft ist.

Aziz

Postskriptum von Lee:
Ich bin ganz steif, lahm und alt, denn zum ersten Mal in meinem Leben habe ich Neun-Loch-Golf gespielt.

In Liebe – Lee

Auf dieses Postskriptum beläuft sich Lees ganze Korrespondenz mit ihrer Familie, bis sie ein paar Monate später in Kairo den folgenden Brief an Erik beginnt.

Lieber Erik –

ich sitze hier herum und lese schlechte Kriminalromane, anstatt Dir einen Brief zu schreiben, der seit einer Woche dringend fällig ist – und seit Längerem wichtig für unsere Beziehung.

Ich habe ein außerordentlich glückliches und gesundes Jahr verbracht, in dem meine Zeit zwischen sechs Wochenstunden Chemie morgens an der Amerikanischen Universität und drei abendlichen Arabisch-Stunden pro Woche aufgeteilt war, dazu jede Menge Poker und Bridge. Als Hausfrau bin ich miserabel, es interessiert mich einfach nicht, und wenn alles schiefläuft, was es natürlich tut, lache ich genauso wie alle anderen.

Aziz hat die Stelle gewechselt, die Eisenbahn verlassen und arbeitet jetzt als technischer Chefberater bei Misr Bank's Industries, ein toller, interessanter Job, wenn auch viel zu viel zu tun ist. Nebenbei haben wir als Familie, das heißt Aziz und sein Bruder Kemal, eine Gesellschaft zur Herstellung von Klimaan-

75

lagen gegründet – eine Tochtergesellschaft der Carrier Company in New Jersey. Es sieht nach einem prima Geschäft aus, da bereits die Filmstudios, die neue Bank und der Königliche Automobil-Club ausgestattet wurden. Wir haben hier nur einen Ingenieur und brauchen Angestellte. Aziz und ich wollten Dich für die Stelle vorschlagen. Carrier bildet jedes Jahr sechs oder acht Ingenieure aus, und wenn Du interessiert bist, hättest Du hier in Kairo eine Stelle bei unserer Firma in Aussicht. Wir denken an Dich, seit wir hier sind, und auch wenn es mehrere Jobs gab, die Du gut hättest übernehmen können, war keiner so zukunftsträchtig wie dieser, und ich wollte auf keinen Fall, dass es wieder nur etwas Provisorisches wäre.

Was das Leben in Ägypten angeht – ich glaube, es würde wunderbar zu Euch beiden passen: Eine Wohnung mitten in der Stadt kostet ungefähr fünf Pfund und ein Diener drei Pfund. Lebensmittel sind wesentlich billiger als in Amerika, und die Kolonien aus aller Herren Länder sind so groß, dass sich reichlich passende Freunde finden sollten. Meine stammen zum Beispiel alle vom Pokern, die von Aziz alle vom Sport. Es regnet nie – man kann also immerzu Tennis und Golf, Squash und sogar Cricket spielen – schwimmen – segeln – und, Gott steh uns bei! – ebenso Enten schießen – im Winter Schnepfen – im Suezkanal fischen – Wüstenexpeditionen unternehmen. Die Sprache ist kein Problem, denn kein Ausländer kann mehr Arabisch als er in den ersten zehn Tagen lernt, und es wird allgemein Englisch gesprochen. Unsere sogenannten Kriegsdrohungen sind eher ein Scherz, und was die Revolution angeht, ist sie weniger schlimm als ein New Yorker Taxistreik, und sogar der ist beendet.

Ich weiß nicht, ob Du Dich immer noch für Fotografie interessierst – oder sie inzwischen genauso hasst wie ich eine Zeitlang. Frag Mafy, was sie von diesem Stellenangebot hält, wenn sie es mit dem Gefühl als Ehefrau eines Fotografen vergleicht – ich weiß, wie man sich als Fotografin fühlt, es ist die Hölle. Haben sich meine Büroangelegenheiten eigentlich je geklärt?

Bis Weihnachten habe ich dieses Jahr nicht mal eine Filmrolle verbraucht – vielleicht drei Aufnahmen, die ich nicht entwickelt habe. Doch dann war ich einen Tag in Jerusalem, und das hat mich irgendwie inspiriert; ich habe ungefähr zehn tolle Aufnahmen gemacht. Der Rest ist nur Mist. Inzwischen habe ich einen kleinen Laden gefunden, der Entwicklung und Abzüge zu meiner Zufriedenheit erledigt, und so fange ich wieder an, Interesse zu entwickeln. Es gibt hier einen sehr netten jungen Amerikaner, der für Kodachrome die neue Fabrik im Mittleren Osten aufbauen soll. Ich habe mit ihm zusammen ein Dorf besucht, um ein paar Fotos zu machen – unglücklicherweise habe ich womöglich einen Mann überfahren – Du musst wissen, wenn man in diesem Land jemanden überfährt, wird erwartet, dass Du das Weite suchst – tatsächlich empfiehlt das Konsulat, Fahrerflucht zu begehen – und erst später Bericht zu erstatten – dadurch war der Ausflug verdorben, und Aziz lässt mich nicht mehr ohne einen Führer losziehen – aber die Bilder sind prima.

Nachdem ich diese ersten 1000 Seiten oder so ähnlich geschrieben habe, war ich aus und habe ziemlich erfolgreich eine Partie Poker gespielt – allerdings saß ich so sehr im Durchzug, dass ich gestern Abend nicht zu dem Ball in der Griechischen Gesandtschaft gehen konnte und heute im Bett bleibe – ich fühle mich einfach lausig und hätte nicht einmal Lust auf Bridge, selbst wenn jemand mich einlüde.

Ich glaube, ich werde noch eine Weile schlafen und danach Mutter einen Brief schreiben – ob Du es glaubst oder nicht.

In Liebe, Lee

Der nachlässige Beginn dieses Briefes von Lee an ihre Eltern ist möglicherweise der Tatsache geschuldet, dass eine Seite fehlt. Wahrscheinlich wurde er Anfang Dezember 1935 verfasst.

Per Post zu schicken – SOFORT

1.– einige Cape-Cod-Feueranzünder für die Kamine

2.– eine Menge Popcorn – zum Poppen – (nicht zum Pflanzen) und dafür einer dieser Drahtkörbe – ruhig ohne den Holzgriff, der ist schwierig zu verschicken und leicht durch etwas anderes zu ersetzen

3.– jede Menge Golden-Bantam-Süßmais-Saatgut – das letzte, das ich aus London bekam, war teuer und nicht besonders gut verlesen

4.– ein Fläschchen Buttermilchtabletten

Bitte legt für den Zoll alle Rechnungen oder Quittungen bei.

Mafy, bitte finde heraus, wie man Erdnüsse wie die von ›Planters‹ röstet – ich glaube, sie werden in Öl oder Fett gebraten und gesalzen –, aber wie geht die rötliche Haut ab?

Ich war tatsächlich in Jerusalem! Ich hatte zwei Monate im Bett verbracht – nicht sehr krank, aber eindeutig schlecht gelaunt und einfach zu verdammt müde, um mich für irgendwen oder irgendwas zu interessieren – erinnerst Du Dich, wie ich mich in N.Y. gefühlt habe? Und so bin ich zu Dr Zoudek ins Heilige Land geeilt, und er ist wirklich fantastisch. Ich habe alles zur Behandlung hier, und entweder verpasst mir Aziz, Dr Chorbagni oder meine Wenigkeit die Spritze – das sind einmal wöchentlich Cortigen – Prolan – und Ovex. Ich nehme alles, und in acht Wochen fahre ich wieder hin, um zu sehen, ob es gereicht hat. Jeder hier hat verächtlich die Nase gerümpft wegen der Idee eines Drüsenspezialisten oder Biochemikers – von Drüsen hatten sie noch nie etwas gehört – und gemeint, eine Luftveränderung wäre alles, was ich brauche, oder eine von diesen lausigen europäischen ›Kuren‹, während ich losgezogen bin und als neuer Mensch zurückkam, so dass ich annehme, dass nun eine ganze Karawane dorthin aufbrechen wird.

Palästina kann in einem Brief nicht einmal annähernd beschrieben oder geschildert werden – ich werde ganz verbittert, sobald ich nur daran denke – all das Geld, das meine guten jüdischen Freunde dort versenkt haben – und wie sehr sie sich geirrt haben. Man muss diesen verdammten Ort nur einmal gründlich anschauen, dann ist man vollkommen sprachlos, warum seit Moses' Zeiten alle Welt sich für dieses verkommene Land eingesetzt hat.

Erik war in seinem letzten Brief an Aziz sehr grob – und ich hoffe, er ist angemessen zerknirscht, da er mittlerweile ungefähr 14 Seiten von mir erhalten hat. Offenbar schieben sie ihre Ankunft noch weiter hinaus – ich bin sehr verärgert, denn jetzt kommen sie nicht mehr rechtzeitig zu der beißenden Kälte und werden mir natürlich nicht glauben, bis es nächstes Jahr wieder so weit ist. Bitte stellt Euch vor, Ihr lebtet in einem Land, in dem die Leute sich rührenderweise vormachen, dass es im Winter warm sei, obwohl wir doch letzte Nacht o Grad hatten, und man ein Zimmer höchstens auf 15 Grad heizen kann – und das in unserem Haus mit seinen offenen Kaminen und kleinen Ölöfen. Jeder scheint es für normal zu halten, zweimal jährlich an Grippe zu erkranken, dazwischen dauerhaft erkältet zu sein und an Hexenschuss zu leiden.

Wenn Euch eine solche Art Brief glücklicher macht, okay – aber ich glaube, lieber würdet Ihr gar nichts hören als all mein brummiges Geknurre.

Richtet Onkel Maynard meine Grüße aus und auch all den anderen Millers. Ich nehme an, meine beiden Nichten sind verdammte Nervensägen, und es geschieht Mutter ganz recht, weil sie doch immer ein Enkelkind wollte – und von mir erwartete, dass ich dafür sorge. Andererseits – bitte antwortet darauf – sollte ich zufällig oder durch Gottes oder eines Menschen Wille ein Kind gebären, könnte ich es dann in Amerika unterbringen? Für ein paar Jahre – denn hier ist es für ein Kleinkind die Hölle – und außerdem würde es mich zu Tode langweilen – in den ersten fünf Jahren – wie dem auch sei, ein sehr unwahrscheinliches Ereignis.

In Liebe, Lee

Mit der Zeit schlich sich Langeweile in Lees Leben wie ein feindlicher Spion, der ihre Unzufriedenheit unbemerkt immer weiter schürte. Lee hatte ihr Bedürfnis nach Anregungen ebenso unterschätzt wie ihr Bedürfnis, auf kreative und befriedigende Weise ihre intellektuellen Fähigkeiten zu nutzen. Ihr Leben lang schien sie außerstande, sich selbst Ziele zu setzen. Zu Anfang eines Projekts konnte sie in sich gewaltige Ressourcen anzapfen. Der erste Schritt war dabei immer der quälendste. Und wenn der erste Funke nicht zündete, befiel sie überwältigende, müde Traurigkeit.

Nachdem Erik seine Ausbildung bei der Carrier Company abgeschlossen hatte, schifften sich Erik und Mafy auf einem amerikanischen Passagierdampfer nach Alexandria ein. Im Laderaum befand sich eine Chevrolet-Limousine, die sie im Auftrag von Aziz gekauft hatten. Aziz' Anweisungen befolgend, hatte Erik außerdem für ungefähr 300 Dollar Schrotmunition unterschiedlichen Kalibers erstanden und sie unter dem Rücksitz des Wagens versteckt. Erik und Mafy standen deshalb große Ängste aus, denn der Schmuggel von verbotener Munition in ein Land, das erst kurz zuvor von einer Revolution und Aufständen erschüttert worden war, war vollkommener Wahnsinn. Ein schrecklicher Sturm nach Verlassen New Yorks ängstigte sie zusätzlich. Während der ersten vier Tage wurden alle Passagiere in ihre Kabinen verbannt. Das Schiff hob und senkte sich, Wasser lief über die Fußböden, das Gepäck löste sich aus seinen Befestigungen und polterte in den durchnässten Kabinen hin und her. Das geplante Anlegen auf den Azoren entfiel, und das Schiff lief am 4. März 1937 im Hafen von Alexandria ein.

Aziz hatte versprochen, sie am Kai in Empfang zu nehmen und den Wagen durch den Zoll zu bringen, doch er war nirgends zu sehen. Erik und Mafy hingen an der Reling und sahen zu, wie die anderen Passagiere von Bord gingen und nach und nach durch den Zoll verschwanden. Das Auto wurde in einem großen Netz mit einem Kran aus dem Schiffsbauch gehoben und inmitten einer Schar von Bewunderern auf dem Kai abgestellt. Das Warten zog sich in die Länge, und Erik wünschte sich, das Automobil möge sich in der Hitze auflösen. Sein Ärger und seine Frustration wuchsen, und düstere Bilder vom Leben in einem ägyptischen Gefängnis peinigten ihn.

Stunden später kam Aziz nonchalant angeschlendert, ohne sich für die Verspätung zu entschuldigen. Erik und Mafy waren viel zu erleichtert, um ihm Vorwürfe zu machen, und folgten ihm bereitwillig zum Zoll. Dort nahmen sie im Büro eines fetten ägyptischen Beamten Platz und tauschten bei einem winzigen Tässchen des obligatorischen sämigen, überzuckerten Kaffees ausführlich Höflichkeiten aus. Schließlich erhob sich Aziz, zog ein paar Geldscheine aus der Brieftasche, steckte sie dem Beamten zu, und endlich waren sie unterwegs nach Kairo.

Die Straße war von den britischen Besatzungskräften gebaut worden und verlief ein paar Meilen westlich des Nils am Rand der Wüste. Die Weite war beeindruckend, selbst für diese weitgereisten Amerikaner; sie staunten über die Trockenheit und die Gerüche, über den stinkenden Rauch von brennendem Viehdung und das Aroma exotischer Gerichte, über die Maulesel und die Kamele, über die üppige Fruchtbarkeit des Nildeltas und die karge Schönheit der Wüste. In Kairo angekommen, überquerten sie eine gemauerte Brücke, die über den Nil auf die Insel Gizeh führte, und fuhren eine halbe Meile eine kurvenreiche Straße entlang. Inmitten einer Kolonie weit verstreuter, hinter hohen Hecken verborgener Häuser befand sich Aziz' Anwesen. Dort wartete Lee bereits. Unter Tränen schloss sie ihren Bruder und die Schwägerin fest in die Arme und redete unablässig auf sie ein, bis sie mit einem Mal ganz still wurde, froh, dass sie endlich da waren. (2)

Das Haus hätte bestens in einen eleganten Londoner Vorort gepasst mit seinen Marmorfußböden, den Eichentäfelungen und den geräumigen Zimmern. Es gab mehrere Bedienstete. Lee hatte ihre eigene Zofe, Elda, eine Frau aus Jugoslawien, in der Lee aber eher eine Freundin sah als eine Angestellte. In der Küche regierte ein arabischer Koch mit italienischer Ausbildung, der sehr vielseitige Gerichte zubereitete. Sein Koran war die arabische Übersetzung des Kochbuchs eines großen französischen Kochs durch Ali-Bab. Der Name war ihm aufgefallen, ohne dass er bemerkte, dass es sich um das Pseudonym des Franzosen handelte.

Erik begann sofort mit der Arbeit bei der Carrier Company, die das Parlament mit einer Klimaanlage versorgte, während die vorgesehenen Einweihungsfeierlichkeiten unter dem Vorsitz König Faruks bedrohlich näher rückten. Mit einem Team ägyptischer Mechaniker unter Leitung von Peter Grey, einem schottischen Ingenieur, musste Erik so viel arbeiten, dass ihm keine Zeit blieb, um am gesellschaftlichen Leben und am niemals enden wollenden Partyzirkus teilzunehmen. Aziz hielt sich von alledem fern und verschwand nach Alexandria, ohne sich darum zu kümmern, dass

Eriks Gehalt ausbezahlt wurde. Nach zwei Monaten schaltete Lee sich ein und sorgte dafür, dass die Dinge geregelt wurden.

Sobald die Gehaltsschecks eintrafen, richteten Erik und Mafy sich im Zentrum von Kairo in einem Appartement ein, das dem Comte de Lavoisin gehörte. Zur Einweihung schenkte Lee ihnen einen Diener namens Mohammed, einen jungen Mann aus Oberägypten, dessen frühere Stelle bei englischen Offizieren ihn ein ernstes, formelles Auftreten gelehrt hatte, das im Widerspruch zu seinem freundlichen Naturell stand. Leider erkrankte Mafy an schwerem Durchfall und Blutungen und musste einen Monat das Bett hüten, umsichtig gepflegt von Mohammed.

Ausflüge, wie die sehr beschwerliche Fahrt zu der Baumwollfarm mit Aziz, hatten in Lee unerwarteten Appetit auf Wüstenexkursionen geweckt und die Lust auf immer längere, immer abenteuerlichere Touren. Wüstenreisen sind eine Kunst, die zu erlernen viele Jahre erfordert; aber der Gedanke an Abenteuer hatte Lee aus ihrer Schwermut gerissen, und sie begann, enthusiastisch Pläne zu schmieden. Ein Führer wurde engagiert, ein sudanesischer Soldat mit einem eigenen Fahrzeug, das über einen Sonnenkompass verfügte, und Lee stellte eine Gruppe von Freunden mit vier weiteren Fahrzeugen zusammen. Jedes Mitglied der Gruppe musste seinen Teil zur Verpflegung beitragen, und Lee oblag der Wasser- und Alkoholvorrat.

Die Expedition sollte zu den Klöstern des heiligen Antonius und des heiligen Paulus im Hinterland des Roten Meeres führen. Am Nachmittag des ersten Tages war die Gruppe bereits weit in die Wüste vorgedrungen, und gegen vier Uhr hielten sie an, um das Lager einzurichten, während der Führer aufbrach und die weitere Route auskundschaftete. Zu diesem Zeitpunkt hatten alle ihre persönlichen Wasserflaschen bereits geleert und wandten sich an Lee, um sie wieder aufzufüllen. Der riesige Thermosbehälter, den sie auspackte, sah vielversprechend aus, doch dann stellte sich unter wildem Gelächter heraus, dass er bis obenhin mit einem geeisten Martinicocktailgebräu gefüllt war. Gutmütig nippten sie an ihren Getränken und warteten auf die Rückkehr des Führers. Die Stunden schleppten sich dahin, während der Alkohol die Dehydrierung verstärkte und alle irgendwann vor Durst praktisch halluzinierten, bis endlich eine Staubwolke die Ankunft des Führers ankündigte. Im Kofferraum seines Trucks befand sich ein Notvorrat: zwei große Kanister mit Wasser, die monatelang niemand angerührt hatte. Unter einigen Schwierigkeiten hämmerten sie die Deckel auf und stürzten sich auf das rostige, abgestandene Wasser, als wäre es ein Mouton Rothschild.

Lee ließ sich von diesem ersten Fiasko nicht abschrecken; ihre Wüstenexkursionen wurden immer anspruchsvoller, fanden aber gewöhnlich mit weniger Mitreisenden statt. Manche dieser Touren dauerten nur wenige Tage, andere mehrere Wochen, und die Ziele reichten von fernen Oasen über Wüstenruinen bis zu versteckten Schwimmplätzen am Roten Meer. Lees Touren entsprachen zwar nicht ganz dem Geist einer Freya Stark oder der Verwegenheit eines Wilfred Thesiger, waren aber ausgesprochen unterhaltsam und gefährlich genug, um sowohl die Reise selbst als auch ihre Planung aufregend zu gestalten.

So viel Ablenkung diese Exkursionen auch boten, sie stellten Lee nie ganz zufrieden; die Verlockungen Europas waren zu stark. In unerwarteten Momenten meldete sich die Sehnsucht nach Paris. Manchmal war diese Sehnsucht mehr, als Lee ertragen konnte, und sie verfiel in eine Depression, die nicht einmal Aziz' fürsorglichste Zärtlichkeit vertreiben konnte. Es schien nur eine Antwort zu geben auf diesen arabischen Traum, der sich in einen Albtraum verwandelt hatte. Mit dem Segen des nachsichtigen Aziz und mit seiner großzügigen finanziellen Unterstützung schiffte Lee sich im Frühsommer 1937 auf einem Dampfer nach Marseille ein, und nahm von dort den Zug nach Paris.

Kapitel 5

Flucht aus Ägypten

1937–1939

Nach der Ankunft in Paris in Begleitung ihrer Zofe Elda stieg Lee im Hôtel Prince de Galles ab und rief einige ihrer alten Freunde an. Am selben Abend sollte bei den Schwestern Rochas, den eleganten Töchtern eines bedeutenden Geschäftsmanns, ein surrealistischer Kostümball stattfinden, zu dem auch Lee eingeladen wurde. Nicht nur die Surrealisten, *tout* Paris war anwesend. Max Ernst, im Bettlergewand, hatte sein Haar blau gefärbt; Man Ray, Paul Éluard und Michel Leiris steckten in ausgefallenen Gewändern. Die jungen Frauen hatten sich mit viel Geschick und wenig Stoff provokativ ausstaffiert. Inmitten dieser Szenerie war Lee als Einzige konventionell gekleidet und trug ein langes, dunkelblaues Abendkleid. Alle waren entzückt über ihr Erscheinen, sie fielen freudig kreischend über sie her und warfen ihr vor, viel zu lange fort gewesen zu sein. Zum ersten Mal nach beinahe fünf Jahren sah Lee auf diesem Fest Man Ray wieder, und inmitten des Partyrummels begruben sie ihren Streit und wurden wieder Freunde.

Wie häufig, wenn Kontakte nach langer Abwesenheit erneuert werden, hängt man nach der ersten Aufregung des Wiedersehens ein bisschen in der Luft. Und so stand Lee neben dem reich dekorierten Kamin und beobachtete etwas distanziert die Gesellschaft, als in Begleitung eines Bettlers in farbverkrusteter Hose Julien Levy auftauchte. Er stellte ihr dieses gruselige Geschöpf vor, dessen abstoßende Erscheinung noch durch eine blaugefärbte rechte Hand und einen ebenfalls blaugefärbten linken Fuß hervorgehoben wurde. Schlank, blauäugig, schwarzhaarig und erfüllt von der strahlenden Ungeduld jener Zeit war der Mann offensichtlich Engländer. Es handelte sich um Roland Penrose, der über seine erste Begegnung mit Lee schrieb:

Blond, blauäugig und interessiert, schien sie den abgrundtiefen Kontrast zwischen ihrer eigenen Eleganz und meiner verslumten Schrecklichkeit zu genießen. Und so traf mich ein zweites Mal der *coup de foudre*. Als die Party sich nach Monsieur Rochas' Rückkehr aus New York frühmorgens auflöste, weil er es kategorisch ablehnte, Surrealisten in seiner Wohnung zu bewirten, fragte ich Max, ob er eine sagenhafte Schönheit namens Lee Miller kenne. ›Natürlich kenne ich sie‹, antwortete Max, ›bitten wir sie doch morgen zum Abendessen.‹ (1)

Die Dinnerparty in Max Ernsts Atelier wurde zu einem vollen Erfolg. Lees Schönheit und ihre Lebhaftigkeit befeuerten den Abend. Ihr unerhörter surrealistischer Witz, ihre seltsamen Geschichten aus Ägypten und Reminiszenzen an das Paris der 1920er Jahre unterhielten die Gäste bis spät in die Nacht. Es wurde sehr viel gelacht, und die Weinflaschen kreisten wieder und wieder im Lampenlicht. Spät am nächsten Morgen erwachte Lee in Rolands Armen in seinem kleinen Zimmer im Hôtel de la Paix. Als er beim Rasieren unsicher herumfuchtelte, verletzte er sie mit dem Messer an der Hand. Der Schnitt blutete heftig und musste genäht werden, aber Lee lachte nur und behauptete, sie seien jetzt Blutsbrüder. In den nächsten Wochen kehrte Lee nur sporadisch in ihr Hotel zurück, um Siesta zu halten und sich umzuziehen, bevor sie mit Roland zur nächsten Unternehmung aufbrach. Ausstellungen, Theateraufführungen, Versammlungen der Surrealisten, Partys; für Lee war es, als sei sie in der Wüste auf klares, kühles Quellwasser gestoßen.

Lee blieb in Paris, während Roland und Max Ernst nach England fuhren, um Max' Ausstellung in der Mayor Gallery vorzubereiten. Etwa zwei Wochen später ließ Lee Elda in Paris zurück und reiste ihnen mit Man Ray und Ady, seiner Freundin aus Martinique, hinterher. Sie fuhren mit dem Schiff nach Southampton und von dort mit dem Zug nach Plymouth, wo Roland sie erwartete und in seinem Ford V8 mit ihnen davonbrauste. Hinter Truro führte ihre Route über schmale kornische Straßen mit granitenen Trockensteinmauern an beiden Seiten, die die Aussicht versperrten. Nach ungefähr zehn Meilen glitten sie durch ein Farmtor und folgten einer unbefestigten Straße durch hügeliges Weideland. Vor ihnen erstreckte sich das breite Bett des Truro River. Versteckt zwischen hohen Buchen, dicht am Flussufer an den Hang eines steilen Hügels gebaut, wie um zu verhindern, dass die Flut seine Füße durchnässte, lag versteckt das Anwesen Lamb Creek.

Dieses wunderschöne georgianische Haus, das den Seiten eines romantischen Romans entsprungen schien, gehörte Rolands Bruder Becus, der gerade als dritter Maat auf einem Segelschiff die Küste Labradors bereiste. In seiner Abwesenheit hatte Roland das Haus gemietet. Paul und Nusch Éluard sowie Max Ernst und Leonora Carrington waren schon da, und in den darauffolgenden Wochen vergrößerte sich die surrealistische Gesellschaft mit der Ankunft von Herbert Read, E.L.T. Mesens, Eileen Agar und Joseph Bard. Es wurde gestritten und diskutiert, unterbrochen von Erkundungstouren nach Land's End, zu weiter entfernt gelegenen Flüssen und Schaukelsteinen, zu den bezaubernden Freuden kornischer Pubs und zu lebhaften Liebesaffären. Lee dürfte ihren Hedonismus selten so umfassend und vollkommend beseligend ausgelebt haben. Das spürte offenbar auch Aziz, denn er schrieb:

AERO CLUB D'EGYPTE

Liebste,

Dein Brief erinnert mich an ein Vollblut, das zu lange im Stall eingesperrt war. Sobald es ins Freie kommt, springt es mit allen vieren gleichzeitig in die Höhe.

Irgendwie glaube ich nicht, dass Dir dieses hektische Leben mit einer derart seltsamen Liste von Namen lange gefallen wird. Mir kommen diese Namen, von denen ich nur einige kenne, vor wie die Untertitel zu einem Film, der im *Cinéma Agriculteurs* gezeigt wird.

Ich bin sehr froh, dass Du Paris und diesem Hotel den Rücken gekehrt hast. Was für eine Geldmaschine! Und nur zum Schlafen! Da Du Elda jetzt nicht mehr brauchst, solltest Du ihr besser schreiben, dass sie hierher zurückkehrt. Wenn sie möchte, kann sie unterwegs noch ihre Eltern besuchen. Du brauchst sie nicht mit Geld zu versorgen, ich werde ihr morgen einen Scheck schicken. Sie ist hier besser aufgehoben, besonders da ich mir möglicherweise eine Wohnung in Alexandria nehmen will. Mir scheint, es ist besser, wenn ich nicht zu Dir stoße, sondern hier auf Deine Rückkehr warte. Ich werde Dir das Geld schicken, das ich für meine Reise benötigt hätte; Du kannst es offenbar besser gebrauchen, denn ich habe festgestellt, dass Du den Großteil der 200 Pfund bereits ausgegeben hast. Wir sind hier sehr beschäftigt. Ich glaube nicht, dass ich das Büro verlassen kann, während wir gerade an drei Installationen arbeiten und uns mit dem Cinéma Royal in Alexandria ein weiterer großer Auftrag ins Haus steht. Du kannst bis August bleiben und danach nach Alexandria kommen, dort werden wir viel Spaß mit dem Schnellboot haben. Die Hopkinsons werden ebenfalls dort sein, wir werden uns gut amüsieren. Übrigens werde ich uns auch im Segelclub anmelden.

Amüsiere Dich, Liebling, aber nicht zu sehr ... Kairo ist ganz schön langweilig, wie Du Dir vorstellen kannst, deshalb glaube ich, dass es besser ist, wenn Du nicht da bist, selbst wenn ich mich einsam und verlassen fühle ohne Dich.

Ich bete Dich an, Aziz

Der Monat in Lamb Creek näherte sich dem Ende, und die Gäste zerstreuten sich, um sich ein paar Wochen später im Hôtel Vaste Horizon in Mougins in Südfrankreich erneut zu versammeln. Dort konzentrierte sich das allgemeine Interesse auf Picasso, der mit Dora Maar ein paar Tage früher angereist war. Kurz vor seiner Abreise aus Paris hatte er das Gemälde *Guernica* fertiggestellt, und die Tragödie des Spanischen Bürgerkriegs bildete einen grimmigen Gegensatz zu dem fröhlichen Trubel in Mougins.

Picasso, der ohne Arbeit nicht existieren konnte, malte an den meisten Vormittagen.

Obwohl er eigentlich nach dem Leben zeichnete, meist Nusch und Dora, entstanden die meisten Gemälde ohne Modell. Einmal hat er den als Arlesierin verkleideten Paul Éluard gemalt, der überraschend eine Katze säugte. Dann verkündete er, er habe ein Porträt von Lee Miller angefertigt. Vor einem hellrosa Hintergrund war Lee im Profil dargestellt, ihr Gesicht leuchtend gelb wie die Sonne und ohne Konturen. Zwei lächelnde Augen und ein grüner Mund befanden sich auf derselben Seite des Gesichts, und ihre Brüste ähnelten zwei von einer fröhlichen Brise geblähten Segeln. Die Ähnlichkeit war erstaunlich. Lees charakteristische Eigenschaften, ihre überschäumende Vitalität und ihre lebhafte Schönheit, waren so zusammengefügt, dass es sich ohne Zweifel um ihre Person handelte, jedoch ohne die Attribute konventioneller Porträts. (2)

Roland kaufte das Porträt für 50 Pfund und schenkte es Lee. Ein paar Wochen später war Lees Zeit der Freiheit vorüber. Wild entschlossen packte sie, auch das Gemälde kam mit, und bestieg in Marseille ein Schiff Richtung Alexandria. Für Roland hieß es *au revoir*, denn sie hatten zahlreiche vage, unausgegorene Pläne für weitere gemeinsame Reisen geschmiedet.

Überglücklich, dass sie wieder zu Hause war, gab Aziz eine Party für über hundert Freunde, darunter natürlich auch Erik und Mafy. Das Picasso-Porträt wurde in der Halle aufgehängt, wo jeder daran vorbeikommen musste. Lee platzierte Mafy in der Nähe des Bildes mit der strikten Anweisung, genau hinzuhören, was die Gäste darüber sagten. Es hatte sich herumgesprochen, dass Lee für einen berühmten Künstler Modell gesessen hatte, und man ging natürlich davon aus, dass es sich um ein konventionelles Porträt handelte. Die Gäste waren verblüfft. Das Bild beherrschte die Gespräche, und als der Alkohol seine Wirkung tat, behauptete mancher, mit geschlossenen Augen ein ähnlicheres zu malen. Lee hatte das vorausgesehen und wartete den richtigen Moment ab, um die Türen zu einem anderen Zimmer zu öffnen, wo Farben, Papier und Pinsel bereitlagen. »Gut!«, rief sie herausfordernd. »Gut, dann lasst mal sehen, was ihr hinkriegt.« Die Party wurde zu einem denkwürdigen Erfolg; die Gäste malten hemmungslos darauf los und ruinierten dabei ihre Abendgarderobe.

Nach den Monaten voller Freiheit und Fröhlichkeit war das gesellschaftliche Leben in Kairo – der ›schwarze Satin-und-Perlen-Zirkel‹, wie Lee es beschrieb – ihr zuwider. Die Partys mit kindischen Spielen um Telepathie und Hellseherei und das tagelange Herumliegen am Swimmingpool des Gezira Sporting Clubs waren ihr jetzt noch unerträglicher als vor ihrer Reise. Das Privileg, Amerikanerin zu sein, verschaffte Lee allerdings größere Erleichterungen, als sie möglicherweise zu schätzen wusste, denn es erlaubte ihr – im Gegensatz zu anderen Ausländerinnen – Zutritt zu Orten wie Tommy's Bar im Shepheards Hotel. Lee und Mafy waren bekannt als die ›zwei amerikanischen Mädchen‹ und wurden um ihre Bewegungsfreiheit oft beneidet. »Für euch zwei ist es in Ordnung«, schimpften die anderen voller Neid, »ihr seid Amerikanerinnen; keiner findet etwas dabei, was ihr tut!«

Es verwundert kaum, dass Lee nach einiger Zeit die Aufmerksamkeit der boshafteren Klatschbasen auf sich zog. Da sie es genoss, andere vor den Kopf zu stoßen, machten ihr anzügliche Bemerkungen nichts aus, doch Kränkungen, die Aziz und ihre nächsten Freunde trafen, schmerzten sie. Manchmal gelang es ihr, sie mit gleicher Münze heimzuzahlen. So erging es zum Beispiel einem jungen Armeeangehörigen, der seine nichtsahnenden Freundinnen mit Vorliebe vor dem Sex fesselte und verprügelte. Bei einer dieser Gelegenheiten verletzte er das Mädchen, eine Freundin von Lee, schwer. Daraufhin lockten Lee und zwei willige Helferinnen ihn zu einem Liebestreffen in ein Strandhaus in Alexandria. Dort fesselten und verprügelten sie ihn, bis er grün und blau war. Um sicherzustellen, dass von Seiten mitfühlender Menschen genügend Nachfragen nach seinem Befinden kamen, streuten sie das Gerücht von einem Überfall durch unbekannte Täter. Daraufhin bemühte er sich um eine Versetzung auf einen sichereren Posten.

Wüstenexkursionen boten Lee die einzige Möglichkeit, gesellschaftlichen Verpflichtungen zu entgehen. Aziz begleitete sie selten; er ging lieber angeln, außerdem nahm seine Arbeitsbelastung immer mehr zu. Lee hatte inzwischen ihr eigenes Auto, ein Packard-Cabriolet mit starkem Motor, das robust genug war, die Misshandlungen durch Fahrten abseits der Straßen auszuhalten. Lees Reisegesellschaften setzten sich aus sorgfältig ausgewählten Freunden zusammen, wie zum Beispiel Guy Pereira, einem Kaufmann, und seiner Frau Diane, Henry und Alice Hopkinson von der britischen Botschaft und Giles Vandaleur, einem Captain der irischen Garde. Sie alle waren erfahrene Reisende und sehr diskret. Wüstenreisen haben etwas seltsam Befreiendes, und es wäre dumm gewesen, von dieser Freiheit Gebrauch zu machen, wenn hinterher ganz Kairo Bescheid gewusst hätte. Besonders Giles kam Lee sehr nahe. Sie liebte seinen subtilen irischen Humor, mit dem er sie gnadenlos traktierte, ebenso wie seine Fähigkeit, alles ins Lächerliche zu ziehen.

Auf einer solchen Reise nach Luxor begegnete die Gesellschaft dem Schlangenbeschwörer Moussa, dem Sohn von ›The Great Moussa‹, der einige Wochen zuvor an einem Schlangenbiss verstorben war. Hopkinson, der fließend Arabisch sprach, fand heraus, dass das besondere Talent dieses Mannes darin lag, die Schlangen aus ihren Verstecken zwischen den Felsen hervorzulocken. Also führte Hopkinson den Schlangenbeschwörer mit den anderen Männern der Reisegesellschaft hinter ein paar Felsen und ließ ihn sich bis auf die Unterwäsche ausziehen, um zu sehen, ob er nicht etwa Schlangen in seinen Kleidern versteckte. Dann wählten sie eine Stelle aus, an der es nach ihrer Überzeugung mit Sicherheit keine Schlangen gab. Der Mann spielte auf seiner Flöte eine eintönige Melodie, und binnen weniger Minuten krochen von überall her Schlangen heran. Lee war fasziniert und wollte das Geheimnis kennenlernen. In bester Einheimischenmanier erzählte ihr der Schlangenbeschwörer, es würde Jahre dauern, dies zu lernen, doch zuerst müsse sie den feierlichen Eid ablegen, niemals eine Schlange zu verletzen. Um die Wirksamkeit seiner Beschwörung auch an ihr zu beweisen, nahm er eine große Kobra und legte sie Lee um die Schultern, wo sie zufrieden liegen blieb.

Auf einer anderen Reise zu den heißen Quellen an der Küste des Roten Meeres gerieten sie in einen heftigen Sandsturm. Sie kämpften sich zu einem Armeeposten durch, wo sie in einer miesen, fliegenverseuchten Hütte Unterschlupf fanden. Während der Nacht erkrankte Hopkinson schwer und wurde von heftigem Schüttelfrost geplagt. Sie konnten nichts anderes tun, als mit heißem Wasser gefüllte Evian-Flaschen um ihn herum zu stapeln, um ihn warm zu halten. Beim ersten Tageslicht hatte der Sturm so weit nachgelassen, dass sie nach Suez weiterfahren konnten.

Der Sand hatte unterdessen allen Lack bis auf das schiere Metall von ihren Autos abgeschliffen. Im Krankenhaus wurde bei Hopkinson eine Rippenfellentzündung diagnostiziert, und er musste viele Wochen das Bett hüten.

Vielleicht wegen des Kontrasts zwischen Ägypten und dem grünen England, vielleicht auch angeregt durch ihre kürzlich erneuerten Kontakte zu den Surrealisten – aus welchen Gründen auch immer, Lee begann wieder zu fotografieren. Viele dieser Aufnahmen waren kaum mehr als Schnappschüsse von Freunden, die auf Booten oder an Swimmingpools faulenzten. Von Ägyptern gibt es nur wenige ungestellte Bilder, vielleicht weil sie sehr zögerten, sich fotografieren zu lassen, und Lee ihre Privatsphäre respektierte. Meist handelt es sich bei den Aufnahmen aus dieser Zeit um Landschaften und Gebäude. Es sind aber nicht einfach nur Bilder einer gaffenden Touristin; immer wieder zeigen sie befremdliche Nebeneinanderstellungen oder Beobachtungen, die ihnen eine zweite Perspektive verleihen. Allgegenwärtig ist die schräge Poesie eines surrealistischen Auges, das Pflanzen auf den Dächern eines Lehmdorfes in Haare eines menschlichen Kopfs verwandelt, oder die weißen Kuppeln des Klosters Wadi Natrun sinnlicher als Brüste erscheinen lässt – mit der zusätzlichen Ironie zölibatärer Mönche im Klosterinnern. Selbst solche Aufnahmen, die zunächst eher wie perfekt komponierte Architekturfotos wirken, verraten eine intensivere symbolistische Wahrnehmung. Ein vom Wind erodierter Fels ragt auf wie ein schartiger Phallus, und in einer ähnlichen sexuellen Metaphorik sind Tempeltore mit Haufen aufeinandergetürmter Steine verrammelt. Baumwollballen werden zu komprimierten Wolkengebilden, die an ihren engen Fesseln zerren, aus denen sich ein paar Strähnen befreit und ihren Kameraden am Himmel angeschlossen haben.

Lees neuer Überschwang wurde durch Briefe von Roland bestärkt, in denen er ihr Wiedersehen in Athen im Frühling 1938 bestätigte. Als der Zeitpunkt gekommen war, ließ Lee den Packard im Hafen von Alexandria auf ein Schiff verladen und ging in Begleitung von Gertie Wissa und deren Bruder an Bord. Die Wissas – eine alteingesessene Familie koptischer Christen aus Asyut – waren Baumwollpflanzer und alte Freunde von Aziz. Gertie war eine lebenssprühende Neunzehnjährige und als Kapitänin der ägyptischen Bridge-Mannschaft auf dem Weg zu einem Internationalen Turnier in Budapest. Aziz winkte ihnen zum Abschied, und das Schiff begann, seine Taue zu lösen. Das letzte war kaum gelockert, als vollkommen unerwartet Giles Vandaleur, mit dem Lee eine Affäre gehabt hatte, aus einem Versteck auftauchte. Ihm war zu Ohren gekommen, dass sie sich auf dem Schiff befand, und da ihm noch Urlaub zustand, hatte er beschlossen, mit auf die Reise zu gehen. Von diesem Moment an glich die viertägige Überfahrt einer einzigen wilden Party.

In Athen stiegen Lee und Giles bei sengender Hitze im Hôtel Grand Bretagne ab. Nach ein paar Tagen kündigte ein Telegramm Rolands Ankunft mit einem griechischen Handelsschiff aus Marseille an, und Giles zog höflich aus.

In seinem Buch *The Road Is Wider Than Long*, das er selbst als ›Ein Bilder-Tagebuch vom Balkan‹ bezeichnete, schreibt Roland:

Nach einer kurzen Kostprobe der Wunder und Aufregungen des alten und des modernen Griechenlands verließen wir die Tavernen, die verzauberten Inseln und Strände und wandten uns nach Norden, dem Landesinnern zu. Unterwegs erfreuten wir uns an abgelegenen Dörfern, Bergen, Weinbergen, Olivenhainen. Wir zelteten an abgeschiedenen Orten und hielten im Schatten riesiger Bäume, um uns mit der kühlen Sauermilch zu erfrischen, die die Schäfer aus der Milch ihrer Herden herstellten.

Nachdem wir auf Thassos die Olivenhaine besichtigt hatten,

23 Harriet Hoctor (Ballerina). Lee Miller Studios Inc., New York, 1933. (Lee Miller)

24 John Rodell, Literaturagent, Freund Lees. New York, 1933.

25 Virgil Thomson, Komponist für das Programm von *Four Saints in Three Acts*. New York, 1933. (Lee Miller)

26 John Houseman, Impresario für das Programm von *Four Saints in Three Acts*. New York, 1933. (Lee Miller)

27 ›Prinz Mike Romanoff‹ [Harry F. Gerguson]. New York, ca. 1932. (Lee Miller)

28 Kendall Lee Glaenzer. Lee Miller Studios Inc., New York, 1933.
(Lee Miller)

29 Lilian Harvey, Filmstar. New York, 1933. Solarisiertes Negativ. (Lee Miller)

30 Joseph Cornell, surrealistischer Künstler, mit einem seiner Objekte. New York, 1933. (Lee Miller)

31 Selbstporträt für einen Modeartikel über Haarbänder. New York, 1932. (Lee Miller)

32 Wolkenturbulenzen, fotografiert von Lee in den Flitterwochen an den Niagarafällen. Juli 1934. (Lee Miller)

33 Aziz Eloui Bey beim Angeln. Ägypten, ca. 1935. (Lee Miller)

34 Nimet Eloui Bey, Aziz' erste Ehefrau. Paris 1931. (Lee Miller)

35 Aziz' Haus. Insel Gizeh, Kairo. (Lee Miller)

36 Mafy Miller. Kairo, 1937. (Lee Miller)

37 Lee. Ägypten, 1935. (Unbekannter Fotograf)

38 Treppenhaus. Kairo, ca. 1936. (Lee Miller)

39 ›Portrait of Space‹. In der Nähe von Siwa, Ägypten, 1937.
Magritte sah dieses Foto 1938 in London. Man sagt, es diente als
Inspiration für sein Gemälde *Le Baiser*. (Lee Miller)

40 Poller. Alexandria, Ägypten, 1936. (Lee Miller)

41 ›The Procession [Vogelspuren im Sand]‹. Ain Sukhna, Rotes
Meer, Ägypten, ca. 1937. (Lee Miller)

42 ›The Cloud Factory [Baumwollsäcke]‹. Asyut, Ägypten, 1939. (Lee Miller)

43 Von der Spitze der Großen Pyramide. Ägypten, ca. 1938.
(Lee Miller)

44 Lees Einführung in die Schlangenbeschwörung. Ägypten, 1938.
(Guy Taylor)

setzten wir über nach Bulgarien, und später in Rumänien ent-
zückte uns anfangs die marode Eleganz Bukarests, wo in Tee-
häusern Kaviar serviert wurde und auf jedem Pferdefuhrwerk
ein Geiger neben dem Kutscher hockte ... Zu meinem Unglück
fanden all diese Straßen ein abruptes Ende, denn leider musste
ich Lee in Bukarest zurücklassen und mit dem Orientexpress
nach Hause zurückkehren. Unterwegs wurde ich in München
unvermittelt mit der politischen Realität konfrontiert. Die Halle des Hauptbahnhofs war zu Ehren von Chamberlains Be-
schwichtigungsbesuch bei Hitler in ihrer ganzen Länge mit
Nazibannern beflaggt.

Nach Rolands Abreise blieb Lee in Bukarest. Sie hat seine Schilderungen in dem folgenden unveröffentlichten Manuskript, das
wahrscheinlich aus dem Jahr 1946 stammt, fortgeführt:

In manchen Gebieten ist es völlig normal, heidnische Bräuche
mit christlichen Riten zu vermischen ... der Priester wendet
sich ab, wenn eine trauernde Mutter einen Penny für Charon
auf den Mund ihres Kindes legt ... und es in seinem Sarg fest-
bindet, damit es nicht zurückkommen kann, um sie zu quälen.
Drei Tage muss sie bei der Leiche klagen ... die meisten der
ländlichen Bewohner besitzen ein natürliches Talent für Steg-
reifverse, und die Bitten, das Kind solle die Welt nicht verlassen, wechseln sich ab mit solchen, in denen sie flehen, es möge
nicht als Geist wiederkehren.
  All das erfuhr ich, als ich 1938 mit Harry Brauner, heute
Professor für Musikgeschichte und Direktor des Instituts für
rumänische Volkskunde, das Land bereiste. Ich war mit ziemlich vagen Absichten von Griechenland über Bulgarien nach
Bukarest gekommen und eigentlich auf dem Weg nach War-
schau, mit einem respekteinflößenden Packen Empfehlungs-

schreiben bewaffnet. Königliche Hoheiten, Diktatoren und Schwarzmarkthändler ... die schicke Gesellschaft in schwarzem Satin und Perlen und die Großgrundbesitzer. Und dazwischen auch der Brief eines surrealistischen Malerfreundes in Paris, Victor Brauner, an seinen Bruder. Mit dem Glück des Zufalls fischte ich ihn aus der Wühltasche. Die anderen benutzte ich nie. Harry, der Bruder, war Musiker und Forscher und gerade dabei, seine Taschen für eine dreimonatige Tour durch sein Land zu packen; seine Begleitung bestand aus einer Künstlerin namens Lena, einem Aufnahmegerät und einem grillenhaften, faschistisch gesinnten alten Professor. Sie wollten mit den unregelmäßig fahrenden Zügen, per Anhalter und zu Fuß reisen. Ich wiederum hatte meinen früher einmal totschicken grauen Packard Arabella und nichts zu tun. Wir folgten den Zigeunern von Lager zu Lager ... wir brausten durch das ganze Land wegen einer Hochzeitsfeier ... und verweilten tagelang, als Hexerei praktiziert und Teufel aus einer Scheune vertrieben wurden ... wenn ich Krämpfe bekam vom nächtelangen Fahren, weil wir irgendeinen Zauber miterleben wollten, der bei Tagesanbruch in einer ehemaligen römischen Siedlung stattfinden sollte, stiegen wir humpelnd aus dem Auto und tanzten wie Skalp jagende amerikanische Ureinwohner im Scheinwerferlicht des Autos ... sangen ›Of, mor mor ... aulimika dor dor dor ...‹ oder ein altes mazedonisches Lied, ›Tun Bey‹, und der Chor antwortete. Wir schliefen in Bauernbetten unter aufgetürmten Federbetten auf handgewebten Laken, die einem bei jedem Umdrehen die Haut abschürften. Die Flöhe veranstalteten auf den Decken Sprungübungen und versahen unsere Knöchel und Taillen mit Bissrosetten. Wir tranken Unmengen Hochprozentiges und gallonenweise Lapte-Batute, Buttermilch, gegen die Dehydrierung. Wir dokumentierten anhand von Fotos die unzähligen Fresken an den Außenwänden hinreißender Kirchen mit spitzen Kirchtürmen in der Provinz Bukowina und sicherten für das Institut die Hinterglas-Ikonen, die die Kirchen zwar vielleicht nicht zerstören, aber loswerden wollten zugunsten von Mehrfarbsteindrucken, Ölschinken und Heiligenstatuetten aus Gips, die in großer Zahl per Katalog bestellt wurden. In wenigen, klar eingegrenzten Gebieten gab es Ärger ... mehrmals wurden alle vier Reifen durchstochen, einmal das Segeltuchverdeck für einen diebischen Arm durchschnitten ... es gab nichts zu essen, keinen Schlafplatz, kein Benzin, die Telefonzentrale war tot, nirgendwo Gastfreundschaft oder guter Wille.

Eine bestimmte Musik, Festtänze und Hochzeits- oder Beerdigungsrituale, Regenzauber oder Fruchtbarkeitsriten für Bräute oder Felder sind nur in sehr kleinen, abgegrenzten Gebieten üblich und auf der anderen Flussseite oder jenseits eines Waldes vielleicht gänzlich unbekannt. Beim Regenzauber der Zigeuner werden ein Junge und ein Mädchen in Blätter gekleidet, was ähnlich aussieht wie Hawaiiröcke. Sie hüpfen herum und intonieren einen primitiven Gebetsvers, während die Erwachsenen sie mit Wasser überschütten. Dieses ländliche Ritual geht zurück auf eine Zeremonie, die so alt ist wie die älteste griechische Literatur. Die unschuldigen Kinder (unter 10 Jahre) formen auf einem Brett das Relief einer feuchten Lehmpuppe. Enziane stellen blaue Augen dar, ein scharlachrotes Blütenblatt den Mund. Das Geschlecht ist deutlich markiert. Das Opfer wird mit Blüten geschmückt, mit Früchten beladen und von den kindlichen Sargträgern über die ausgedörrte Ebene zur nächstgelegenen Wasserstelle gebracht. Mit brennenden Kerzen und passenden Gebeten wird das Opfer, das symbolisch für eines von ihnen steht, auf dem Wasser platziert, wo es davontreibt, dem Ertrinkungstod entgegen.

Schon vor ihrer Rückkehr nach Kairo hatte Lee ihre nächste Reise geplant. Diesmal sollte Bernard Burrows ihr Begleiter sein, der dritte Sekretär der britischen Botschaft. Lee war ihm Anfang des Jahres begegnet, und sie hatten gemeinsam einige Fahrten ans Rote Meer unternommen, doch hier handelte es sich um ein entschieden ehrgeizigeres Abenteuer. Der Packard Arabella war nach dem Balkan in einer schlechten Verfassung, und so ließen sie Bernards Ford die levantinische Küste hinauf nach Beirut transportieren. Es war für Reisen eine schwierige Zeit; der arabische Aufstand in Palästina bedeutete für Zivilisten viele Einschränkungen. Ihre Route führte sie südwestwärts bis nach Damaskus, von dort gegen Norden und weiter durch die Wüste zu den Ruinen von Palmyra; über Aleppo, wo sie ein paar Tage Ski fuhren, ging es danach wieder zurück nach Beirut.

Bernard hatte Altertumswissenschaften studiert, und mit seinem leidenschaftlichen Interesse für die Antike erweckte er die ehrwürdigen Städte und Ruinen zum Leben. Er machte aus den geschichtlichen Fakten einen Abenteuerroman und bevölkerte die verlorene Landschaft mit Schlachten, Belagerungen, mit untergegangenen Zivilisationen, die mit Haut und Haaren von der Wüste verschluckt worden waren. Auch über alle weiteren Eigenschaften eines guten Reisekameraden verfügte er; er war ein erfahrener Planer und Navigator und sehr versiert im diplomatischen Umgang mit störrischen Beamten. Es machte Spaß, mit ihm zusammen zu sein, außerdem war er in Lee verliebt. Für Lee wurde das Vergnügen an der Reise jedoch getrübt, weil sie plötzlich von schlechtem Gewissen heimgesucht wurde.

HOTEL NEW ROYAL
BEIRUT

Der 17. November 1938

Lieber Aziz –:

Da bin ich nun – nach mehreren Tagen lächerlichen Skilaufens
– Schnee – beißende Kälte & Spaß. Die Landschaft und das
Wetter wechseln sich hier ebenso häufig ab wie die Religio-
nen und Volksstämme. Wüste – kultivierte Flächen und
Berge – Angenehmes und Unbequemes – Spaß und Langeweile. Und alles zusammen ein bisschen enttäuschend wegen
meiner Gemütsverfassung – ich kann nichts direkt kritisieren
oder wertschätzen, weil ich selbst so zerrissen und uneins
mit mir bin, dass mein Unterbewusstsein unablässig tickt
und mich Tag und Nacht auf Trab hält, ohne dass ich eine
Idee habe, was ich dagegen unternehmen könnte. Ich kann
mir nicht einfach die Ohren verstopfen, wie ich das in Gizeh
gegen die Hunde getan habe – oder gegen unsere schicke
neue Uhr oder den Gärtner, wenn er den Rasen mäht – es
gibt keinen Ausweg mehr – keine Möglichkeit, weiter so zu
tun, als gäbe es kein Problem – und am schlimmsten ist,
dass ich so ein Feigling bin und das Problem lieber aus der
Ferne lösen und die Details sich selbst überlassen würde. Von
hier aus sollte es für mich viel einfacher sein, herauszufinden,
was mit meiner Rückkehr ist. Und für Dich sollte es einfacher
sein, zu sagen, ob Du mich willst – und warum – und wie –,
es schüchtert mich zu sehr ein, von Angesicht zu Angesicht
darüber zu sprechen und möglicherweise in Tränenseen oder
hysterischen Anfällen unterzugehen –, und ich fürchte, bei einem kleinlichen Streit zurechtgestutzt zu werden (über Freunde oder den richtigen Zeitpunkt fürs Mittagessen), aber es ist

nicht einfach, zu wissen, was man will – und mein Gefühl sagt mir, dass Du vor allem vor weiterem Ärger wegen mir und über mich verschont und natürlich besten Gewissens von jeder Verantwortung für mich und Sorge um mich freigesprochen werden möchtest. Doch – ob aus Weichherzigkeit oder aus fehlgeleitetem Glauben an meine Veränderbarkeit – bist Du blind gegenüber der Tatsache, dass ich als Deine Ehefrau – und sogar als Deine Kameradin – nicht tauge.

Was mich selbst anbelangt, weiß ich offen gestanden nicht, was ich will, außer, dass ich am liebsten alles haben möchte. Ich wünsche mir eine utopische Kombination aus Sicherheit und Freiheit, und emotional muss ich vollkommen in einer Arbeit oder in der Liebe zu einem Mann aufgehen. Ich glaube, zuallererst muss ich mir Freiheit verschaffen – was es mir möglich machen wird, meine Konzentration wiederzugewinnen, und dann hoffe ich einfach, dass irgendeine Art von Sicherheit folgen wird – und wenn nicht, wird das Bemühen mich immerhin wach und lebendig halten.

Im Augenblick bin ich wieder in Beirut und versuche noch einmal, das Katz-und-Maus-Spiel von Visa und Identitätsnachweis zu lösen – falls Du möchtest, dass ich nach Ägypten zurückkehre, um wirklich und wahrhaftig über Deine oder meine oder unsere Zukunftspläne zu sprechen – andernfalls gehe ich nach Amerika oder nach Europa ...

Auf Wiedersehen, Liebling – und viel Glück, bis ich zurückkomme, und auch, wenn ich es nicht tue.

In Liebe, Lee

Lee kehrte tatsächlich zu Aziz zurück. Freundlich, sanft und voller Zuneigung hieß er sie wieder willkommen, obwohl inzwischen ganz offensichtlich keine Hoffnung mehr bestand, die Ehe zu retten. Er erlaubte sich nie, seine Wut zu zeigen, und versuchte wieder und wieder, eine Lösung für Lees innere Rastlosigkeit zu finden. Trotz größter Nachsicht schien er nicht imstande, ihre Unruhe zu besänftigen; sie war ein zu bestimmender Teil ihres Charakters.

Lee versuchte erneut, sich ganz vom lebhaften gesellschaftlichen Leben in Anspruch nehmen zu lassen. Die üppigen Dinnerpartys bei Baron Empain und seiner schönen jungen amerikanischen Gattin Goldie boten eine gewisse Abwechslung. Die Gäste gehörten sämtlichen Nationalitäten an, die Kairo zu bieten hatte, von Zeit zu Zeit waren auch ein paar der bekanntesten Namen unter ihnen wie zum Beispiel Barbara Hutton. Das Speisezimmer mit seiner schwülstigen Ausstattung sah aus wie ein Filmset. Die Gedecke waren aus Gold, und hinter jedem Stuhl stand ein livrierter Diener. Nach dem Abendessen, dem jedes Mal aufwendige Cocktails vorausgingen, pflegte Baron Empain ein französisches Jagdhorn zu blasen – das Signal für seine Gäste, in ihre Autos zu steigen und zu einem Nachtclub zu fahren.

Zu Beginn des Frühlings 1939 hielt Lee sich gerade bei der Familie Wissa in Asyut auf, als Roland Penrose auftauchte, im Gepäck als Geschenk ein Paar goldene Handschellen und das Manuskript von *The Road Is Wider Than Long*. Er war unter dem Vorwand angereist, als Fotograf die Ägyptologin Beryl de Zoete zu begleiten, die ägyptische Volkstänze studieren wollte.

Mit Aziz' Hilfe wurde eine Expedition in Lees leistungsstarkem Packard geplant. Begleitet von Mafy, Lees Schwägerin, und Lees altem Freund, George Hoyningen-Huene, dem Fotografen, brachen wir auf nach Siwa, einer fremdartigen, isolierten Oase ungefähr fünfhundert Meilen westlich von Kairo. Wir folgten einem schwer erkennbaren Pfad, an großartigen, vom Wind erodierten Felsen entlang; und irgendwann ragten oberhalb eines ausgedehnten Dattelhains wie ein einziger massiver

Block die fantastischen Gebäude von Siwa vor uns auf. Ehe wir zu dem liebenswürdigen Aziz zurückkehrten, verbrachten wir dort zwei Tage, badeten in dem warmen, sprudelnden, türkisfarbenen Wasser der Quellen und tranken süßen Tee mit den Beamten, die allesamt Aziz' Freunde waren und daher auch Lees. (3)

Selbst in der Abgeschiedenheit Siwas verdichteten sich die Wolken des Krieges. Es kursierte das Gerücht, Gruppen als Araber verkleideter Italiener kartierten die Wüste, und die ägyptische Regierung wurde von den Briten unter Druck gesetzt, die Reisen von Ausländern zu beschränken. Aziz' Hilfe, von der Roland Penrose sprach, bedeutete tatsächlich, dass er seinen ganzen Einfluss aufbieten musste, damit die Teilnahme Hoyningen-Huenes an der Expedition von offizieller Stelle genehmigt wurde.

Siwa war mehr als eine bloße Wüstenstadt. Die Abgeschiedenheit des Ortes hatte in der dortigen Gemeinschaft eine einzigartige Kultur entstehen lassen. Die Bewohner vom Stamm der Sanussi hatten blaue Augen und rotes Haar. Es war nicht ungewöhnlich und vollkommen legitim, dass Männer Männer heirateten. Den Jungen wurde auf dem Kopf eine Stelle geschoren, um ihre Heiratsfähigkeit anzuzeigen, und die Mädchen wurden mit dreizehn für heiratsfähig erklärt und bekundeten dies durch das Tragen eines silbernen Medaillons.

Lees Gesellschaft war im Gästehaus der Regierung untergebracht. In der Nähe gab es eine heiße artesische Quelle, und Lee und Mafy liehen sich von den Männern Shorts und sprangen oben ohne hinein. Die örtlichen Beamten, weit entfernt davon, empört zu sein, zeigten sich entzückt und boten ihnen während des ganzen Aufenthalts großzügig ihre Gastfreundschaft an. Am letzten Abend gestatteten sie, dass im Rahmen der Festlichkeiten zu Ehren der Gäste Dattelwein ausgeschenkt wurde. Dieses seltene Ereignis löste große Begeisterung aus, doch was als Abschiedsparty gedacht war, artete in eine wilde Schlägerei aus, in deren Verlauf sich die vornehmen Gäste in ihren Zimmern verbarrikadierten.

Nach Rolands Rückkehr nach England versuchte Lee, bei weiteren Wüstenreisen mit Bernard innere Ruhe zu finden. Auf einer 900-Meilen-Rundreise besichtigten sie die Oasen Farafra, Bahariya und Dakhla sowie die Große Oase – El Kharga. Eine weitere Tour führte nach Bur Safaga am Roten Meer; zurück ging es landeinwärts am Nil entlang. Doch solche Reisen verschafften Lee keine anhaltende Befriedigung mehr. Ihr Reisefieber hatte sich schließlich erschöpft.

Im Juni beschloss sie, Ägypten für unbestimmte Zeit zu verlassen. Aziz hatte ihr ein umfangreiches Investment-Portfolio überschrieben, das ihr eine gewisse finanzielle Sicherheit bieten würde. Er liebte sie noch immer sehr, war jedoch viel zu realistisch, um sich einzubilden, er könne sie jemals glücklich machen. In seiner grenzenlosen Großzügigkeit hatte er sich Lees Ansprüchen, die die meisten Männer in den Wahnsinn getrieben hätten, nie in den Weg gestellt. Und nun fuhr er am 2. Juni nach Port Said, um sich würdevoll von ihr zu verabschieden, als sie sich an Bord der *S. S. Otranto* nach Southampton einschiffte.

Der Abschied löste bei Lee kaum Trauer aus. Seit der Reise nach Siwa pflegte sie mit Roland Penrose leidenschaftlichen Briefkontakt, und er war es, zu dem sie nun eilte.

Auszüge aus Lees Tagebuch:

Es ist ziemlich typisch für mich, dass ich mein Tagebuch mit fast einer Woche Verspätung beginne, und zwar genau dann, wenn gerade ein Fettdepot an meinem Rücken aufgelöst wird – eine nervenaufreibende Prozedur, die Essen entfernen soll, auch das von letzter Woche –, es beginnt also eine allgemeine Läuterung.

Tag 1 – Ankunft:

Land kam zuerst in Form der ›Needles‹ in Sicht, die durch den
Regen brachen, und ich war äußerst nervös und unsicher –
ganz unerwartet erspähte ich Roland an einem Bartisch, und
während der endlosen Landungsprozeduren warfen wir einander sehnsüchtige Blicke zu. Ging mit glänzenden Augen
durch den Zoll und war sehr beeindruckt vom weltgrößten,
ältesten Rolls, der auf dem Pier als Taxi verkehrte. Ich frage
mich, ob Roland dem Polizisten wirklich erzählt hat, ich sei
krank. Sandwichs in einem Pub und eine lange Fahrt nach
London; ich fühlte mich ziemlich ausgetrocknet vom vielen
Brandy tagsüber. – Abendessen im Étoile mit Man Ray – unterhielt mich hauptsächlich mit Mesens, der sehr anregend ist.
– Alle kehrten zurück nach Hampstead – wo auch Man die
Nacht verbrachte. – Liebe – Schlaf und Frühstück, danach eine
Picasso-Schau in der London Gallery, Mittagessen und Mans
Abreise per Flugzeug vom Dorchester, wo die Toilettenfrau
schlicht und einfach eine Art Herzogin ist – im Vergleich zu
denen in Frankreich, bei denen es sich um ehemalige Bordell-
betreiberinnen oder Huren zu handeln scheint – immer fett,
gutgelaunt und kumpelhaft. War verdammt kalt und feucht,
habe mir aber Rolands Stück bei Freddy Mayor angesehen –
meine Bekanntschaft mit Freddy aufgefrischt und in Erinnerungen geschwelgt.

Auszüge aus der Kopie eines Briefes an Bernard Burrows vom
21. Juni:

Liebling – Es wird gerade erst hell, und ich bin schon von einer
Löwenjagd zurück. Nach zwei hektischen Tagen, an denen ich
in London alte Freunde getroffen habe – Abendessen mit Man

Ray, der meinetwegen einen Tag hier Station machte – am folgenden Morgen vier Gemäldeausstellungen – dann schnell durch üppig-feuchte Landschaften hinunter nach Cornwall, wo ich Segeln war, Snooker gespielt und geredet, geredet, geredet habe.

Mit dem Auto brausten wir nach Malpas und weiter nach Nordosten; später tuckerten wir mit einem kleinen Boot hinaus – bei starkem Niedrigwasser durchs Watt – und haben, umringt von Vögeln und Schwänen, die prähistorischen Ungeheuern glichen, auf einer Sandbank zu Mittag gegessen. Dann die Mündung hinauf, was meist aus Schieben, Hindurchpflügen und Abwarten bestand, bis die Flut uns vom Grund hob. Ich habe es geschafft, auf Kosten aller anderen zu schlafen, zu trinken, zu pinkeln und mich zu amüsieren. Ein solcher Gegensatz zu den Wüstenreisen, wo ich die ganze Last der Arbeit und der Sorgen trug. Wie nervös und angespannt ich immer war, wenn ich die Touren organisierte – jetzt frage ich mich, ob meine Gäste auch immer so unbeschwert fröhlich waren wie ich gestern.

Auf dem Rückweg kamen wir an Stonehenge vorbei und stellten fest, dass wir den längsten Tag erwischt hatten – Du weißt schon, Druiden, Sonnenstrahlen auf dem Altar und Teufelsanbetung. Also verbrachten wir die Nacht in Amesbury in einem Pub, der so dicht an der Hauptstraße lag, dass die Teufelsanbeter aus London, die auf motorisierten Besenstielen an uns vorbeiflitzten, immer aufregender und finsterer klangen. Aufgestanden in der blassblauen Dämmerung – bei leichtem Regen – um tausende Wartende vorzufinden – dämlich in Federbetten gehüllt, Motorradbrillen – Reithosen – Nerz, und ich bequem in meinem Mantel aus dem Heiligen Land, die dem Haufen hämische Blicke zuwarf. Es gab eine Menge Leute, die wie professionelle Teufelsanbeter aussahen – manche in Lohn und Brot bei den kleinen Männchen – Hexen, die hierher geritten waren, und ein wundervoller Abkömmling von Merlin in Lederkluft, mit langem, grauem Haar und leichtem Stoppelbart (weiblichen Geschlechts!). Es gab keinen Sonnenaufgang. Verlorene, frustrierte Folkloristen suchten in ihren Autos Schutz, ihre Schals schleiften im Schlamm hinter ihnen her, und zwanzig junge Kerls stellten sich zu Harmonika-Musik im Kreis auf – und begannen, altenglische Volkstänze aufzuführen, als wäre es ganz natürlich, in einer Art Schneeregen herumzutollen.

Was mich betraf, so frühstückte ich schließlich mit sämtlichen Lastwagenfahrern, die London aufgrund des drohenden Verkehrs früh verlassen hatten, und zwar in einem reizenden Café namens Dolly Vernon – einem winzigen Cottage, umstellt von Englands größten Lastwagen und frequentiert von den härtesten Männern. Ihren Umrissen nach zu urteilen, transportierten einige der Lastwagen Einhörner – und Schießbuden –, und dann gab es noch einen Anhänger, der ziemlich sicher – in Einzelteilen – die oberen, sichtbaren Krümmungen des Ungeheuers von Loch Ness geladen hatte, um sie irgendwo an der Südküste aufzubauen.

Im Garten meiner Nachbarn haben sie über jeden Rosenbusch einen schwarzen Seidenschirm gespannt, und ich finde das so inspirierend, dass ich eine leuchtend grüne Katze –, dreißig handbemalte Schnecken und ein Paar chinesischer Tauben mit Pfeifen in den Schwänzen zum Nachbarschaftsleben beitragen werde. Ich habe schon Kaugummibällchen auf den Angora-Eunuchen des verehrten Nachbarn fallenlassen, werde aber alle meine weiteren menschenfreundlichen unbritischen Taten am selben Tag verüben, damit die Tierschützer mich nur einmal drankriegen können.

Ich bin nicht besonders überzeugt von der Federal Union [Bernard hatte enthusiastisch von dieser Bewegung geschrieben, die auf dem Vorschlag einer Bündnisunion atlantischer Staaten gegen Diktaturen und Krieg basierten. Sie hatte Anhänger in den Vereinigten Staaten und Großbritannien.], denn auch wenn diese netten, idealistischen Gruppierungen es immer wieder versuchen sollten – und Du scheinst Anfälle edlen Verantwortungsgefühls zu verspüren für etwas, in dessen Genuss einst die Enkelkinder Deiner Freunde kommen werden –, gerade die hiesige ist sehr unglücklich gestartet – angetrieben von einem drohenden Krieg und der Angst vor einem Gangsterpaar [Hitler und Mussolini] ... Ich glaube, es tut Dir nicht gut, Dich zum professionellen Unterstützer einer verlorenen Sache zu machen – als ständiger Sekretär dieser seltsamen Sekte: ›Liebhaber des Friedens‹.

Doch wenn Du springst – dann friss oder stirb, es wäre ein selbstgewählter Sumpf anstelle Deines diplomatischen Spinnennetzes – ein Netzwerk aus falschen guten Absichten und nichtswürdigem Rumwursteln. Ich verleumde hier gerade etwas und deprimiere (Dich) – vielleicht bin ich auch zu aggressiv, aber ich habe das Gefühl, dass Du von Julias Balkon eine Landschaft betrachtest. Deine Julia ist jedoch ein treuloses Flittchen, die sowieso nicht gerne Händchen hält und keinen Sinn für schöne Aussichten hat.

Du musst wissen, Liebling, ich möchte nichts nur ›der Liebe wegen‹ tun, denn man kann sich in nichts auf mich verlassen. Tatsächlich habe ich die Absicht, mich vollkommen unverantwortlich zu benehmen.

Erzähl mir mehr über das Warum und Wo und Was Deiner Arbeit – und falls ich irgendwo Licht sehe, werde ich das Gegenteil behaupten – oder Telefonistin werden, oder soll ich einfach einen müden Politiker zur Verzweiflung treiben?

Deine Lee

Lees und Rolands Reise in abgelegene Gegenden Griechenlands und Rumäniens war teilweise von dem Wunsch geleitet gewesen, eine Lebensweise zu sehen und aufzuzeichnen, bevor sie durch das unerbittliche Vordringen des Autos und die sogenannte Zivilisation zerstört würde. Und nun, ähnlich herausgefordert durch den drohenden Krieg, suchten sie einen letzten Kontakt mit ihren europäischen Freunden. Sie überquerten den Ärmelkanal mit Rolands Ford V 8, fuhren nach Süden und verbrachten ein paar Tage mit Max Ernst und Leonora Carrington in deren altem Farmhaus in Saint-Martin-d'Ardèche. Im Versuch, das heraufziehende Unheil abzuwehren, hatte Max die Wände mit Wächter-Monstern aus Beton geschmückt, doch vergebens; ein paar Wochen später wurde er in ein Lager für feindliche Ausländer gebracht. Leonora entkam nach entsetzlichen Strapazen, einschließlich der Einweisung in eine psychiatrische Klinik, über Spanien nach Mexiko.

Roland und Lee trafen sich mit Picasso und Dora Maar in Antibes und verbrachten ein paar unbeschwerte Tage am Strand und in den Cafés. Dann kam der Donnerschlag. Hitler war in Polen einmarschiert, eine Tatsache, die auch jeden noch so überzeugten Hedonisten zum Nachdenken zwang. Lee standen viele Optionen offen, die naheliegendste war die Rückkehr in die Vereinigten Staaten, doch sie entschied sich, mit Roland nach England zu gehen. Auf abgelegenen Straßen durchquerten sie das Land und kamen durch Dörfer, wo in den Kirchen die Sturmglocken läuteten und Dorfbewohner mit ihren Pferden, die sie zu den Requirierungsstellen brachten, die Straßen blockierten.

In Saint-Malo mussten sie den Wagen in die Obhut der Automobile Association geben, setzten mit der Passagierfähre nach Southampton über und fuhren von dort mit dem Zug nach London, wo wegen der Luftangriffe die Sirenen heulten. Über Rolands Haus in Downshire Hill in Hampstead schwebten Sperrballons am Himmel, und in der Post erwartete Lee ein streng formulierter Brief der amerikanischen Botschaft. Darin wurde ihr mitgeteilt, dass man, sollte sie sich nicht mit dem nächsten Schiff in die USA begeben, nicht länger die Verantwortung für ihre Sicherheit übernähme. Lee zerriss den Brief in dem sicheren Gefühl, das bevorstehende Abenteuer sei zu gut, um es zu verpassen.

Kapitel 6

›Grim Glory‹
London im Krieg

1939-1944

Lee vergeudete keine Zeit, stattete den *Vogue*-Studios einen Besuch ab und bot ihre Dienste als Fotografin an. Anfangs zeigte man ihr die kalte Schulter. Ihre professionellen Arbeiten lagen fünf Jahre zurück, und das Studio mit seinem Starfotografen Cecil Beaton war personell so gut ausgestattet, dass es keine zusätzliche Hilfe brauchte. Doch die Zurückweisung beflügelte nur Lees Hartnäckigkeit; sie tauchte jeden Tag dort auf und machte sich ohne jede Bezahlung auf alle erdenklichen Arten nützlich. Trotz des begreiflichen Grolls einiger langjähriger Angestellter freundete sie sich mit den meisten von ihnen an, besonders mit der Studioleiterin, Sylvia Redding. Im Januar 1940 schließlich, als immer mehr Angestellte das Studio verließen, weil sie zum Militärdienst mussten, wurde ein Platz für sie frei. Harry Yoxall, der geschäftsführende Redakteur der *Vogue*, ersuchte bei der Ausländerabteilung des Innenministeriums um eine Arbeitserlaubnis für sie, doch sie schlug die feste Anstellung für wöchentlich 8 Pfund aus und wollte weiterhin lieber freiberuflich arbeiten. Ein paar Wochen später kam folgendes, einigermaßen herablassende Telegramm aus New York:

WESTERN UNION

TELEGRAMM

LEE MILLER VOGUE

1 NEWBOND STREET LONDON =

FREUE MICH, DASS DU FÜR UNS ARBEITEN WILLST STOP DEINE INTELLIGENZ GUTES GESCHMACKSEMPFINDEN UND DEIN KUNSTVERSTÄNDNIS WERDEN SCHLIESSLICH GUTE FOTOGRAFIN AUS DIR MACHEN STOP SCHICKE KRITIK AN DEINEN PROBEAUFNAHMEN

NAST

Im ersten Jahr waren die Aufgaben sehr einfach. Gelegentliche Porträts einer Berühmtheit, Bilder von Mrs Rex Harrison oder Mrs Michael Redgrave, die wegen ihrer beispielhaft geschmackvollen Garderobe auserwählt wurden, doch meist handelte es sich um langweilige Fotostrecken von Handtaschen und Accessoires unter der Überschrift ›Auswahl des Monats‹, stets im Verein mit einer Werbekampagne. Die Mode war auf weniger glamouröse Produkte wie Schwangerschafts- oder Kinderkleidung reduziert. Es war uninspirierte, aber ehrliche Arbeit und leichter zu ertragen dank Roland Haupt, einem Engländer indischer Herkunft, der häufig zur Zielscheibe von Beatons Geringschätzung wurde. Er war Entwicklungstechniker in der Dunkelkammer – ein absoluter Spezialist – und wurde zum renommierten Hersteller fotografischer Abzüge, einer Kunst, die Lee besonders schätzte. Er entging der Einberufung, da er an einer Form der Leukämie litt. Lee machte es Freude, sein Talent zu fördern, und sie gab häufig langweilige Aufträge an ihn weiter, zu denen sie selbst keine Lust hatte. Als sie später auf den Kontinent reiste, fotografierte Haupt Mode und wurde schließlich zu einem eigenständigen Fotografen mit etlichen Aufträgen von der *Picture Post*.

Alte Ausgaben der britischen *Vogue* während des Krieges (allgemein bekannt als *Brogue*) bilden einen seltsamen Kontrast zur Gewalt der Epoche. Es gibt so gut wie keine Hinweise auf den Krieg. Die elegant gekleideten Damen aus gutem Hause, die auf den Seiten abgebildet sind, haben nichts mit den Schrecken von »The Blitz« zu tun. Selbst die Zerstörung der *Vogue*-Büros im Oktober 1940 war keine Erwähnung wert, vielleicht, weil die Angestellten mit typischer britischer Kaltblütigkeit keine Einstellung der Produktion zulassen wollten. Die Bombardierung, die das *Vogue*-Musterhaus dem Erdboden gleichmachte, konnte allerdings nicht derart ignoriert werden, und Lee wurde aufgefordert, die Ruinen zu fotografieren.

Wegen der Rationierung wurde den Verlagen eine Papierquote zugeteilt, die sich prozentual aus ihrem Verbrauch während des Jahres 1938 errechnete. Je nach verfügbarer Papiermenge wurde die Quote angepasst und lag zu einem bestimmten Zeitpunkt bei niedrigen 18 Prozent. Das Ergebnis waren brutal gekürzte Artikel und limitierte Auflagen. Die *Vogue* verkaufte sich über Abonnenten, und da jedes Exemplar quasi vorbestellt war, fand die nächsten acht Jahre kein einziges mehr den Weg an die Kioske. Tatsächlich hatte die Vertriebsabteilung eine Warteliste von Hoffnungsfrohen, deren einzige Chance im Dahinscheiden eines Abonnenten lag.

Lee gefiel das Leben in Downshire Hill. Das Haus war komfortabel und wurde von Annie Clements, einer nicht mehr ganz jungen schottischen Haushälterin, in Ordnung gehalten, die dem steten Kommen und Gehen im Haus erstaunlich tolerant gegenüberstand. Lee war seit je von Geschichte fasziniert, vor allem von Büchern über mittelalterliche Belagerungen. In den frühen Tagen des Krieges, als es darum ging, sich auf den unvermeidlichen Mangel vorzubereiten, wusste sie genau, was zu tun war. Sie ließ die Warteschlangen für Zucker und Mehl links liegen und ging auf direktem Weg zu Fortnum & Mason's Gewürztheke. Und kein Argument konnte sie davon überzeugen, dass der riesige, von exotischen Kräutern und Gewürzen überquellende Korb nur für Ausstellungszwecke bestimmt war. Sie ließ den Manager rufen und bat ihn inständig, ihr den Korb zu verkaufen, mit dem gesamten Inhalt. »Bei allen großen Belagerungen aßen die Belagerten Ratten, und wenn ich schon Ratten essen muss, haben sie gut gewürzt zu sein!«, erklärte sie. Von da an war in Downshire Hill immer alles gut gewürzt. Annie Clements' traditioneller gedünsteter Schellfisch war nicht mehr wiederzuerkennen.

Roland Penrose war nicht nur verpflichtet worden, in Tarnschutzmaßnahmen zu unterweisen, sondern tat auch einige Zeit

Dienst als Luftschutzwart. Zu Beginn von »The Blitz« begleitete Lee ihn eines Abends auf seinen Runden. Es war eine wunderschöne, mondhelle Nacht, und die Dockanlagen waren schwerem Bombardement ausgesetzt. Von Hampstead aus boten die sich kreuzenden Strahlen der Suchscheinwerfer, das Gewummer der Flakkanonen und der Feuerschein ein beeindruckendes Panorama, das durch den ohrenbetäubenden Lärm der Geschütze und Flugzeuge noch furchterregender wurde. Während eines besonders heftigen Moments, als die Munitionshülsen klirrend um sie herum zu Boden fielen, packte Lee Roland am Arm und drehte ihn zu sich. Mit glänzenden Augen rief sie atemlos: »O Liebling, bist Du nicht auch ganz aufgeregt?«

Roland war weniger begeistert. Er hob im Vorgarten einen kleinen Luftschutzbunker aus und dekorierte das Innere in Rosa und Blau. Von außen hatte der Bunker, vermutlich zur Tarnung, die Form eines kleinen Hügels. Man betrat ihn durch eine Luke und über ein paar schmale Holzstufen. Seine Zweckmäßigkeit als Zufluchtsort war fraglich, doch er hatte eine beruhigende Wirkung. Während der Luftangriffe zwängten sich Lee, Roland und wer auch immer zufällig gerade da war in den Bunker. Da an Schlaf nicht zu denken war, wurde zwischen endlosen Kartenspielen, Scrabble und Lees universellem Allheilmittel – Kreuzworträtseln – abgewechselt. Während eines besonders schweren Bombardements schoss Lees Katze Taxi (so genannt, weil sie nie kam, wenn sie bei Verdunklung gerufen wurde) durch die teilweise offene Luke. Das arme Tier landete, starr vor Furcht, mit Riesenbuckel und einem Schwanz wie eine Flaschenbürste, mitten auf dem Kartentisch. Unmittelbar hinter ihr, auf der obersten Stufe, von den Explosionsblitzen perfekt ausgeleuchtet, ihr Verfolger – eine winzige Maus.

Eine der ersten Besucherinnen in Downshire Hill war Rolands getrennt lebende Ehefrau Valentine, eine surrealistische Lyrikerin und Schriftstellerin. Sie hatte versucht, aus dem Himalaya zu ihren Eltern in der Gascogne zu gelangen, doch dann war der Krieg ausgebrochen und sie in London gestrandet. Roland hatte aus der Beziehung zu Lee nie ein Geheimnis gemacht, und Lee sah dem Treffen besorgt entgegen. Man verabredete sich in The Freemason's Arms, einem Pub in der Nähe des Hauses. Roland hatte sich verspätet, und Lee machte sich allein auf den Weg; sie erkannte Valentine von einem Foto, und es gelang ihr, mit ihr ins Gespräch zu kommen. Als Roland erschien,

… sprang Valentine auf und erklärte, wie glücklich sie sei, dass ich endlich aufgetaucht sei, denn sie habe gehört, dass Lee Miller, der sie natürlich nicht begegnen wolle, jeden Augenblick eintreffen könne. ›Aber das ist Lee‹, erklärte ich, ›mit der du gerade gesprochen hast‹, worauf Valentine spontan ausrief: ›Oh! Aber sie ist wundervoll!‹ Diese glückliche Begegnung hätte niemals so unvoreingenommen stattfinden können, wenn ein Treffen geplant gewesen wäre; sie wurde der Beginn einer engen, dauerhaften Freundschaft, die mich erstaunte und mir große Freude machte. (1)

Tatsächlich war diese Freundschaft nie so eng, wie Roland es sich in seinem naiven Optimismus gerne vorstellte. Da er beide Frauen leidenschaftlich liebte, kam es ihm nicht in den Sinn, dass sie einander nicht lieben könnten. Die Beziehung zwischen Lee und Valentine glich eher einem Waffenstillstand denn einer Freundschaft. Lee war Valentine gegenüber immer von unfehlbarer Großzügigkeit, während jene ihrerseits stets eine distanzierte Höflichkeit an den Tag legte.

Als Valentines Hotel bombardiert wurde, bestand Lee darauf, dass sie in das leerstehende Zimmer im obersten Stock von Downhill House zog. Dort blieb sie während der schlimmsten Bombardierungen und verfasste weiterhin unerschütterlich ihre surrealistischen Gedichte. Es dauerte über ein Jahr, bis sie abreiste und sich als *soldat de troisième classe* den Freien Französischen Streitkräften anschloss, um in Algier zu dienen.

Eines Nachts waren Lee und ein Gast, die Journalistin Kathleen McColgan, allein im Haus. Sie waren glücklich und betrunken zu Bett gegangen und wurden von einem Geräusch auf dem Dach geweckt. Lee riss den Verdunklungsvorhang zur Seite, um nachzusehen, was los war. Bei dem Versuch, in die Tintenschwärze hinauszublicken, merkte sie plötzlich, dass eine Dunkelheit, die sich wie eine weiche, wogende Masse anfühlte, in das Zimmer quoll. Surrealistische Träume wurden wahr in Gestalt eines Sperrballons, der vom Himmel gestürzt und hübsch ausgebreitet auf dem Hausdach gelandet war. Den Rest der Nacht halfen alle den Abwehrverantwortlichen, den Ballon wieder unter Kontrolle und in den Garten hinunterzubringen. Frühmorgens kam eine Prozession müder Menschen aus der Haustür, den aufgerollten Ballon wie eine Riesenschlange in den Händen. Den Nachbarn machte der bizarre Anblick wenig Eindruck. Die wilden Partys und das seltsame Treiben in Nr. 21 hatten derartige Ereignisse längst normal erscheinen lassen.

Roland Penrose stammte aus einer strengen Quäker-Familie, wo formelles Benehmen als grundlegende Tugend galt; dennoch war er begeistert, als Lee seinen Haushalt dramatisch veränderte. Ungeachtet der Luftangriffe und der Klagen der Nachbarn versammelten sich an den meisten Abenden Freunde aus dem gesamten gesellschaftlichen Spektrum und, mit Fortschreiten des Kriegs, auch immer mehr Landsleute von Lee, wie der Fotograf David Scherman.

Ich wurde umgehend dem geplagten Londoner Büro von *Life* zugeteilt und begegnete bald der schon legendären Lee Miller.

Ich war fünfundzwanzig Jahre alt, ein unverfrorener, wichtigtuerischer kleiner Wicht und hatte das unendliche Glück, von Roland in das Haus in Hampstead eingeladen zu werden. Die Wände dort waren, wie ich anfangs dachte, vollständig mit absolut erstklassigen Gemäldekopien bedeckt: von Picasso, Braque, Miró, Tanguy, de Chirico, Brâncuşi, Giacometti, Tunnard, Max Ernst, René Magritte sowie einem Dutzend Werken von Roland selbst. Es handelte sich jedoch um Originale und, mehr noch, lediglich um die, die Roland um sich haben wollte – der Hauptteil seiner Sammlung war in Devon sicher vor dem Blitzkrieg versteckt.

Das Haus war überwältigend, genau wie Rolands und Lees regelmäßige Abendveranstaltungen, deren Gästelisten sich lasen wie ein *Who's who* aus moderner Kunst, Journalismus, britischer Politik, Musik und sogar Spionage; Letzteres erfuhren wir allerdings erst Jahre später. Kommunisten, Liberale und Tories tranken und drängten sich in einer freundschaftlichen *mélange*, wie wir sie so nie wieder erleben werden. (2)

Als Gegengewicht zu den endlosen langweiligen Aufträgen begann Lee, gemeinsam mit zwei weiteren Amerikanern, an einem Buch zu arbeiten. *Grim Glory: Pictures of Britain under Fire* zielte auf die amerikanische Öffentlichkeit und sollte die Leiden des Blitzkriegs aufzeigen. Herausgeberin war Ernestine Carter, und das Vorwort stammte von dem amerikanischen Fernsehjournalisten Ed Murrow:

Dies sind Bilder von einer Nation im Krieg. Es sind ehrliche Bilder – Alltagsszenen für jene von uns, die vom Martyrium Britanniens durch Feuer und Explosionen berichtet haben. Diese Engländer haben sich das Überleben mit ihren leicht gedeckten Altbauten erkauft, mit ihren Körpern und ihren Nerven. Dieses kleine Buch gewährt Ihnen einen Einblick in die Schlacht. Irgendwie gelingt es diesen Menschen, jede Nacht ihre Furcht zu bekämpfen und jeden Morgen zur Arbeit zu gehen.

Die Bilder sind mit Bedacht ausgewählt. Ich hätte Ihnen die offenen Gräber in Coventry zeigen können – zerschmetterte, von braunem Staub bedeckte Leichen, die aussehen, wie von einem trotzigen Kind beiseite geschleuderte Stoffpuppen, und von sanften Händen aus den Kellern ihrer Häuser getragen wurden. Dieses Buch erspart Ihnen die schauerlicheren Fotos vom Leben und Sterben im heutigen Britannien. (3)

In der Anmerkung des Verlages heißt es: »Die Fotos von Miss Lee Miller wurden alle speziell für dieses Buch aufgenommen«, tatsächlich waren die Fotos jedoch zuerst da und bildeten die Basis für das Buch. Es entstand in einer von Lees kreativsten Schaffensperioden. Seit Anfang der dreißiger Jahre in Paris und New York waren ihr keine so scharfsichtigen Fotos mehr gelungen. Ihr Blick war surrealistisch und poetisch zugleich, jedes Bild enthielt eine Aussage, die auf mehreren Ebenen interpretiert werden konnte. Oberflächlich betrachtet, mag es sich bei dem Bild mit dem Titel ›Remington Silent‹ um eine zerstörte Schreibmaschine handeln; unterschwellig erzählt die zerschmetterte Maschine von der Bedrohung der Kultur durch den Krieg. Die einfachsten Aufnahmen sind oft am vieldeutigsten; sie sind es, die eine Wahrheit enthalten, die auf andere Weise nicht ausgedrückt werden kann. Ein tiefer Zorn brennt in diesen Bildern. Doch sie haben auch Witz: wenn Lee mit ihren Fotografien, auf denen ein Haufen Backsteine aus der Tür der zerstörten Nonconformist Chapel fallen, den Teufel anschreit; oder wenn Mannequins, die nackt, nur mit einem Zylinder bekleidet, auf einer leeren Straße stehen und ein Taxi herbeizuwinken versuchen; und wenn die beiden unsagbar stolzen Gänse sich vor einem gigantischen silbernen Ei, einem adoptierten Sperrballon, aufgebaut haben. Wäre *Grim Glory* nicht erschienen, hätten einige dieser Fotografien, deren Sprache dem üblichen Stil weit voraus war, höchstwahrscheinlich nie den Weg in die Öffentlichkeit gefunden. Das Buch wurde allerorten gelobt. In New York veröffentlichte Scribners gleichzeitig eine gebundene Ausgabe. Und auf beiden Seiten des Atlantiks druckte die Presse begeisterte Besprechungen. Besonders ein Foto, ›Revenge on Culture‹, das eine weibliche Statue zeigte, deren Hals von einer Eisenstange durchschnitten und deren Brust von einem Backstein verletzt ist, zog weltweit die Aufmerksamkeit auf sich. Es wurde unzählige Male reproduziert, sogar auf der ersten Seite einer arabischen Zeitung.

Lee war häufig unzufrieden mit den Begleittexten ihrer Bilder. Sie fand, das süßliche Gefasel mancher Verfasser mindere die Wucht der Fotografien und kompromittiere ihre Vorstellung von Ehrlichkeit und Zugänglichkeit. Am schlimmsten war, dass viele Texte so unpersönlich wirkten, hölzern klangen und mühsam zu lesen waren. Lee hatte Bücher immer verschlungen. Sie war, zum Ärger ihrer Freunde, imstande, ein Buch oder einen Artikel scheinbar nur zu überfliegen, um dann mit unerschütterlicher Überzeugung darüber zu diskutieren. Sie archivierte Tatsachen, Zahlen und Meinungen in ihrem Gedächtnis und konnte sie sofort abrufen und mit tödlicher Treffsicherheit in einer Diskussion abfeuern. Zu ihren bevorzugten Schriftstellern gehörten Steinbeck, Hemingway und James Joyce, doch sie las alles und jedes, von Groschenheften an aufwärts. Worum es ihr ging, war eine Kommunikation in Klarheit, aber mit Flair und Fantasie.

Lees Briefe waren immer in einem unmittelbaren Erzählton verfasst; so schrieb sie auch ihre ersten Artikel. Folgende Passagen sind einem Brief an ihre Eltern entnommen:

Um Weihnachten herum erlebten wir in »The Blitz« eine ganz außergewöhnliche Flaute – die uns allen die Möglichkeit verschaffte, wieder ein wenig menschlicher zu werden – anstatt uns immer nur an den Rand des Abgrunds zu klammern – mit flatternden Nerven und Müdigkeit – Frustration und Sorge. Damals hätte ich Euch eine adäquate Beschreibung des Ganzen schicken können – doch jedes Mal hat mich Aberglaube oder ein Gefühl der Vergeblichkeit davon abgehalten, als hätten mich die Dinge längst überholt, bis Ihr den Brief bekommen hättet, oder wären nicht mehr wahr oder so was – und die wenigen Briefe und Schriftstücke, an denen ich mich damals tatsächlich versuchte, waren auch hoffnungslos falsch – lediglich Reflexionen einer sehr vorübergehenden Stimmung: Furcht, Bravado, Gleichgültigkeit, Wut oder, immer wieder, schlicht Betrunkenheit und Sentimentalität.

Nach den ersten Septembertagen – ich fühlte mich wie eine Weichschalenkrabbe –, bevor irgendwelche Abwehrsperren funktionierten, herrschte allgemein Hochstimmung und Zuversicht, dass wir die tagsüber stattfindenden großen Luftschlachten gewinnen würden – es war dann aber doch nicht so aufputschend, wie es hätte sein können, da auf uns etwas wartete, was zu einer wahren dreimonatigen nächtlichen Hölle werden sollte – tagsüber war es mühsam, auf irgendeiner verrückten Route zur Arbeit zu kommen – und Nasen zu zählen, um zu sehen, ob wirklich alle überlebt hatten – es wurde zu einer Art Ehrensache, dass die Arbeit weiterging – das Studio ließ keinen Tag ausfallen – wir wurden einmal von Bomben getroffen und zweimal beschossen – wir arbeiteten, während das Nachbargebäude weiterschwelte – der entsetzliche Geruch nach nassem, verkohltem Holz – der Korditgestank – die Feuerwehrschläuche, die noch in den Treppenhäusern lagen, und wir mussten barfuß hindurchwaten, um hineinzukommen –

kleine Restaurants bereiteten auf Primuskochern Mahlzeiten zu – man schleppte Wasser, um Toiletten zu spülen, und wer auch immer konnte, nahm die Abzüge und die Negative mit nach Hause, um sie nachts fertigzustellen, wenn dieser jemand zufällig über die heilige Kombination aus Gas, Strom und Wasser verfügte; tatsächlich schliefen wir auf dem Fußboden des Küchenflurs und hatten manchmal zehn oder mehr Freunde da, die entweder ausgebombt – oder wegen einer Zeitbombe isoliert waren – oder Hampstead einfach für sicherer hielten.

Dann, viel später, erinnerte sie sich in einem Brief an Erik und Mafy:

Ich werde nie die wunderbare Edna Chase [Herausgeberin der amerikanischen *Vogue*] vergessen, die Doyenne – die Göttin – dieses Vorbild an Geschmack, Diskretion und Eleganz –, die uns während der Bombardierung ein Memo schickte, ihr sei aufgefallen, dass wir keine Hüte trügen, und es gefalle ihr nicht, dass wir unsere Beine färben und hinten Striche ziehen würden, um Strümpfe vorzutäuschen – (in England gab es keine Nylonstrümpfe, bis die U.S. Air Force sie als großartige Geschenke ins Land brachte) – ich hatte an diesem Tag zufällig gerade Bürodienst, und obwohl es nicht mir oblag, der Chefin zu antworten, schickte ich unter meinem eigenen Namen ein Telegramm: WIR HABEN OHNEHIN WEDER BEZUGSSCHEINE NOCH NYLONSTRÜMPFE. In der Woche darauf erhielt jede Angestellte drei Paar mit der Post.

Der Winter 1941/42 brachte einen Zustrom von Amerikanern:

Lee sah, wie ihre unausstehlichen Landsleute massenhaft Zigaretten, Dosenware, Scotch, Kleenex und Leckereien anschleppten, die die geplagten Briten seit Jahren nicht mehr gesehen hatten. Ihre neugewonnenen amerikanischen Journalistenfreunde hatten sich als Kriegskorrespondenten bei der US-Armee, der Marine und der Luftwaffe verpflichtet. Sie bestellten in der Savile Row neue Uniformen und kauften in den American Army Post-Exchanges (PX) ein, die selbst die noch gar nicht erfundenen Supermärkte beschämt hätten. Außerdem bereiteten sie sich, wenig geheim, auf etwas vor, das offenbar eine Neu-Invasion des europäischen Festlands werden sollte. Die zwei Tatsachen, keine-Kleenex-inmitten-von-Überfluss und ihre Panik, von der größten Story des Jahrzehnts ausgeschlossen zu sein, machten die arme Lee Miller beinahe verrückt, bis jemand von uns den Vorschlag machte, auch sie, die perfekte echte Yankee-Frau aus Poughkeepsie, solle sich um Akkreditierung als Kriegskorrespondentin bei den US-Streitkräften bewerben. Sie lebte seit zwanzig Jahren im Ausland und war selbst nie auf diesen Gedanken gekommen. (4)

Trotz des herrschenden Vorurteils, Frauen hätten in sogenannten Männerberufen nichts zu suchen, war Lees Bewerbung erfolgreich. Sie hatte weiterhin die Routinearbeit im Studio zu erledigen, doch jetzt standen Lee, von Kleenex und Camel-Zigaretten einmal abgesehen, Zeit und Möglichkeiten zur Verfügung, ihre eigenen Geschichten zu finden. Die AGO-Karte (Adjutant General's Office) war der magische Schlüssel, der ihr Zutritt zu jenen verbotenen Bereichen verschaffte, wo es wirklich aufregend war. Ihre erste Story als Fotojournalistin handelte von Krankenschwestern in der US-Armee; in ihrem respektvollen Bericht machte sie sich die Mühe, auch nach den Gefühlen der Krankenschwestern zu fragen. Als sie später mit Dave Scherman zusammenarbeitete, stellte Lee fest, dass sie einander bei ihren Aufträgen unterstützen konnten. Er reiste mit ihr nach Schottland und half ihr beim Fotografieren der WRNS, der Frauen des Königlichen Marinediensts, die dort ausgebildet wurden und für ›Seaworthy and Semi-Seagoing‹ arbeiteten. Der Bericht erschien dann als vierseitige Strecke mit einem Text von Lesley Blanch in der *Vogue*. Die Fotos wurden später von Hollis and Carter in dem erfolgreichen Buch *Wrens In Camera* publiziert.

Die nächste Story, die Lee und Dave zusammen machten, war ein Feature aus dem Norden Londons über ATS (Auxiliary Territorial Service), eine weibliche Suchscheinwerfer-Einheit. Mit Hilfe eines Spiegels leiteten Lee und Dave einen kleinen Teil des Suchscheinwerferstrahls ab, um die Frauen ins richtige Licht zu rücken, als plötzlich der Alarm losging und es für alle aufregender wurde, als sie es gewollt hätten. Die Einheit trat in Aktion, und feindliches Feuer der Fliegerschützen peitschte über den Platz. Der Artikel erschien sowohl in der britischen als auch in der amerikanischen *Vogue* eindrucksvoll auf einer Doppelseite; dabei fuhr der Scheinwerferstrahl diagonal über den schwarzen Hintergrund, in den als Vignetten Nachtszenen der Einheit gesetzt waren. Lee gefiel das Layout von Alex Kroll, sie formulierte jedoch einige Einwände gegenüber Audrey Withers, der Herausgeberin der britischen *Vogue*:

Habe mir in der N. Y. *Vogue* die ›Night Life‹-Strecke angesehen und finde, hier habe ich eventuell mehr verdient als den üblichen versteckten Hinweis – schließlich war ich es, die (a) sich das Ganze ausgedacht und (b) einen Monat lang die ganze Nacht aufgeblieben ist, um es zu realisieren und (c) nicht gemeutert hat, obwohl meine finanzielle Unterstützung aus London minimal war. Und es (d) zu schätzen wüsste, wenn das Büro in N.Y. zur Kenntnis nehmen würde, dass seine kleine

Kriegskorrespondentin tatsächlich eine Kriegsgeschichte gemacht hat – woraufhin man dort vielleicht sogar Aufträge für ein paar ähnliche Jobs vergeben könnte.

Lee und Dave ärgerten sich auch über *Vogue* wegen einer recht langen, schwierigen Story, an der sie gemeinsam gearbeitet hatten, die Henry Moore und seine Arbeit als Kriegskünstler in Londoner U-Bahn-Bunkern und in seinem Studio in Much Hadham in Hertfordshire zum Thema hatte. Sie entstand anlässlich der Dreharbeiten zu dem Film *Out of Chaos* durch die Produktionsgesellschaft Two Cities. Unter der Regie von Jill Craigie schilderte der Film die Arbeit von Kriegskünstlern, unter anderen von Stanley Spencer, Graham Sutherland und Paul Nash, die von Lee ebenfalls fotografiert wurden. Die Bilder erhielten zu spät zu wenig Platz zugewiesen und waren von einem nichtssagenden Text begleitet. Im selben Schreiben an Audrey Withers schimpft Lee weiter: »... arbeite ich etwa fünf Tage, ganz zu schweigen von den Reisen, den Unbequemlichkeiten, dem Material und dem Risiko, dass in London unterdessen irgendwelche Gangster meine Arbeit an sich reißen – nur damit meine Bilder dann ohne meine Initialen zum Drucker geschickt werden und Mme X [Lesley Blanch] über einen Film berichten kann? Ich bin sehr für Teamjournalismus, wenn es sich denn um solchen handelt – aber nicht, wenn ich, ich allein, dafür bezahle.

Lees Sorgen, »Gangster« könnten in ihrer Abwesenheit ihre Arbeit erledigen, war wahrscheinlich völlig unbegründet. Tatsächlich vergab Audrey Withers die Aufträge mit großer Umsicht, und es gab kaum genügend Fotografen für die viele Arbeit. Der führende Fotograf war Norman Parkinson, der keine Gefahr darstellte, denn neben seiner Arbeit widmete er sich seiner kleinen Farm in den Cotswolds.

Anders verhielt es sich mit Cecil Beaton. Lee verachtete ihn;

seinen Dünkel, seine Inkompetenz in technischen Fragen und seinen prahlerischen Antisemitismus fand sie abstoßend. Eines Abends formte sie, von einem größeren Quantum Whiskey angestachelt, voller Wut ein Wachsmodell nach ihm und stach Nadeln hinein. Am nächsten Tag erreichte sie die Nachricht, eine Dakota mit Beaton an Bord sei beim Start in Land's End zerschellt. In dem Bericht hieß es, es gebe keine Überlebenden. Von Reue geplagt, schluchzte Lee, sie habe ihn nicht töten, nur verwunden wollen. Als er einige Wochen später völlig unversehrt wieder auftauchte, war sie beinahe froh.

Andere Kollegen bei der *Vogue*, darunter Audrey Withers, wurden lebenslange Freunde. Eine ganz spezielle Zuneigung hegte Lee zu Timmie O'Brien, der Chefredakteurin. Sie lernten sich kennen, als Eliot Elisofon von *Life* und US-Sergeant Jimmy Dugan Timmie überredeten, ihnen ihre Wohnung für eine Party zur Verfügung zu stellen, nachdem sie aus dem Savoy hinausgeflogen waren. Es sollte die Rettung einer riesigen Leberwurst gefeiert werden, die Elisofon bei einem Auftrag in Finnland hatte mitgehen lassen. Lee und Roland waren unter den zahlreichen Gästen, die sich in der winzigen Kutscherhaus-Wohnung drängten und die Party zu einem wahren Blockbuster werden ließen. Die meisten Gäste betranken sich, und Lee schlug sich auch da besser als der Durchschnitt, bis zu dem Moment, wo sie verschwand. Timmie überraschte sie dabei, wie sie sich im Erdgeschoss in einer winzigen Toilette übergab, und reichte ihr etwas zu trinken. »Ich mag Sie«, meinte Lee nach einigem Überlegen anerkennend und machte es sich auf dem Fußboden bequem. »Die meisten hätten mir einen Kaffee angeboten, aber Sie sind anders!« Am folgenden Morgen richtete die Leberwurst größeren Schaden an als der Kater. Nicht mehr ganz frisch nach der Reise, verursachte sie bei jedem, der davon gegessen hatte, einen kurzen, aber heftigen Durchfall.

Die kühnen, realistischen Bilder im *Life*-Magazin waren für Fotografen ein starker Ansporn, sich von der arrangierten Studiofotografie zu lösen. Statt der schweren Studiokameras kamen die Rolleiflex und die sogenannte Miniaturkamera, die 35-mm-Leica zum Einsatz. Schneller reagierende Linsen und höhere Filmgeschwindigkeiten erleichterten Schnappschüsse, der Mangel an Studioräumen tat ein Übriges. Die Modefotografie ging auf die Straße, und Lee und Toni Frissell gaben das Tempo vor.

Im Frühjahr 1941 tauchten in der *Vogue* plötzlich sachlich-nüchterne und alltägliche Hintergründe als Kulissen für Kleidung auf. Angesichts der heutigen Modefotografie, bei der praktisch sämtliche Bild-Kombinationen an der Tagesordnung sind und es kaum noch Tabus gibt, übersieht man leicht das Bedeutsame dieses Quantensprungs vom Studio zur Außenaufnahme. Inzwischen kannte Lee sich in London gut genug aus, um für ihre Aufnahmen interessante Schauplätze ausfindig zu machen. Sie setzte Bahnhöfe, die Royal Albert Hall, elegante Straßenzüge oder die Gärten von Freunden geschickt in Szene und bei zahlreichen Gelegenheiten auch das Innere oder Äußere von 21 Downshire Hill, wo die Gemälde von Rolands Sammlung dem Ganzen noch einen unerwarteten Touch verliehen.

In den Vereinigten Staaten sah man weniger Anlass für eine solche Stiländerung, doch ungeachtet seiner lebenslangen Förderung der Studiofotografie erkannte Condé Nast einen nützlichen Trend. Einer seiner letzten Briefe ging an Lee, nachdem sie ihm einige jüngere Beispiele ihrer Arbeiten geschickt hatte. Er schrieb ihn am 17. August 1942, einen Monat vor seinem Tod: »Die Fotos sind jetzt viel lebendiger, die Hintergründe viel interessanter, das Licht ist dramatischer und realistischer. Du hast es geschafft, ein paar der tödlichsten Studiosituationen so zu handhaben, dass sie wie spontane Schnappschüsse im Freien wirken.« (5)

Ab 1944 übernahm Lee einen Großteil der Fotoaufträge, und

in der *Vogue* erschienen jeden Monat fünf oder sechs mehrseitige Artikel mit ihren Fotos. Meist handelte es sich um elegante Modeaufnahmen und modelastige Porträts wie von Margot Fonteyn, dem Varieté-Star Sid Field, James Mason, Robert Newton, Bob Hope, Adolphe Menjou, der Schauspielerin Françoise Rosay oder alten Freunden wie Humphrey Jennings, der bei den Dreharbeiten zu *Lili Marleen* im Londoner Hafen gezeigt wurde. Aber Lee war alles andere als zufrieden. Dass sie zu einer Zeitschrift für eine ausgewählte Elite Fotos von schönen Kleidern beisteuerte, nagte an ihr. In einer Zeit, in der, so vermutete sie, viele ihrer Pariser Freunde als Unterstützer der Résistance jeden Tag ihr Leben riskierten, erschien ihr Mode als äußerst trivial.

Der Bombenhagel auf England hatte aufgehört, und obwohl offensichtlich war, dass es zu einer Invasion auf dem europäischen Festland kommen würde, konnte niemand mit Sicherheit sagen, wann oder wie sie stattfinden würde. In dieser Zeit entdeckte Lee eine weitere Herausforderung: Sie würde ihre Bilder mit eigenen Worten ergänzen. Thema ihrer ersten Foto-Geschichte war ihr alter Freund Ed Murrow. Sie besuchte ihn eines Morgens, um ihn an seinem Schreibtisch zu fotografieren, und bestand darauf, dass er zur Beglaubigung der Aufnahme etwas Authentisches tat und tippte. Er schrieb Folgendes:

So ist Lee Miller ... wenn sie Fotos macht ... das Ganze ist eine Täuschung, und eigentlich sollte ich in meinem Büro arbeiten anstatt bei solchen Themen so tun als ob ... Aber zumindest gibt es uns Gelegenheit, schon morgens etwas zu trinken ... ein guter alter Südstaatenbrauch ... vielleicht ist er aber auch irisch ... denn dort oben wecken sie dich mit einem halbvollen Wasserglas irischem Whiskey ... Janet [Murrow] bügelt vielleicht gerade ihr schwarzes Kostüm ... glaubt, sie könnte es zum Mittagessen tragen ... ich wünschte, ich müsste heute

Abend nicht zu diesem Film ... Lee hat einen Freund ... sie haben gefeiert ... Lee sagt, es gibt einen Unterschied zwischen Theorie und Praxis ... Wenn Lee zum Fotografieren kommt, entwirrt sie auch gleich die Kabel ... muss sie fragen, ob sie ihre Zange mitgebracht hat ... Lee und Janet tratschen im Augenblick ... gleich werden sie entscheiden, wen sie am wenigsten mögen ... Lee mag keine reichen Lebemänner ... am liebsten sähe sie sie alle pulverisiert ... Ich kann Lee immer noch sehen, aber kann Lee mich sehen ... jipiiih ... und die Barden singen alle von einem englischen König, der vor langer Zeit lebte ... Golfbälle auf dem Tisch ... Whiskey im Bauch, wer könnte sich mehr wünschen ... ich wusste gar nicht, dass Lee kochen kann ...

Nachdem Lee Audrey Withers gedrängt hatte, sie mit dem Text zu beauftragen, stellte sie fest, dass das Schreiben eine viel quälendere und einsamere Tätigkeit war, als sie angenommen hatte. Der folgende Abschnitt, voller misslungener Anfänge, Fahrigkeit und Sackgassen, entstammt dem zweiten Entwurf ihres ursprünglichen Manuskripts:

Wenige hier haben schon von Ed Murrow gehört. Wir haben von ihm gehört – wir kennen ihn, und wir respektieren ihn. Er ist ein Stern an unserem Journalistenhimmel. Er wird beständig zitiert und genannt von Menschen, die jemanden mit einem Kurzwellenempfänger kennen – oder er wird der hiesigen Presse von New York als tolle Autorität gekabelt – und dabei lebt er doch in London.

Irgendwie scheint er die Dinge anders zusammenzufügen als andere – und damit meine ich nicht, dass er verblüffende oder geniale Schlüsse zieht –, sondern einfach, dass seine Fakten keine eigennützigen Zwecke verfolgen und dass er noch nie versucht hat, jemanden für dumm zu verkaufen, und das bedeutet, seine Texte sind in einem angemessenen Verhältnis sowohl akzentuiert als auch wohltemperiert.

Er scheint vollkommen unbesorgt, für voreingenommen oder befangen gehalten zu werden – tatsächlich hasst er eine solche Vorstellung geradezu. Er fürchtet sich nicht vor abgedroschenen Zitaten oder davor, beispielsweise einen Luftwaffenstützpunkt zu besuchen und ihn mit seinen eigenen Worten zu beschreiben, wohl wissend, dass das erst gestern bereits jemand getan hat – als würde es allein dadurch überzeugend. Und weil er nur beschrieb, was er sah oder begriff oder wusste oder erlebte, und das in seinen eigenen Worten, ohne nach gewaltigeren oder besseren Formulierungen zu suchen, sondern einfach schlichte Erklärungen für das fand, was er vor sich sah – wurde es überzeugend, denn niemand außer ihm hätte je an seiner Stelle sein können.

Er hebt nie die Stimme, er schreit nicht und spricht nicht schneller – er arbeitet nicht mit den Tricks der Geschichtenerzähler oder den Kunstpausen und den abgestuften Tempi des Schauspielers – in seinen Manuskripten gibt es kein Crescendo, Diminuendo, Largo oder Pizzicato. Es gibt dort nichts außer einer ehrlichen Darstellung dessen, was er tatsächlich sagen wollte – und das mit einer Ehrlichkeit, für die wir alle ihn ins Herz geschlossen haben.

Er meinte, es sei so etwas wie ein kompliziertes Spiel, eine Art Schatzsuche, aus den Reden der Großen etwas herauszulesen und es zu interpretieren. Wenn er zum Beispiel die Rede des Premierministers kommentieren sollte, war das wie eine heikle Schatzsuche – es ging nicht einfach nur darum, eine oder mehrere Formulierungen herauszupicken, die an sich schon Schlagzeilen waren, sondern genau die eine auszuwählen, die sowohl die Hintergründe als auch die Implikationen enthielt, oder was zum Teufel hat er eigentlich gesagt?, irgendetwas in der Art – die Schatzsuche habe ich gerade erfunden – vielleicht hätte er was dagegen.

Zufällig war ich gerade ausreichend mit dem Radio vertraut, um zu wissen, wann man es abschalten sollte, und es gibt einen Geist in diesem gottverdammten Gebäude, und ich bin höllisch wütend darüber, weil ich von zehn Minuten fünf damit zubringe, aufzustehen und nachzusehen, wer in meinem Rücken herumläuft – zusätzlich zu der Niemals-wieder-Liste und dem Schreiben hinzuzufügen –, wenn man in diesem Büro sitzt.

Die Eigenschaften, die Lee in Murrows Berichterstattung bewunderte, sind die, um die sie sich selbst bemühte und über die sie schließlich auch verfügte. Die letzte Fassung war ein origineller, gut aufgebauter 750-Wörter-Text, alles Launige gestrichen, die scharf beobachteten Fakten neu zusammengesetzt zu einem Ganzen, das mit der echten Vertrautheit einer freundlichen Unterhaltung leicht dahinfließt. Das Selbstvertrauen hinter dieser gekonnten Leistung war hauchdünn, wie dem Brief, den sie dieser letzten Fassung beilegte, zu entnehmen ist.

Liebe Audrey,

es war alles ein großer Fehler – schließlich habe ich ungefähr fünfzehn Jahre meines Lebens damit zugebracht, zu lernen, wie man ein Bild aufnimmt – Du weißt, das Ding, das zehntausend Wörter wert ist, und hier schneide ich mir ins eigene Fleisch und ahme diese Leute nach, Schreibende, von denen ich behauptet habe, sie seien *démodé*.

Meine Überraschung und mein Kummer rühren nicht daher, dass Worte nach einer ganz eigenen Technik verlangen – das wusste ich bereits –, sondern dass ich naiv und dumm genug war, einen solchen Auftrag anzunehmen, und tollkühn genug, ihn trotz besseren Wissens anzugehen, was mich viele Stunden Frustration und Angst gekostet hat, wie diese Fakten und Gedanken schriftlich organisiert werden sollten, die ich das Glück hatte, von Ed Murrow auf einem Silbertablett serviert zu bekommen.

Ich lege also bei, was ich geschrieben habe, auch das, was ich sonst noch an Notizen habe. Ich überlasse alles Deiner Barmherzigkeit – eine unangenehme Aufgabe für Schriftsteller, das Interview eines anderen mit einem dritten zusammenzusetzen ... aber ich fürchte, dass es gerade niemand anderem möglich sein wird, Ed oder Janet zu erfassen ... ich habe all unsere Quellen belagert. Da ich bereits all ihre Zeit und Mühe aufgezehrt habe, die sich von ihnen mit Anstand erbitten ließen ... auch wenn sie über gewaltige Mengen von Eitelkeit verfügen.

In Liebe, Lee

Lees Faszination für Technologie führte zu dieser Zeit zu einem erneuerten Interesse an Farbfotografie. Katalysator war Planskoj, der russische Farbexperte und Physiker, mit dem sie sich anlässlich seines London-Besuchs im Winter 1943 / 44 anfreundete. Der Farbumkehrungsprozess befand sich noch im Frühstadium, und Planskoj war einer der Ersten auf diesem Gebiet. Seine Verbindungen zu Kodak verhalfen ihm zu scheinbar unbegrenzten Mengen Filmmaterial und Chemikalien, was Lee schamlos ausnützte, um ihre Technik zu verbessern und gleichzeitig von seinem Wissen zu profitieren.

Fast jeden Monat druckte das Magazin eine prestigeträchtige, ganzseitige Farbaufnahme, die Lee schon bald regelmäßig zu liefern hatte, und die Juni-Ausgabe 1944 zeigte eines ihrer Farbfotos

als Titelbild. Pose und Beleuchtung sind konventionell; kein Anzeichen oder auch nur eine Andeutung aparter Schrägheit. Das
Diktat des Formats hatte die fantasievollen Zickzack-Sprünge
verhindert, die *Grim Glory* so außergewöhnlich machen. Doch
wie zum Ausgleich für die Einschränkung ihrer fotografischen
Ausdruckskraft verfügte sie inzwischen über ein sicheres Schreib-
talent, das nur darauf wartete, loszulegen.

Kapitel 7

Lees Krieg

1944-1945

D-Day kam und ging, und sechs Wochen später, Ende Juli, befand sich Lee an Bord einer Dakota, auf dem Weg zu den Feldlazaretten der US-Armee in der Normandie. Laut Auftrag sollte sie eine feinfühlige Fotoreportage über die Krankenschwestern vorlegen, die in den Feldlazaretten arbeiteten, wo die Verwundeten von der Front behandelt wurden. Als Lee fünf Tage später nach England zurückkehrte, hatte sie zwei Zeltlazarette und einen Truppenverbandsplatz für die Gefallenen an der Front besucht und lieferte zusammen mit ungefähr fünfunddreißig Filmrollen beinahe zehntausend Wörter ab. Diese Reportage sollte für die nächsten eineinhalb Jahre ihre beherrschende Stellung bei den wichtigsten *Vogue*-Geschichten begründen.

Ich stopfte mir Blitzlichter und Filmrollen in die Taschen und kletterte in das Fahrzeug der Kommandantur, das mich zu einem ungefähr sechs Meilen entfernten Feldlazarett bringen würde. Ein Feldlazarett ist die der Front am nächsten gelegene vollständig ausgestattete Einheit. Die Schwerverwundeten, die die sechs Meilen zu dem Evakuierungslazarett nicht schaffen würden, werden dorthin gebracht. In all diesen Fällen geht es um Leben und Tod, und die Ambulanzfahrzeuge kommen mit jeweils ein oder zwei Mann, statt auf eine ganze Ladung zu warten. Die Verletzten werden aus dem voroperativen Zelt, dem Röntgenzelt oder den Laboren auf den OP-Tisch des Chirurgen gelegt, über sich – wie ein stilles, dunkles Begleitschiff mit einem schwebenden Ballon – eine Blutkonserve.

In der bläulichen Dämmerung blitzte das Artilleriefeuer auf wie ein sommerliches Hitzegewitter, und das Rumpeln untermalte das Gefühl von Anspannung und Dringlichkeit. Das Tempo war höher als beim Abtransport – die Ärzte und Schwestern schienen sogar noch übermüdeter, und sie wussten, dass ihnen im Laufe der Nacht die Blutkonserven ausgehen würden ...

Die Verwundeten waren keine ›Ritter in schimmernder Rüstung‹, sondern verdreckte, aufgelöste, geschlagene Gestalten – ohne Bewusstsein für ihre Lage. Sie kamen von der Bataillons-Hilfsstation an der Front mit leichten Feldverbänden, Aderpressen, blutdurchtränkten Schlingen – manche von ihnen erschöpft und mehr oder weniger leblos.

Der Arzt mit dem Raphael-Gesicht wandte sich einem Mann auf einer Bahre zu, die auf entwurzelten Baumstämmen abgestellt war. Am ausgestreckten linken Arm des Mannes war bereits eine Blutkonserve befestigt – sein Gesicht war eingefallen und leichenblass unter dem Schmutz –, doch als sein linker Ellbogen mit der Infusionsnadel in der Schlinge lag, klärte sich sein getrübter Blick, und er war ausreichend bei Bewusstsein, dass er eine Grimasse ziehen konnte, als seine Beinschiene an Ort und Stelle fixiert wurde.

Die *Vogue*-Herausgeber waren verblüfft. Sie brachten die ganze Geschichte mit vierzehn Bildern auf zwei Doppelseiten in der September-Ausgabe, in der außerdem vier von Lees zivilen Beiträgen gedruckt wurden, einschließlich einiger wunderschöner Porträts von Margot Fonteyn. Mit Lees Reportage hatte sich sowohl die britische als auch die amerikanische *Vogue* im Krieg engagiert, was die Schuldgefühle und die Frustration des Teams über seine ansonsten so frivol wirkende Arbeit ein wenig minderte. Für Audrey Withers war es »die aufregendste journalistische Erfahrung meines Krieges. Wir waren die letzten Menschen, von denen man einen solchen Artikel erwartete, er schien so unvereinbar mit unseren üblichen Hochglanzseiten voller Mode.«

Irgendetwas hatte Lees Talent befreit, und all ihre früheren Erfahrungen flossen nun zusammen. Ihre Hypochondrie verschwand, was vermuten lässt, dass sie ein Produkt ihrer Unzufriedenheit gewesen war. Verschwunden waren auch ihre gepflegte Erscheinung und der erlesene Geschmack, was Essen und Wein betraf; sie trug jetzt zerknitterte Tarnfarben und aß K-Rationen oder Schlimmeres. Kartenspiele, Klatsch, Fotografieren, Kreuzworträtsellösen, Briefeschreiben, Auslandsreisen, der unstillbare Hunger nach einer neuen Aufregung, gesellschaftliche Wechselhaftigkeit, knallharte Entschlusskraft und natürliche Überschwänglichkeit wirkten zusammen und führten zu einer enormen kreativen Produktivität. Zu diesem Zeitpunkt hatte Lee nur eines im Kopf: sich wieder mitten ins Geschehen zu stürzen.

Nachdem sie sich durch die Augustferien und die Londoner Flüchtlingsmassen gequält hatte, ging Lee an Bord des Panzerlandeschiffs Nummer 371 der US-Marine für eine nächtliche Kanalüberquerung Richtung Frankreich. Sie hatte von der Presseabteilung der US-Armee den Auftrag bekommen, von Saint-Malo aus über das Civil-Affairs-Team zu berichten, das nach den Kampfhandlungen nachgerückt war, um die Rückkehr ins Zivilleben zu beschleunigen. Mitten auf dem Kanal wurde der Konvoi von Utah Beach nach Omaha Beach umgeleitet, wo das Schiff bei Flut vor dem Strand auf Grund lief, um entladen zu werden. Die Mannschaft nahm an der Reling Aufstellung und jubelte, als Lee in den Armen eines Matrosen an Land getragen wurde.

Sie fuhr mit in die Stadt und stellte fest, dass der Krieg in Saint-Malo, entgegen den offiziellen Verlautbarungen, bei Weitem noch nicht vorbei war. Der deutsche Kommandant, Oberst von Aulock, war überzeugt, dass Verstärkung eintreffen und die Amerikaner ins Meer zurückschlagen werde. Er schwor, seine Garnison werde die Zitadelle Fort de la Cité bis zum letzten Blutstropfen verteidigen; und da die Befestigungsanlagen unüberwindbar in den massiven Fels gehauen und von weiteren kleineren Befestigungen in Cézembre, Grand Bé und Saint-Servan flankiert waren, konnte es für die Angreifer – die 83. Division der US-Armee – nur ein blutiger Kampf werden.

Lee begriff rasch, dass sie meilenweit die einzige Reporterin war und jetzt ihren eigenen Krieg vor sich hatte. Das Civil-Affairs-Team, das vom Ansturm der Flüchtlinge überrannt wurde, überließ Lee eine Ecke seines Quartiers, wo sie ihre Ausrüstung verstauen konnte; von dort aus unternahm sie Streifzüge ins Geschehen. Manchmal legte sie ihre Kameras beiseite, um bei der Versorgung der zahlreichen Verwundeten, hysterischen Zivilisten und aus deutscher Gefangenschaft Entlassenen mitzuhelfen.

Während der Kampfhandlungen stieg Lee zu einem Beobachtungsposten hoch oben in der Flitterwochensuite eines Hotels. In der ersten Fassung ihres Artikels für *Vogue* beschreibt sie einen Luftangriff:

… der Junge am Telefon sagte: ›Sie hören Flugzeuge.‹ Wir warteten, dann nahmen wir in der Luft ein Anschwellen wahr, wie ich es bei solchen Missionen schon in England wahrgenommen hatte. Dieses Mal brachten sie ihre Bomben zu der trutzigen, ungefähr 600 m entfernten steinernen Festung. Sie waren pünktlich – Bomben entfernt – ein widerliches Todesrumpeln, als sie senkrecht niedersanken und in die Zitadelle stürzten – tödliche Ladung – einen kurzen Augenblick lang konnte ich sehen, wo und wie – dann wurde alles von Rauch verschluckt – der aufquoll, sich lavaartig ausbreitete, trampelnd, sich auftürmend – schwarz und weiß. Unser Haus erzitterte, und Zeug flog in die Fenster – weitere Bomben fielen, barsten, es donnerte und blitzte – wie der Vesuv – der Rauch zog langsam ab, eine absinkende Wolke. Eine dritte Ladung! Die Stadt taumelte unter dem Angriff – eine große Lücke war entstanden – und wir warteten auf die nächste Attacke.

Es war dies eine der ersten Gelegenheiten, bei der die neue Geheimwaffe, Napalm, zum Einsatz kam. Als Lees Fotos bei der *Vogue* entwickelt wurden, beschlagnahmte die britische Zensur die Filmrollen, auf denen der Napalm-Angriff zu sehen war, und ließ alle verräterischen Aufnahmen verschwinden.

Im Zuge eines entsetzlichen, aussichtslosen Angriffs stürmte die Infanterie die steilen, ungeschützten Felshänge hinauf, die die Zitadelle umgaben.

Das Gebäude, in dem wir uns befanden, ebenso wie all die anderen, die der Zitadelle gegenüberlagen, wurden jetzt beschossen – ping, peng – ein Treffer oberhalb unseres Fensters – dann aufs nächste – zerschossen der Balkon unter uns – schneller, sonderbarer Lärm – Einschlag, bevor man den eigentlichen Schuss hörte – immer wieder dasselbe Geräuschmuster – Hunderte von Runden – kreuz und quer um unseren Standort.

Maschinengewehrsalven drangen aus dem letzten Unterstand – die Männer ließen sich bäuchlings fallen – suchten stolpernd und kriechend in den Granatlöchern Schutz – manche krochen weiter, andere zogen sich zurück, linkerhand von der Schusslinie, einer der Männer schaffte es nach oben. Er war riesig. Eine breitschultrige Silhouette, schwarz vor dem Himmel, zwischen Unterstand und Zitadelle. Er hob den Arm. Die Geste eines Kavallerieoffiziers, der mit seinem Säbel die anderen weiterwinkt. Er winkte dem Tod und fiel, die Hand auf die Festung gerichtet.

Die pittoreske Stadt Saint-Malo, die einst sicher auf ihrem schmalen Felsvorsprung stand, wurde unter dem Beschuss aus der Festung in Schutt und Asche gelegt.

Aus vereinzelten hohen Schornsteinen stieg Rauch von den brennenden Überresten der Gebäude zu ihren Füßen. Einsame, traumatisierte Katzen streunten umher. Ein aufgequollenes Pferd, das dem toten Amerikaner hinter ihm nicht genügend Schutz geboten hatte – Blumentöpfe in Fenstern ohne dazugehörige Zimmer. Fliegen und Wespen, die in unterirdischen, nach Tod und saurem Elend stinkenden Gewölben ein und aus flogen. Artilleriefeuer ließ weitere steinerne Gebäude auf die Straße stürzen. Ich suchte Zuflucht in einem Schützengraben der Krauts, kauerte mich hinter einen Schutzwall. Mein Absatz grub sich in eine abgetrennte tote Hand, und ich verfluchte die Deutschen für die schmutzige, ekelerregende Zerstörung, die sie über diese einst wunderschöne Stadt gebracht hatten. Ich fragte mich, wo wohl meine Freunde waren, die ich vor dem Krieg hier gekannt hatte; wie viele waren zu Treulosigkeit und Erniedrigung gezwungen worden, wie viele waren erschossen worden, verhungert oder was auch immer? Ich nahm die Hand und schleuderte sie über die Straße, dann rannte ich den Weg zurück, den ich gekommen war, zerschrammte mir die Füße, krachte in die wackeligen Geröllhaufen und rutschte auf Blut aus. Mein Gott, es war schrecklich. (1)

Nach weiteren Angriffen, Bombenhagel und unablässigem Granatfeuer Tag und Nacht, ergab Oberst von Aulock sich Major Speedie von der 83. Division, zweifellos aus Angst vor weiterem Napalm. Lee war inzwischen das inoffizielle Maskottchen der Division und wurde bis ganz nach vorn durchgelassen, damit sie Aulocks nicht gerade würdevollen Abgang fotografieren konnte. So endete ihr Bericht:

Sogar aus dem fernen Reims hatten sich die Reporter wie die Geier um die Beute zum Finale versammelt. Einige Franzosen

45 Picasso, Porträt von Lee Miller. Mougins, Frankreich, 1937.

46 Oasendorf. Ägypten, ca. 1939. (Lee Miller)

47 Kuppeln der Kirche der Jungfrau, Al-Adhra, Deir-El-Soriani-
Kloster. Wadi Natrun, Ägypten, ca. 1936. (Lee Miller)

48 Verbarrikadierter Durchgang. Rotes Kloster (Deir al-Ahmar). Sohag, Ägypten, 1939. (Lee Miller)

49 ›The Native / Cock Rock‹. Westliche Wüste. Ägypten, 1939.
(Lee Miller)

50 ›On the Road [Ox in cart]‹. Rumänien, 1938. (Lee Miller)

51 Fichten auf dem Friedhof als Grabmarkierungen. Polovragi, Gorj, Rumänien, 1938. (Lee Miller)

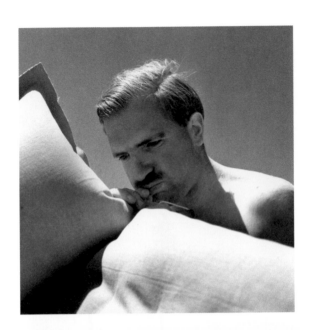

52 Bernard Burrows beim Aufblasen einer Luftmatratze. Rotes Meer, Ägypten, 1938. (Lee Miller)

53 ›Untitled [Legs; Mafy Miller, unbekannt, George Hoyningen-Huene, Roland Penrose]‹. Gebel Mawta, Siwa, Ägypten, 1939. (Lee Miller)

54 Kamel, mit Vorräten beladen. Ägypten, 1936. (Lee Miller)

55 Roland Penrose in Ägypten, 1939. (Lee Miller)

56 Roland Penrose' erste Frau, Valentine, in 21 Downshire Hill, Hampstead, 1942. (Lee Miller)

57 Dave Scherman, Lee und Roland Penrose. Hampstead, 1943.
(David E. Scherman)

58 ›Eggceptional Achievement‹. In *Grim Glory: Pictures of Britain under Fire* (1941) mit der Bildunterschrift ›The geese that laid a silver egg‹. London, 1940. (Lee Miller)

59 ›Remington Silent‹. Aus: *Grim Glory*, 1940. (Lee Miller)

60 ›Revenge on Culture‹. Aus: *Grim Glory*, 1940. (Lee Miller)

61 ATS-Suchscheinwerfer-Einheit in Nord-London, 1943. Dave
Scherman hält einen Spiegel, der ihre Gesichter beleuchtet.
Minuten später wurde die Einheit in Alarm versetzt und aus
der Luft beschossen. (Lee Miller)

62 Henry Moore, als er während des ›Blitz‹ in einer Londoner
U-Bahn-Station Skizzen anfertigte. Gefilmt von Jill Craigie für den
Film *Out of Chaos*, der Kriegskünstler bei der Arbeit zeigt. 1943.
(Lee Miller)

63 Lee bei *Vogue*. London, 1943. (David E. Scherman)

versuchten bereits, in ihre Häuser zurückzukehren. Ich ging nicht um den Unterstand herum, um den Mann zu sehen, der gewinkt hatte –, und ich mochte auch noch nicht nach oben steigen und von dort hinuntergehen, wo ich die kleinen Männchen hatte hinaufkriechen sehen. Ich tat es nie. Oben wehte die amerikanische Flagge, und das genügte. Der Krieg ließ Saint-Malo – und mich – hinter sich.

Bald nach der Kapitulation wurde Lee von einem Offizier der PR-Abteilung der US-Armee vorgeladen. Sie hatte die Regeln ihrer Akkreditierung verletzt und eine Kampfzone betreten; sie wurde deshalb umgehend nach Rennes gebracht und unter Hausarrest gestellt. Im Nachhinein war das ein Segen. Die ersten vierundzwanzig Stunden ihres Gewahrsams verschlief sie mehr oder weniger. Dann gab sie sich einen Stoß und tippte die nächsten drei Tage ohne Pause. Ihr Artikel umfasste schließlich über 10 000 Wörter und wurde in der *Vogue* veröffentlicht, üppig bebildert auf mehreren Seiten, in der Oktober-Ausgabe 1944.

Als Lee sich wieder frei bewegen konnte, war der Wettlauf um die Befreiung von Paris im Gange. Die PR-Abteilung hatte sich ein wenig beruhigt, und so machte sie sich davon. Sie reiste per Anhalter, schwindelte sich durch, und am Tag der Befreiung erreichte sie Paris. Auf den Avenuen wimmelte es von jubelnden Menschen, die allen Fahrzeugen zuwinkten und jeden küssten, der eine Uniform der Alliierten trug. Panzer, Streitkräfte und die Freie Französische Infanterie kämpften weiter gegen Heckenschützen und zählebige Nester deutscher Infanterie, doch die gelegentlichen Feuersalven, die die Mengen zerstreuten, taten der Festtagsstimmung keinen Abbruch. Paris war die Mode-Hauptstadt der Welt, und Lee stellte automatisch von Schlachtgetümmel auf Kleider um.

Überall auf den Straßen waren umwerfend schöne Mädchen auf Fahrrädern unterwegs – kletterten auf die Gefechtstürme der Panzer – ihre Silhouetten wirkten verrückt und faszinierten mich nach all der zweckmäßigen Kargheit in England – weit schwingende Röcke – schmale Taillen ... Die G.I.s schnappten *en masse* nach Luft – angesichts einer Stadt voller dahinfliegender Pin-up-Huris – und dachten, all die Geschichten von den wilden Pariser Frauen seien Wirklichkeit geworden – beruhigten sich aber schließlich mit dem Gedanken, dass die guten wie die schlechten Frauen – die schnellen und die losen und die prüden – die unschuldigen und die mit allen Wassern gewaschenen – sich allesamt diesen Kleidungs- und Lebensstil absichtlich zugelegt hatten, um die Hunnen zu verhöhnen – deren Frauen linkisch und ernst waren – in ihren grauen Uniformen (die Frauen in der deutschen Armee waren als *Souris Grise*, »Graue Maus«, bekannt). Wenn die Deutschen oder die Vertreter der französischen Regierung ihre Haare kurzgeschoren trugen – trugen sie ihre lang – wenn drei Meter Stoff genau zugeteilt waren – dann trieben sie fünfzehn allein für einen Rock auf – Stoff und Aufwand zu sparen hieß, den Deutschen zu helfen – und Verschwendung, nicht Sparsamkeit war Pflicht. (2)

Vor allem wollte Lee jetzt ihre alten Freunde aufsuchen, und ihr erster Weg führte sie in die Nähe der Place de l'Odéon, wo sie den Maler Christian Bérard und den Ballettimpresario Boris Kochno antraf. Als sie einander endlich aus den Umarmungen entließen, ging sie mit Kochno zu Picassos Atelier. Auch dort fiel man sich in die Arme, und Picasso erklärte: »Der erste Soldat der Alliierten, den ich zu sehen kriege, bist ausgerechnet du!« Als Soldat, meinte er, habe sie sich seit dem rosa und gelben Porträt, das er vor sieben Jahren von ihr in Antibes gemalt hatte, so ver-

ändert, dass er sie wohl erneut malen müsse. In dem Bistro nebenan besserte Lee das Mittagessen mit ihren K-Rationen auf, außerdem wurde das Ganze durch große Mengen Wein und Brandy
ergänzt. Picasso wollte sich endlos über englische Maler und
Leute, zu denen er den Kontakt verloren hatte, austauschen. Besonders amüsierte ihn, dass Roland Penrose mit Tarnschutzmaßnahmen beschäftigt war, und äußerte die Vermutung, das Ergebnis gleiche wohl eher etwas aus einem Marx-Brothers-Film.
Weitere Begegnungen sollten folgen:

Ich fand Paul Éluard – er telefonierte gerade im Hinterzimmer
einer *librairie* – er begriff nicht, wer da in das düstere kleine
Gelass gekommen war, und machte uns Zeichen, still zu sein.
Dann bemerkte er meine Uniform und erstarrte kurz. Er war
schon lange nicht mehr mit einem ›Soldaten‹ in engerem Kontakt gewesen. Ich stand einfach still da und sah, wie seine Hand
zitterte. Er hatte einen schrecklichen Tremor nach einer Pneu-
mothorax-Operation. Es gab beinahe nichts, worüber wir miteinander reden konnten – blödes Zeug, wie ich ihn ausfindig
gemacht hatte – idiotische Bemerkungen über das Wetter –
glücklicherweise war Boris Kochno mitgekommen, und er
brachte Ordnung ins Programm. Wir gingen zurück zu der
Adresse, wo die Concierge geleugnet hatte, jemals etwas von
den Éluards gehört zu haben – oder auch von irgendwelchen
anderen Bewohnern der Wohnung. Nusch war dort, eine dünne, blasse, grinsende Nusch mit ihrem komischen elsässischen
Akzent, dem wuscheligen Haar und ihrem wunderschönen
Profil. Es war nicht mehr viel von ihr übrig; sie war so dünn
und zart, dass ihre Ellbogen dicker waren als ihre Arme und
ihre Hüftknochen wie zwei spitze Hügel aus ihrem Rock her-
vorstachen, der lose an ihr herabhing, auch ihre Bluse konnte
die Spuren von Krankheit und Entbehrungen nicht verbergen.

Da waren nur ihr großes, breites Grinsen und ihre großen, breiten Zähne. Keiner von uns sagte etwas Sinnvolles; teils aus Ergriffenheit, teils weil die Fakten nicht besonders vernünftig waren. (3)

Ein paar Tage später besuchte Lee noch einmal Picassos Atelier, als er gerade unter der Dusche stand. Während sie wartete, bemerkte sie in einem Topf auf dem Fenstersims eine Tomatenpflanze. Sie hatte üppig geblüht und zahlreiche saftige Früchte hervorgebracht, die Gegenstand von dreizehn an der Wand lehnenden Zeichnungen und Gemälden waren. (4) Von plötzlicher Gier nach einer frischen Frucht überwältigt, pflückte Lee eine Tomate und aß sie. Dann noch eine und noch eine, bis nur noch eine übrig war. Sie hatte leichten Mehltau, doch Lee biss hinein und leckte sich gerade die Finger, als Picasso auftauchte. Er war wie vom Donner gerührt. Lee beobachtete entsetzt und fasziniert, wie sein Gesicht zuerst leichenblass wurde und dann blitzschnell zu Dunkelrot wechselte. Er ballte wütend die Fäuste und wandte sich ein paar quälende Augenblicke lang ab, ehe er sich ihr wieder zuwandte. Dann verebbte der Zorn so schnell, wie er gekommen war, und es gab Umarmungen und Küsse und Kniffe in den Po.

Die Jahre des Kriegs hatten die Fehden zwischen Picasso, Aragon, Éluard und Cocteau beendet; inzwischen arbeiteten sie wieder zusammen, und Picasso illustrierte die Werke der Dichter. Ein paar Wochen vor der Befreiung war Cocteau verprügelt worden und hätte beinahe sein Augenlicht verloren, weil er der französischen Flagge den Gruß verweigert hatte, mit der ein paar hundert Franzosen paradierten, die sich der ›antibolschewistischen Legion‹ der Deutschen angeschlossen hatten. Lee traf ihn im Hause Rochas und schrieb später an Audrey Withers:

Wir fielen einander in die Arme – ich bin immer noch ein kräftiges Mädchen, obwohl ich in den vergangenen zwei Wochen 12 kg abgenommen habe – und ich konnte ihn hochheben. Er sieht unglaublich wohl aus und jünger, als ich es für möglich gehalten hätte – weniger nervös und weder düster noch jämmerlich wie damals, als ich vor genau fünf Jahren Paris verließ ... Er meinte, angesichts der schwierigen Umstände könne er nur Theaterstücke und Ähnliches schreiben – aber schließlich hat er doch ein neues Gedicht verfasst – ›Leone‹. Ungefähr 600 Verse.

Die Pressestelle der Alliierten war im Hôtel Scribe untergebracht. Lee richtete sich dort umgehend in Zimmer 412 ein, dessen Fenstertüren auf einen kleinen Balkon hinausgingen, den idealen Ort für die Lagerung Dutzender Benzinkanister, die sie für ihre Streifzüge dringend benötigte. Das Zimmer selbst glich dem chaotischen Bedarfslager einer Angriffstruppe. Waffen und Gerätschaften aller Art quollen aus dem Schrank und den Schubladen, Kisten voller K-Rationen stapelten sich neben Kisten mit Royer-Cognac, und der ganze Haufen war unter riesigen Kartons voller Blitzlichtbirnen begraben. Eine absurde, gefährliche und kaum einsatzfähige Sammlung unterschiedlichster Beleuchtungsausrüstung stapelte sich kreuz und quer in der Ecke. Überall lagen Berge von Kriegsbeute herum, alles, von Samt bis Socken, Nazi-Insignien oder protziges Silber mit eingraviertem deutschen Militärwappen. Dass das meiste davon vollkommen unbrauchbar war, war unerheblich, in Zeiten der Not konnte es immer noch gegen etwas anderes eingetauscht oder denen zu Hause als Souvenir mitgebracht werden.

Das Bad fungierte die meiste Zeit als Fotolabor, wo Lee versuchte, Ansco-Umkehrfilme zu entwickeln. Farbnegative waren reichlich erhältlich, konnten in diesem Stadium des Krieges jedoch nicht benutzt werden, weil die Zensur nicht erlaubte, dass sie zum Entwickeln in ein kommerzielles Labor geschickt wurden. Ansco-Filme gab es mitsamt Do-it-yourself-Zubehör, so dass sich das entwickelte Filmmaterial verschicken ließ, doch das Material war zu langsam und unzuverlässig, um wirklich brauchbar zu sein.

Und mitten in diesem ganzen Chaos stand ein kleiner Tisch, an dem Lee auf ihrer zerbeulten Baby-Hermes-Schreibmaschine ihre Artikel tippte. Das Schreiben war für sie stets ein schwieriger Akt. Nur mit enormer Kraftanstrengung gelang es ihr, sich zu konzentrieren und ihre Gedanken auf die vorliegende Aufgabe zu richten. Vorher musste sie jedes Mal stundenlang ›Herumtrödeln‹, wie sie es nannte; sie beschäftigte sich dann mit allem Möglichen, nur nicht mit der Aufgabe, die vor ihr lag. Je näher der Abgabetermin rückte, desto dringlicher wurde es für sie, verschiedene Textversionen zu Papier zu bringen.

Dann ging sie mit jemandem ins Bett, hing in der Bar herum und betrank sich, stritt, schlief, fluchte und tobte, weinte, tat alles andere, als mit dem Artikel anzufangen.

Sie verbrachte Stunden damit, Fantasiegestalten zu erfinden, mit Namen, die grässliche zweisprachige Wortspiele ergaben. Ma Foi und Pa Dequoi waren die Familienoberhäupter. Ihr Cousin Nicky Tepa (›ne quittez pas‹) war Telefonist, Schwiegersohn Sammy Tegal (›ça m'est égal‹) ein echter Lümmel, und sie alle waren eng befreundet mit Harry Coverre (›haricot vert‹), einem Koch. Sie besaßen drei Katzen, die von Poussez Fort angeführt wurden, der schamlos die arme Katze Ildee (›qu'a-t-il dit?‹) und die singende griechische Katze Inapaxinou (›Katina Paxinou‹) tyrannisierte, doch nie gegen den Familienhund Dogui (›d'orgueil‹) ankam. Dann fehlten natürlich noch ein paar Russen. Ilnya Pasdequoi und Ilnya Plusdetout vollführten regelmäßig nihilistische Doppelakte, sehr zum Verdruss der hochromantischen Vouki

Passez-Samovar (eine Zeile aus dem beliebten Lied ›Vous qui passez sans me voir‹). Schließlich musste noch ein Pressekorps bedeutender Reporter her, darunter Brown von ›The Sun‹, Behind von ›The Times‹, Lowering vom ›The Evening Standard‹ und schließlich noch De Bilitating von ›The Atlanta Constitution‹.

Diese Verschleppungstaktik war eine eingeübte Selbstgeißelung. Sie ließ den Abgabetermin so nahe heranrücken, dass der entstehende Druck ihre mangelnde Entschlusskraft wettmachte. Dann, im allerletzten Moment, arbeitete sie nonstop die ganze Nacht, klebte an der Schreibmaschine und stärkte sich mit gargantuesken Mengen Cognac. Der mühelose, elegante Wortfluss, der dabei entstand, täuschte über die vorausgegangenen Marterqualen hinweg. Witzig, scharfsichtig, voller waghalsiger und schräger Bilder, ist es kaum vorstellbar, dass diesen Texten eine solche Selbstquälerei vorausgegangen war.

Eine unerschütterliche Stütze für Lee bei dieser wiederkehrenden Prozedur war Dave Scherman. Lee hatte ihn bei der Kapitulation Saint-Malos kurz getroffen, doch dann tauchte er zu ihrer Freude im Hôtel Scribe auf und zog in das Zimmer nebenan. Sie arbeiteten bei vielen Aufträgen zusammen, und es war Dave, der Lee inmitten ihrer schlimmsten Seelenqualen abwechselnd tröstete und antrieb. Wären sie einander nicht durch Liebe und leidenschaftliche Kameradschaft verbunden gewesen, hätte er diese Folter wohl niemals durchgestanden. Er selbst beschrieb seine Begleitung von Lees Schaffensprozess mit einem Vergleich: Es sei gewesen, als ob sein Gehirn langsam durch einen Fleischwolf gedreht würde. Hier handelt es sich um eine von Lees seltsamen Eigenschaften: ihre Fähigkeit, in ebenden Menschen Liebe und Ergebenheit zu wecken, denen sie am schlimmsten zusetzte.

Das Hôtel Scribe verfügte über eine ausgezeichnete Kommunikationstechnik, die die vorherigen Amtsinhaber, das Pressekorps der deutschen Wehrmacht, dort installiert hatten. Mehrere Räume waren mit den neuesten Errungenschaften der Telegrafen- und Rundfunktechnologie ausgestattet, und die Ingenieure verloren keine Zeit und verbanden sich statt mit Berlin jetzt mit London. Auch wenn Lee ständig Audrey Withers telegrafierte, sie solle ihr zusätzliche Uniformen und Schuhe, den Reiseführer, den sie in Downshire Hill vergessen hatte, oder auch mal drei Schachteln Tampax schicken, stellte sie rasch fest, dass die Antworttelegramme dazu angetan waren, ihre Unabhängigkeit einzuschränken. Die Redakteure bei der *Vogue* konnten ihr Anweisungen schicken, und nicht alle diese Forderungen fanden ihr Gefallen. So entwischte sie einmal kurz, um davon zu berichten, wie 20 000 deutsche Truppenangehörige sich in Beaugency an der Loire der 83. Division ergaben. Außerdem verfasste sie die Exklusivmeldung über eine Zusammenkunft in der Wohnung Louis Aragons, bei der Maurice Chevalier sich von den Vorwürfen der Kollaboration zu entlasten versuchte. Doch der wichtigsten Anweisung entzog sie sich nicht: Sie sollte Michel de Brunhoff dabei unterstützen, der französischen *Vogue* (bekannt als *Frogue*), wieder auf die Beine zu helfen, und nach der Befreiung über die ersten Schauen der wichtigsten *couturiers* berichten.

De Brunhoff hatte während der zweiten Pariser Besatzung knapp überlebt, doch sein Sohn war kurz vor der Befreiung von den Nazis verhaftet und erschossen worden. In einem Brief an Audrey Withers schrieb Lee:

De Brunhoff stellte anlässlich des Waffenstillstands [1940 zwischen Franzosen und Deutschen] freiwillig sämtliche Zeitungen in seinem Besitz ein, doch es gelang ihm, während der Besatzung ohne Unterstützung oder Genehmigung des Feindes vier Modejournale zu publizieren, indem er hier in Paris das Material sammelte, in den Vororten die Druckstöcke herstellte – sie in Koffern nach Monte Carlo trug – sie druckte und dort in der unbesetzten Zone vertrieb, von wo sie, sehr zum Ärgernis der Krauts, wieder nach Paris zurückkamen.

Lee war durchaus bereit, De Brunhoff zu helfen, doch sie ärgerte sich, wenn dies auf Kosten ihrer eigenen Arbeit geschah, und besonders dann, wenn sie mit der Haltung der Autoren nicht einverstanden war. Sie hatte die Aufgabe, die Auftragsartikel zu sammeln, Künstler zu suchen, die die Zeichnungen dazu anfertigten, und dann das ganze Material nach England zu telegrafieren. Ihre alten Kontakte waren dabei sehr wertvoll, und sie verpflichtete Bernard Blossac und ihren alten Freund Bébé Bérard als Illustratoren, wann immer es möglich war. Mitten in dieser sehr anstrengenden Arbeit entdeckte sie plötzlich, dass Cecil Beaton nach Paris gekommen war. Mit dem Gefühl, womöglich etwas zu verpassen, hatte er sich von der *Vogue* einen Auftrag verschafft, arbeitete von der neu eröffneten britischen Botschaft aus und schwebte wie ein Grandseigneur durch die ganze Stadt. Lee war stinkwütend, besonders, als er begann, sie wie eine Bürobotin zu behandeln.

Der Druck, der auf der Modeberichterstattung lag, war immens. Die ganze Welt wollte sehen, was die Pariser *couturiers* nach der Befreiung der Stadt von den Nazis kreieren würden. Die Chefs einiger Modehäuser standen unter dem tödlichen Verdacht der Kollaboration; andere, wie Solange, deren Ehemann sich noch immer in Nazi-Gefangenschaft befand, wollten ungern zu auffällig in Erscheinung treten, da sie Vergeltungsmaßnahmen gegen die von ihnen geliebten Menschen fürchteten.

Nach den Salons Anfang Oktober 1944 berichtete Lee:

Die Mode ist schlichter, ja, schlichter, aber nicht schlicht. Paris ist noch immer ein wenig verrückt, und in den kleinen Extras, einem knalligen Rot etwa oder dem Wunsch nach übergroßen Muffs, drückt sich noch immer ein unkontrollierbarer Überschwang aus. Kurz und präzise ausgedrückt, nach dem Besuch der meisten Schauen hat *Vogue* Paris entschieden, dass die Silhouette schmaler geworden ist. Jacken und Röcke sind gerader geschnitten, Mäntel weniger ausgestellt und mit weniger Volants ausgestattet. Die Taille bleibt sehr schmal und folgt der natürlichen Linie des Körpers. Bemerkenswert auch, dass mehrere der bekanntesten Häuser weite Nachmittagsmäntel und -kleider mit eng anliegender Prinzessinnen-Taille ohne Gürtel zeigen.

Die Übersicht erstreckt sich über viele Seiten, behandelt sämtliche Aspekte der Kollektionen und kommt zu folgendem Schluss:

Zusammenfassend ist zu sagen, dass Paris langsam, aber sicher aus dem albtraumhaften Schlaf erwacht, in den diese geliebte ›Belle au Bois Dormant‹ in den vergangenen vier Jahren gestürzt worden war; und mit einem Lied im Herzen und einem Lächeln auf den Lippen macht sie sich wieder an die Arbeit, spinnt und webt ihre magischen Hüllen für die hart arbeitenden Frauen im militärischen und zivilen Bereich, die sich in ihrer Freizeit von der Aufgabe, diesen Krieg zu gewinnen, erholen können, um wenigstens für ein paar Stunden wieder täuschend zerbrechlich und bezaubernd weiblich auszusehen. (5)

Die Aufnahmen für die meisten Kollektionen entstanden unter äußerst schwierigen Umständen, deshalb war Lee verständlicherweise empört über die Reaktion von Edna Woolman Chase, die Audrey Withers an sie weitergeleitet hatte: ›EDNA KRITISIERT SCHNAPPSCHUSS – SCHNAPPSCHUSS-MODEREPORTAGE UND BESONDERS BILLIGE MANNEQUINS VERLANGT MEHR ELEGANZ MIT-

TELS STUDIOAUFNAHMEN + GEBILDETE FRAUEN UND + HERVOR-
RAGENDE ZEICHNUNGEN STOP KANN NICHT GLAUBEN DASS
BILDER TYPISCH FÜR HOCHKLASSIGE FRANZÖSISCHE MODE.‹

Lee antwortete Audrey:

> Ich finde Edna sehr unfair – diese Schnappschüsse wurden un-
> ter den schwierigsten und deprimierendsten Umständen auf-
> genommen – in den zwanzig Minuten, die ein Mannequin mir
> in seiner Mittagspause zubilligte – von denen die meisten für
> weitere Anproben der unfertigen Kleider draufgingen – oder
> nach fünf Uhr in Räumen ohne Strom – wo wir das Tageslicht
> nutzen mussten, das durch ein Hoffenster fiel – mit einer joh-
> lenden Meute um uns herum und dem bisschen Licht, das
> durch den Flur bis zum Klo dringt. Jeder Vorschlag, wir hätten
> *dames de mode* einsetzen können und sollen, ist einfach nicht
> von dieser Welt. Man sollte Edna informieren, dass hier ein
> Krieg stattfindet.

Diese Art ahnungsloses Genörgel erhöhte noch Lees Ungeduld;
sie wollte sich unbedingt wieder der 83. Division anschließen
und sich mit etwas Realerem beschäftigen. Doch bevor es so weit
war, berichtete sie von den Brüsseler Salons und reiste dann nach
England zu einem tumultuarischen Weihnachtsfest mit Roland
Penrose in Downshire Hill. Zurück in Paris, hatte sie als Erstes
eine Frau zu besuchen, die von der *Vogue* später als ›Frankreichs
größte lebende Schriftstellerin‹ bezeichnet wurde.

> Durch das dunkelste Treppenhaus von ganz Paris auf eine stum-
> me, abgestellte Klingel drücken – anklopfen, bis die Knöchel
> taub sind und Pauline, Colettes ergebenes Sklavinnen-Scheu-
> sal, durch einen lichtlosen Korridor gestolpert kommt, um den

Besucher auszuspähen, zu identifizieren und sich zu vergewissern, dass auch sie selbst ihn billigt, denn wenn Pauline einen missbilligt, gibt es keine zweite Einladung.

Im kalten Gegenlicht, das durch die hohen Fenster fällt, ähnelt Colettes krauser Haarschopf einem Glorienschein. Im Zimmer ist es heiß, die Pelzüberwürfe auf ihrem Bett sind lohfarben und opulent, und mit ziemlicher Sicherheit telefoniert sie gerade. Sie nahm ihr grotesk schweres Brillengestell ab, schob das Telefon beiseite und zog an meiner Hand, damit ich mich auf die Bettkante setzte, während sie weiter per Du milde mit einer dünnen weiblichen Stimme schimpfte, die aus dem Hörer drang. Schließlich von der dünnen Stimme: Die Schreibmaschine werde zurückgegeben – sie werde sich auch um den Transport nach Limoges kümmern und morgen zum Tee kommen. À demain!

Dann wandte Colette sich an mich und sagte: ›Alors, qu'est-ce que vous voulez?‹ Ihre Stimme war schroff, aber ihr Hand war warm gewesen, und ihre kajalumrandeten Augen funkelten wie die unzähligen Kristallkugeln und gläsernen Nippessachen, die überall im Zimmer herumstanden. (6)

Audrey Withers hatte Lee wiederholt gebeten, einen Artikel über ›Das Gesamtbild der Befreiung‹ zu schreiben, in der Hoffnung, auf diese Weise würde es nicht um Blut und Gewalt gehen, was bei Lee sonst Thema war. Das Ergebnis war eine hellsichtige, einfühlsame Einschätzung, die die *Vogue* zusammen mit ergreifenden Aufnahmen von Flüchtlingen in der Januar-Ausgabe 1945 druckte.

Das Gesamtbild der Befreiung ist nicht dekorativ. Da sind die fröhlichen Schnörkel aus Wein und Gesang. Da ist, alles in allem, die wunderschöne Farbe der Freiheit, doch da sind auch

Trümmer und Zerstörung. Es gibt Probleme und Fehler, enttäuschte Hoffnungen und gebrochene Versprechen. Es gibt Wunschdenken und Ineffizienz. Es gibt die Benommenheit nach einer Siesta, die Lethargie einer ›schlafenden Schönheit‹. Der Prinz ist in das von Spinnweben eingesponnene Schloss vorgedrungen und hat sie wachgeküsst. Alle erheben sich, tanzen ein Menuett, und wenn sie nicht gestorben sind, dann leben sie noch heute.

Die Geschichte endet hier, sollte hier aber nicht enden. Wer hat die mit Grünspan angelaufenen Kochtöpfe poliert? Wer hat die verrostete Brunnenkette ersetzt? Sind die Regale abgestaubt? Die Schränke sauber? Wer hat die Wollmäuse zusammengefegt, die sich unter dem Bett angesammelt haben müssen? Vermutlich gab es eine fürchterliche Unordnung. Haben sie ihre Streitigkeiten dort wieder aufgenommen, wo sie sie abgebrochen hatten? Haben sie gefragt, was die Nachbarn die ganze Zeit über sie geredet haben? Hatte der Milchmann reihenweise Flaschen auf dem Fenstersims stehen lassen? Gab es in der Speisekammer frischen Salat und Eier? Vielleicht hat der Prinz all diese Probleme gelöst und auch alles gebracht, oder hat die Befreiung ausgereicht? ... In Luxemburg bekam ich einen kleinen Einblick, wie es funktionierte.

Weiter berichtet Lee dann über die Schändung eines Landes, das so klein war, dass es nicht einmal eine eigene Armee hatte, um sich zu verteidigen. Sie schrieb über die dummen, pedantischen Demütigungen durch die Nazi-Besatzung wie das Verbot, Französisch zu sprechen; auf ein einfaches *bonjour* oder *merci* standen zehn Mark Strafe. Französische Familiennamen mussten in ihr nächstbestes deutsches Äquivalent geändert werden, Cafés hießen nun *Ratskeller*. Intellektuelle, Lehrer und Anwälte wurden als Verräter erschossen. Bei jeder Gelegenheit wurden Sanktionen gegen die Zivilbevölkerung verhängt, und schon sehr früh verschwanden Juden spurlos.

All dieses Leid hat Lee präzise und mit viel Verständnis aufgezeichnet, doch es war nicht die Art von Reportage, wie sie sie eigentlich machen wollte. Am wohlsten fühlte sie sich bei der Infanterie, an vorderster Front, wo etwas passierte.

Ich wusste im Voraus nichts über diese Stadt [Luxemburg], außer dem Regen gab es nichts, was mir bekannt war, bis ein wuchtiger Jeep in Sicht kam. Ich erkannte die Nummer. Ein paar Sekunden später war ich auf der Straße und starrte auf die Kennzeichen der vielen Personen- und Lastwagen, die vorbeifuhren. Ich stieß auf eines, das ich kannte und streckte wie ein Verkehrspolizist die Hand aus. Es waren Doc Berger und der Kaplan der 329., 83 Division. Ich war wieder zu Hause. Colonel Crabill sagte: »Wir stellen fest, Sie waren seit Beaugency abwesend.« Die Sergeants sagten: »Immer, wenn Sie auftauchen, passiert etwas.«

Der General fragte, was ich denn Besseres zu tun gehabt hätte, als bei ihnen zu sein. Ich erzählte ihm von den Pariser Modekollektionen – dem Irrwitz der Eröffnungen – den fantastischen »Ersatz«-Kleidern. Er musterte mich von Kopf bis Fuß und meinte: »Es mag besser sein oder auch nicht, auf jeden Fall ist es anders. Am besten bleiben Sie in unserer Nähe.«

Die Militärpolizisten sagten: »Lassen Sie den roten Schal verschwinden und setzen Sie Ihren Helm auf. Was glauben Sie, was der General sagen würde?« (7)

Danach war Paris für Lee zu zahm. Sosehr sie die Mode liebte, die Aussicht auf eine weitere Runde durch die Salons war abschreckend, und sie überredete Audrey Withers, sie nochmals losziehen zu lassen. Eine seltsame Ironie wollte es, dass Dave Scherman, der in Brest über brutale Kämpfe berichtet hatte, gleichzeitig beauftragt wurde, für *Life* über die Frühjahrskollektionen zu berichten. Für Lee hieß es also, auf ins Elsass, eines der am bittersten umkämpften Gebiete dieses Krieges, das tief in Schnee, Schlamm und Chaos versank. Die hübschen, wohlhabenden mittelalterlichen kleinen Bauernhöfe und Dörfer im Flachland um Colmar wurden grausam zugerichtet, als die US-Armee mühsam versuchte, über den Rhein vorzudringen. Die Straßen waren verstopft von überladenen Bauernkarren, als Tausende Flüchtlinge – Alte, Frauen und Kinder – sich auf der Suche nach Essen, Unterschlupf und Sicherheit dahinschleppten.

Wie bei den meisten Feldzügen waren Journalisten nicht verpflichtet, sich denselben Risiken auszusetzen wie ihre Fotografenkollegen. Sie konnten die Kämpfe in der Sicherheit eines Pressecamps aussitzen, meilenweit von der Front entfernt, und ihren Stoff bei Pressekonferenzen oder vom Nachschubteam einsammeln. Die einzige Möglichkeit für Fotografen, an ihre Bilder zu kommen, war jedoch, dort hinzugehen, wo etwas passierte. Wobei nicht vergessen werden sollte, dass Lees Rolleiflex weder über ein Teleobjektiv noch über automatischen Filmtransport oder einen eingebauten Belichtungsmesser verfügte. Unter Anspannung wurde jede Einstellung für Lee automatisch zum Ratespiel. Zum Ausgleich dafür, dass ihr auf einer Rolle nur zwölf Aufnahmen zur Verfügung standen, und um sich gegen technische Aussetzer abzusichern, fotografierte Lee abwechselnd mit zwei Kameras. Das machte das Schreiben der Bildunterschriften zu einem Albtraum, bewahrte sie aber mehr als einmal vor dem Scheitern.

Es kam zu Schlachten jeder Sorte, von harten, erbitterten Begegnungen zwischen einzelnen Spähtrupps bis zu gewaltigen, geplanten Angriffen mit dem massenhaften Einsatz von Panzern und Artillerie. Es gab zwei Hauptfaktoren, die die Brutalität noch steigerten: die Kälte, die durch Mark und Bein drang, und die

Tatsache, dass die Deutschen mit dem Rücken zum Rhein standen. Die US-Armee kämpfte an der Seite der Freien Französischen Armee, einige Kontingente bestanden aber auch aus Marokkanern, französischen Fremdenlegionären, Argentiniern, Russen, Ungarn und Spaniern. Lee hatte ihren eigenen Jeep und bewegte sich frei zwischen den verschiedenen Truppenabteilungen südwärts, von Straßburg nach Colmar. Nirgendwo gab es auch nur die Spur eines sonnigen Gefühls der Befreiung, nichts als bittere, endlose Schinderei und Blutvergießen, wenn die Dörfer eingenommen, manchmal zurückerobert und noch einmal eingenommen wurden. Lee wagte sich überallhin. Ihre Erfahrung verschaffte ihr den bereitwilligen Respekt der hartgesottenen Infanteriesoldaten, deren Leben sie inzwischen gut verstand. Für die *Vogue*-Ausgabe vom April 1945 schrieb und fotografierte sie ›Während des Elsass-Feldzugs‹:

Nie wieder werde ich dieses Säuregelb und Grau sehen, wenn Granaten im Schnee explodieren, ohne gleichzeitig auch die bleichen, bebenden Gesichter der Nachrückenden zu sehen, grau und gelb vor Angst. Ihre tastenden Hände und flüchtigen, kurzsichtigen Seitenblicke auf das Feld, das sie überqueren müssen. Der Schnee, der unschuldige Klumpen in ein Leichentuch hüllt und die mächtigen Krater weichzeichnet, bedeckt sowohl die feindlichen Toten als auch die des anderen Zugs, der es vor ihnen versucht hat. Die frischen Krater sehen wüst aus mit ihrem Kreis schwarzer Brocken, und der Gestank nimmt einem den Atem. Im Graben ein toter Deutscher mit wächsernem Gesicht, in Heldenpose festgefroren, und die neuen Jungen stampften mit den Füßen, weil auch die anderen es taten. Sie waren zu taub, um die Kälte zu spüren. Meist wanden sie schüchtern einen Fuß um den anderen ... An einem Baum lehnte ein Leutnant und hielt sich das verletzte Gesicht.

64 Lee mit einem Spezialhelm, geliehen von dem Fotografen
der US-Army Don Sykes (Sergeant). Normandie, Frankreich, 1944.
(Unbekannter Fotograf)

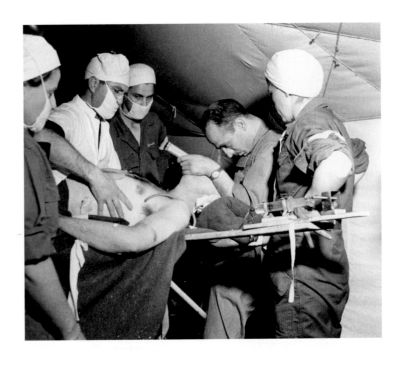

65 Ein sterbender Mann – von helfenden Händen gerettet. 44. Feldlazarett, Briqueville, Normandie, Frankreich, 1944. (Lee Miller)

66 Zerstörung der Zitadelle. Luftangriff, Saint-Malo, Frankreich, 1944. (Lee Miller)

67 Picasso und Lee in Picassos Studio während der Befreiung von Paris. August 1944. (Lee Miller)

68 Lee mit Michel de Brunhoff, dem Herausgeber der französischen *Vogue*. Paris, 1944. (David E. Scherman)

69 ›Rose Descats dark red felt hat rises high, fits closely – a line Paris loves‹. Paris, 1944. (Lee Miller)

70 Colette im Alter von 71 Jahren beim Sticken in ihrer Wohnung in der rue de Beaujolais 9. Paris, 1944. (Lee Miller)

71 Hôtel Scribe. Paris, 1944. (Lee Miller)

72 Eintreffen amerikanischer und marokkanischer Ersatztruppen, um den Kampf in der Region um Colmar, Elsass, zu unterstützen. 1945. (Lee Miller)

73 US-Panzerbesatzungen und Infanterie sind im Hof eines Bauernhauses im Elsass. 1945. (Lee Miller)

74 Toter Soldat. Lee schrieb: ›Dies ist ein guter Deutscher, er ist tot. Eine Arterienklemme hängt von seinem zerschmetterten Handgelenk.‹ Köln, Deutschland, 1945. (Lee Miller)

75 Die Tochter des stellvertretenden Bürgermeisters [Regina Lisso], Rathaus, Leipzig, Deutschland. Sie und ihre Eltern begingen Selbstmord, als die Alliierten die Stadt einnahmen. Lee schrieb: ›... sie hatte außergewöhnlich hübsche Zähne.‹ 1945. (Lee Miller)

76 Grauen eines Konzentrationslagers, unvergesslich, unverzeihlich. Buchenwald, Deutschland, 1945. (Lee Miller)

77 US-Sanitäter der Rainbow Company mit einem toten Häftling in Dachau, 30. April 1945. Einige Mitglieder der Truppe waren außerstande, das enorme Ausmaß des Leidens zu erfassen, und hielten das Lager für einen grausigen Propaganda-Coup ihrer eigenen Seite. (Lee Miller)

78 Hitlers Haus [Berghof], von SS-Truppen in Brand gesetzt. Dave Scherman, der Lee begleitete, nannte dies den ›Scheiterhaufen des Dritten Reichs‹. Obersalzberg, Bayern, Deutschland, 1945. (Lee Miller)

79 Lee in Hitlers Badewanne. Prinzregentenplatz 16, München, Deutschland, 30. April 1945. (Lee Miller mit David E. Scherman)

80 Lee. London, 1943. (David E. Scherman)

Er hinterließ einen blutigen Handabdruck und ging weiter. Dann stieg er in den Graben und ließ sich langsam auf dem Rand nieder, die Hände über dem Bauch. Dort saß er eine Weile. Soldaten, die vorbeigingen, sagten etwas zu ihm. Er winkte sie weiter. Einer blieb stehen, machte dann kehrt und ging wieder zum Posten zurück. Zwei deutsche Gefangene brachten unter Bewachung eine Bahre, doch er war tot. Zugedeckt ließen sie ihn am Straßenrand liegen. Der Wachsoldat und die Gefangenen salutierten und kehrten zum Posten zurück ... Welche Atavismen schaffen wir für Horden von Erwachsenen und Kindern, die in der Dämmerung aus ihren Kellern spähen und sehen, dass die fremden Männer, die vor dem ›Lärm‹ im Hof noch Suppe aßen, jetzt bleich und tot im Schnee liegen?

Nach der Rückkehr zu ihrer Basis im Hôtel Scribe strukturierte Lee ihre Geschichte und rekapitulierte die Situation. Inzwischen gab es so viele Korrespondenten in Europa, und die Konkurrenz um die ohnehin überstrapazierten Arbeitsmöglichkeiten, die die Armee zur Verfügung stellte, war gewaltig. Also ließ Lee sich bei der U.S. Air Force akkreditieren, die Journalisten weit bessere Möglichkeiten bot. Lee hatte jetzt den Vorteil, Filmmaterial und Sendungen per Luftfracht verschicken zu können, außerdem hatte sie *carte blanche* – sie konnte hingehen, wo immer sie wollte. Weit entfernt davon, Routineberichte über die Air Force abzuliefern, hielt sie sich an die Infanterie, deren Einsatz sie am meisten bewunderte.

Dave Scherman hatte sich für 120 000 Francs gerade erst einen großen 1937er Chevrolet gekauft, in düsterem Tarnoliv, mit einem großen weißen amerikanischen Stern auf der Kühlerhaube und in großen Lettern LIFE auf dem Kotflügel. Lee brach mit Dave auf nach Torgau, um über das Zusammentreffen von Russen und

Amerikanern am Elbufer zu berichten. Diese offizielle Begegnung der beiden Armeen war das Resultat eines zwischen Stalin, Churchill und Roosevelt auf Jalta geschlossenen Abkommens, das das Vordringen der Russen in Europa eingrenzen sollte.

Torgau wurde folglich Ziel eines riesigen Reporterschwarms. Dave hielt sich zurück, weil *Life* einen Kollegen mit der Geschichte beauftragt hatte, doch Lee sprang kurzentschlossen zu vier G.I.s der Kompanie H vom 273. Infanterieregiment der 69. Division auf einen schwer bewaffneten Jeep. Der Wagen raste durch Kleinstädte, deren Bewohner meinten, die gefürchteten Russen seien gekommen, und in alle Richtungen auseinanderstoben. »Displaced Persons« jubelten, und bewaffnete deutsche Soldaten versteckten sich. Die zerstörten Straßen von Torgau waren verstopft mit zwei Flüchtlingskolonnen, die in entgegengesetzte Richtungen unterwegs waren. Die Polen und Russen versuchten, Richtung Osten in ihre Heimat zu gelangen, während die Deutschen vor der Roten Armee nach Westen flohen. Am russischen Kommandoposten gab es das übliche Flaggenschwenken und Händeschütteln, doch wie durch göttliche Fügung bekam Lee ihre Fotos vor den übrigen Reportern. Wenig später begann der Wodka zu fließen, und alle betranken sich in einer Orgie ungestümer Umarmungen, mit Gejohle, Geschrei und Gewehrsalven in die Luft.

Die G.I.s waren fasziniert von den seltsamen, schwerfälligen Gestalten der russischen Krankenpflegerinnen. Die Frauen waren wenig geneigt, den amerikanischen Soldaten ihre Geheimnisse zu enthüllen, freundeten sich aber sofort mit Lee an und waren ihrerseits von ihrer Erscheinung fasziniert. Sie luden sie in ihr Quartier ein, wo einige sich auszogen und erstaunliche Büstenhalter aus schwerem Material mit Unmengen von dicken Trägern zum Vorschein brachten. Als Lee es ihnen nachtat, waren sie verblüfft, weil sie keinen BH trug, und bemitleideten sie für ihre vergleichsweise wenig üppige Ausstattung. Immer noch trudelten Presseleute ein, und bald hatte der Wodka das Treffen fest im Griff. Lee und Dave wussten, dass sie das Beste für ihre Geschichte bekommen hatten und wollten sich gerade davonmachen, als Marguerite Higgins von der *New York Herald Tribune* auftauchte. Sie beschwerte sich bei Dave: »Wie kommt es, dass jedes Mal, wenn ich irgendwo ankomme, um über ein Ereignis zu berichten, ihr beide, du und Lee Miller, gerade abfahrt?«

Auf dem Weg Richtung Süden stießen Dave und Lee auf eine Gruppe G.I.s, die die Keller eines Weinhändlers plünderten. Sie wollten nur die süßen Weine, deshalb suchte Lee nur die Sauternes und einige Liköre heraus. Es gab mehrere Kisten mit Himbeerschnaps, die Lee ›befreite‹ und den Inhalt in einen Wasserkanister umfüllte, um im Chevrolet Platz zu sparen. Der Kanister blieb für den Rest des Feldzugs im Wagen, und da Benzin kostbarer war als Gold, überraschte es niemanden, dass Lee ihn wie ihren Augapfel hütete. Doch es verblüffte Umstehende jedes Mal, wenn sie sahen, dass Lee mit offensichtlichem Gusto einen Schluck daraus nahm. Als der Pegel des Framboise sank, füllte Lee den Kanister mit beliebigem Schnaps oder Wein wieder auf, bis der Geschmack zwar unbeschreiblich, der Alkoholgehalt aber kaum noch zu überbieten war. (8)

Nürnberg wurde von den Truppen General Pattons eingenommen, der erklärte, München sei nur noch einen »Scheiß-Steinwurf« entfernt. Lee und Dave blieben ihm dicht auf den Fersen bis ins Presselager der 6. Armee. Der dortige Presseoffizier war der ehemalige *Life*-Reporter Dick Pollard, der Lees und Daves gesamtes Filmmaterial entgegennahm und es per Kurier nach England schickte. Er informierte sie auch, dass die 42. Rainbow Infantery Division am selben Abend das Konzentrationslager Dachau befreien werde.

Nach einem kurzen Feuergefecht mit den SS-Wachen auf den

Wachtürmen nahm die Rainbow Division das Lager ein. Frühmorgens am nächsten Tag waren Lee und Dave unter den Ersten, die das Lager betraten. Einige ihrer weniger hartgesottenen Kollegen erlitten Zusammenbrüche und mussten sich übergeben. Lee hatte Erfahrungen mit den Grauen des Krieges, und ihre vornehmliche Reaktion war absolute Ungläubigkeit. Sprachlos und benommen konnte sie das Ausmaß des Gemetzels, des willkürlichen Abschlachtens zunächst gar nicht erfassen. Einige der G.I.s, völlig unvorbereitet auf das Grauen dieser politischen und rassistischen Verbrechen, dachten zunächst, bei dem Lager handle es sich um grotesk gefälschte Propaganda ihrer eigenen Seite. Manche der SS-Wachen, die das Gefecht überlebt hatten, waren von den Gefangenen gelyncht worden. Ein paar Aufseher hatten versucht, in Häftlingskleidung zu entkommen, waren aber entdeckt worden; ihr wohlgenährtes Aussehen hatte sie verraten. Wenn sie das Glück hatten, von der Militärpolizei aufgelesen zu werden, krochen sie in ihren Zellen meist verzweifelt zu Kreuze und schluchzten um Gnade. Viele von ihnen waren verkrüppelt oder verwundet, was ihnen einen angenehmeren Posten als Lagerführer beschert hatte.

Vor allem der Geruch, der schreckliche, albtraumartige, ekelerregende Gestank war es, der im Gedächtnis derjenigen haften blieb, die an der Befreiung beteiligt waren. Sie erinnern sich, dass er beinahe mit Händen zu greifen war und sie das Gefühl hatten, ihn in ihrem ganzen Leben nie wieder loszuwerden. Und sie erinnern sich an die wie Brennholz aufgeschichteten Leichenberge. Alter oder Geschlecht waren nur ein vages Kriterium für die Aufteilung der Stapel. Männer hier, Frauen und Kinder dort. Diese Beweise für Massenexekutionen und qualvolle Hungertode ließen sich nicht vernichten, weil den Krematorien fünf Tage zuvor das Benzin ausgegangen war. Riesige offene Areale waren mit Toten und Sterbenden bedeckt, die in Exkrementen und Erbrochenem lagen. Jede der grassierenden Krankheiten von Cholera bis Typhus war für diese dramatisch unterernährten Körper tödlich.

Ein Nebengleis führte ins Lager, wo die Gefangenen am Ende einer Reise angekommen waren, von der es eindeutig kein Zurück geben sollte. Manche Züge mit geschlossenen Waggons und Viehwaggons waren so lang, dass ein Teil der Wagen außerhalb des Lagers hielt. Neben dem Gleis lagen die Leichen derer, die auf ihrem letzten Marsch gestorben waren; und dennoch behauptete die Zivilbevölkerung in der Stadt, man habe nicht die leiseste Ahnung vom Zweck des Lagers gehabt.

Ihre Empörung spornte Lee an, Fotos zu machen. ›ICH FLEHE DICH AN ZU GLAUBEN, DASS DIES WAHR IST‹, telegrafierte sie an Audrey Withers, denn sie wollte die Welt mit dieser Ungeheuerlichkeit konfrontieren. Es faszinierte die Häftlinge, wie sie sich zwischen ihnen bewegte. Ihre ausgebeulte Kampfuniform sollte von ihrem Geschlecht ablenken, doch der Lippenstift und die vereinzelten blonden Strähnen verrieten sie. Sie wurde staunend und voller Bewunderung angestarrt. Sie erinnerte sich an die Schokolade aus ihrer K-Ration, die sie in der Tasche hatte, und verschenkte sie unklugerweise. Dave zerrte sie fort von dem entstehenden Gedrängel, und danach blieben sie dicht beieinander. In einer der Baracken wollten sie eine Schlafstelle fotografieren, doch sämtliche Kojen waren mit den chronisch Kranken überfüllt. Hilfsbereite Häftlinge suchten in der ganzen Baracke nach jemandem, der gerade gestorben war, und zerrten die Leiche heraus, um die primitive Koje zu zeigen. Sie blieben einen Augenblick mit gesenkten Köpfen stehen und gedachten des Toten, dann forderten sie Dave und Lee auf, das Foto zu machen.

Die US-Kommandanten reagierten rasch auf die Situation in Dachau. Lastwagen wurden nach München geschickt und die Bestände ganzer Geschäfte mit Zivilkleidung und Bettzeug umgehend in das Lager gebracht. Sämtliches medizinisches Material sowie zivile Krankenhausbetten wurden beschlagnahmt, doch die Versorgung mit Essen war eine andere Sache. Die Mägen vieler Häftlinge waren so sehr geschrumpft, dass sie lediglich kleine Portionen Haferbrei vertragen konnten; jede substanziellere Nahrung führte zu heftigem Erbrechen und gelegentlich sogar zum Tod.

An jenem Abend in München erkämpften sich Lee und Dave ein Quartier im Kommandoposten der 45. Division am Prinzregentenplatz 16. Es handelte sich um ein schlichtes, altmodisches Eckgebäude, und es wurde zum Schauplatz eines der größten Coups von Lee und Dave. Der Eindruck von Unauffälligkeit setzte sich auch im Inneren fort mit einer Ausstattung und Möbeln, die jemandem mit mittlerem Einkommen und ohne Erbstücke hätten gehören können. Lediglich das Hakenkreuz in Kombination mit dem Monogramm A. H. auf dem Silber verriet, dass es sich um das Haus Adolf Hitlers handelte. Hier hatte der »Führer« gelebt und mit Chamberlain, Franco, Mussolini, Goebbels, Göring, Laval und vielen anderen konferiert.

Die komplizierte Telefonanlage in der angrenzenden Wohnung des Adjutanten funktionierte noch, also trieben Lee und Dave Lieutenant Colonel Grace auf, einen deutschsprachigen US-Offizier, und baten ihn, die Vermittlung anzurufen, die sich in einem anderen, noch nicht eroberten Sektor der Stadt befand. Auf einen Satz des Führers hoffend, forderte er eine Verbindung nach Berchtesgaden. Das Telefon klingelte, und jemand nahm ab. Doch offenbar wurde das korrekte Passwort nicht genannt, denn es wurde augenblicklich aufgelegt und die ganze Anlage abgeschaltet.

Lees erster Gedanke war, in die riesige Badewanne zu springen und sich nach Wochen zum ersten Mal wieder abzuschrubben. Dave fotografierte sie, mit den verschlammten Kampfstiefeln auf der Bademattte. Später inszenierten sie das Ulk-Foto eines G.I.s, der auf Hitlers Bett lümmelte und *Mein Kampf* las, während er ins

Feldtelefon sprach. Das Foto erhielt eine ganze Seite in *Life* und trug Dave eine der höchsten Auszeichnungen seines Berufslebens ein. Zur Erinnerung nahm Lee mehrere signierte Bände von *Mein Kampf*, Dankesbriefe an Frau Winter – Hitlers Haushälterin – und endlosen Krimskrams mit, einschließlich einer Fotografie von Hitler, die sie sich von jedermann im Kommandoposten signieren ließ.

Ungefähr drei Blocks entfernt, in der Wasserburger Straße 12, stand das verputzte quadratische Haus von Hitlers Geliebten, Eva Braun. Die kleinen Räume waren steif und unpersönlich eingerichtet, so, als wäre alles im selben Kaufhaus gekauft worden. Nur das Badezimmer verriet etwas von der Persönlichkeit der Bewohnerin; die Regale waren vollgestopft mit Medikamenten, die – wie Lee es ausdrückte – für eine ganze Abteilung von Hypochondern gereicht hätten. Sie schrieb: ›Ich habe in ihrem Bett ein Nickerchen gemacht. Es war bequem, aber auch makaber, auf dem Kissen eines Mädchens und eines Mannes zu schlummern, die tot waren, und froh zu sein, dass sie tot waren, wenn es denn tatsächlich stimmte.‹ (9)

Dick Pollard von der Presseabteilung der 6. Armee wies Lee und Dave an, so schnell wie möglich nach Salzburg zu fahren, denn das 15. Regiment der 3. Division unter dem Kommando von ›Iron Mike‹ O'Daniel war im Begriff, Hitlers Alpenfestung in Berchtesgaden zu stürmen. Die Fahrt dauerte einen Tag durch schwieriges Gelände, und an einer Stelle rutschte der Chevrolet von der Straße und musste von einem Bulldozer der Armee wieder herausgezogen werden. Unterwegs trafen sie auf eine Gruppe G.I.s, die an einem Mercedes Cabrio von 1939 die Fenster herausschossen. Dave überredete sie, damit aufzuhören, und im Gegenzug mit Lee für ein Foto für die Lokalzeitung zu posieren. Besitzer des Wagens war, den Papieren im Handschuhfach zufolge, ein ungarischer Luftattaché namens Futterer. Dave ging davon aus, dass das Gefährt offiziell nicht mehr gebraucht wurde, und ›befreite‹ es. Auf den Namen Ludmilla getauft, diente es viele Jahre, bis es schließlich in seine Einzelteile zerlegt wurde.

Die Einnahme der Bergfestung bedeutete für die 3. Division einen Sieg nach Punkten. Nach kurzem Kampf setzten die SS-Truppen Hitlers Chalet, das ›Adlernest‹, in Brand und flohen in die umliegenden Wälder. Dave und Lee betraten die Szene in der anbrechenden Dämmerung, als lodernde Flammen aus dem Scheiterhaufen des ›Tausendjährigen Dritten Reichs‹ schlugen. Sie stiegen auf den Berg hinter dem Haus und fotografierten sich gegenseitig. Überall ausschwärmende G.I.s. »Wie viele dieser Kerle habt ihr dort unten?«, dröhnte eine Stimme vom Berg. »Vier mit Beute und einer bewaffnet, Sir«, kam die Antwort kaum verständlich durch den Lärm des einstürzenden Mauerwerks und der brausenden Flammen. Am folgenden Tag stellte man fest, dass große Teile des Hauses und der unterirdischen Bunker unversehrt geblieben waren, doch rasch fanden sich Plünderer, und bald war kein Fitzelchen bewegliche Ware mehr übrig. Zuerst verschwanden die riesigen Wein-, Champagner- und Scotchbestände, die Hitler angehäuft hatte, obwohl er Gesundheitsfanatiker war und von sich behauptete, Alkohol und Tabak zu verabscheuen. Im Innern des Bergs verbanden meilenlange Tunnel die Wohnquartiere mit einer Bibliothek, einem Kino, einer Küche und mehreren Speisezimmern, ebenso gab es ein Lager für in ganz Europa erbeutete Schätze. Lee und Dave machten Fotos und verhalfen sich zu einigen Erinnerungsstücken. Dave nahm die Gesamtausgabe von Shakespeare in Übersetzung mit Hitlers Exlibris auf dem Vorsatzblatt, und Lee ging mit einem großen Silbertablett, das das eingravierte A. H.-Hakenkreuz-Monogramm trug. In ihrem Haus in London diente es später als Getränketablett.

Das Pressehauptquartier wurde in einem Schulhaus im nahe gelegenen Rosenheim eingerichtet. Am 7. Mai 1945 arbeiteten Lee und Dave gerade an den Artikeln und Bildunterschriften, als ein Soldat hereinkam und sagte: »Ich dachte, ihr würdet gerne erfahren, dass Deutschland sich soeben ergeben hat – der Krieg in Europa ist vorbei!« Die Anschläge von Lees Baby Hermes gerieten kaum ins Stocken, als sie den Blick hob. »Danke«, sagte sie. Dann hörte das Tippen auf. »Mist!«, brüllte sie. »Damit hat sich mein erster Absatz erledigt!«

Kapitel 8

Der Versuch, es in die Länge zu ziehen: Österreich

1945

Nach dem Waffenstillstand war alle aufputschende Anspannung plötzlich verpufft. »Eingekapselt in eine Mauer aus Hass und Abscheu« fuhr Lee quer durch Deutschland nach Dänemark mit dem Auftrag, über die Mode und das gesellschaftliche Leben in Dänemark zu berichten. Die Fotos, die sie jenseits ihres Auftrags machte, waren schön: ruhige Landschaften, Bauernhöfe, Märkte und Menschenmengen, die sich in den Kopenhagener Tivoli-Gärten amüsierten. Es war, als suche sie absichtlich nach einem optischen Gegenmittel zu dem vorangegangenen Grauen. Ihre Artikel verrieten mehr über ihren wahren inneren Zustand, und Audrey Withers musste die 8000 Wörter und drei Entwürfe kräftig zusammenstreichen, um einen Zusammenhang herzustellen.

Bei ihrer Rückkehr nach London wurde Lee bei der *Vogue* überschwänglich willkommen geheißen. Man veranstaltete ihr zu Ehren ein Mittagessen, und Harry Yoxall, der geschäftsführende Redakteur, hielt eine Lobrede auf ihre Arbeit und ihren Mut: »Wer sonst hat in gleicher Qualität über G.I.s und über Picasso berichtet? Wer sonst ist beim Tod Saint-Malos wie bei der Wiedergeburt der Modesalons dabei? Wer sonst kann von der Siegfried-Linie in der einen Woche zur neuen Hüftlinie in der nächsten umschwenken?« Des Weiteren zollte er Audrey Withers, ihrer Assistentin Grace Young, der Designabteilung und dem Studio seine Anerkennung, konnte sich jedoch die Behauptung nicht verkneifen, Lee sei nur dank der Initiative der *Vogue* losgeschickt worden, die Welt im Krieg zu fotografieren – was nicht zutraf.

Die Erlebnisse hatten Lee verändert, und das belastete ihre Beziehung zu Roland. Beide liebten einander immer noch, doch den Aufruhr in Lees Innerem begriff keiner von ihnen. Letztendlich ging es um einen grundsätzlichen Konflikt – er wollte ihr die

Flügel stutzen und sie zu Hause behalten, sie weigerte sich, sesshaft zu werden. »Ich bin nicht Aschenputtel, ich kann meinen Fuß nicht in den gläsernen Schuh zwängen«, sagte sie und strapazierte Rolands liberales Denken bis aufs Äußerste, indem sie von ihm verlangte, die Motive zu verstehen, die sie selbst nicht verstand. Allerlei unterschwellige Spannungen köchelten vor sich hin, bis es Ende August zu einer blitzartigen Entladung kam. Nach einem erbitterten, leidenschaftlichen Streit ging Lee türenschlagend.

Zurück in Paris, durchlitt sie eine Phase besonders grausamer Selbstzerfleischung, die durch die Folgen der ständigen Übermüdung, die sich erst jetzt zeigten, noch verstärkt wurde. Eine Zeitlang hatte sie ihre Lebensgeister mit Benzedrin angetrieben. Jeden Morgen wurde ihr Körper blitzartig in Alarmzustand versetzt, sobald das Medikament und der starke Kaffee zu wirken begannen. Nachts hinderten ihre vibrierenden Nerven sie am Schlafen, es sei denn, sie betäubte ihre Sinne mit Mengen von Alkohol oder starken Schlaftabletten. An manchen Morgen waren die üblen geflügelten schwarzen Schlangen, die träge in ihrem Kopf herumflatterten, nicht zu besiegen, dann lag sie den ganzen Tag weinend im Bett.

Zu ihrem Glück war Dave da – geduldig, verständnisvoll – und hatte, trotz seines überschäumenden Temperaments, mit ähnlichen Problemen zu kämpfen. Es war Daves Sinn für Humor, der Lee davon abhielt, sich etwas anzutun. Er konnte alles in einen Witz verwandeln, und er brachte sie zurück auf die Beine, indem er sie zwang, über sich selbst zu lachen. Langsam wurden die geflügelten Schlangen in ihre Höhle zurückgedrängt, wo sie wieder in einen leichten Schlummer fielen. Sie gewann ein gewisses inneres Gleichgewicht zurück und blickte, allen Umständen zum Trotz, wieder nach vorn. Der folgende Brief entstand vermutlich in einem ihrer ruhigeren Momente:

Liebster Roland,

ich habe Dich nicht vergessen. Jeden Abend, wenn ich die Zeit oder jedenfalls das Interesse hätte, Dir zu schreiben, denke ich, dass ich morgen die ultimative Antwort kennen werde oder dass meine Depression sich gelichtet oder mein Überschwang sich gelegt haben werde oder was auch immer –, so dass ich imstande sein würde, Dir einen kohärenteren Eindruck zu geben mit so etwas wie einer Entscheidung – sei es, dass ich hier bleibe oder dass ich geschlagen nach Hause komme. Dieser Augenblick wird niemals kommen. Das weißt Du schon seit Jahren. Ich litt entweder an Wörterdurchfall oder an Wörterverstopfung.

Als es zur Invasion kam – die Wucht des Beschlusses setzte eine Menge in Bewegung –, wurden meine ganze Energie und alle meine schon feststehenden, vorgefertigten Ansichten gemeinsam freigesetzt; ich habe gut und stetig, und, wie ich hoffe, überzeugend und auch ehrenwert gearbeitet. Jetzt leide ich an so etwas wie verbaler Impotenz – als es nötig wurde, sich nicht mehr zu fürchten (Du weißt, wie feige ich während des Blitzkriegs war), gelang es mir. Dies ist eine neue, desillusionierende Welt. Ein Frieden in einer Welt voller Betrüger, ehrlos, schamlos und ohne Integrität, ist nicht das, wofür die Menschen gekämpft haben.

An Weihnachten wurde ich von der Neuigkeit einer Ermordung [Admiral Darlan] geweckt. Erinnerst Du Dich, wie ich danach aufhörte, krank zu sein? Und wie der Mann mit einem Sarg vorbeikam, und ich anfing zu lachen? Und von da an war alles in Ordnung, weil ich wusste, dass wir ohnehin nicht für irgendetwas kämpften, das irgendjemand von uns wollte, und es spielte auch keine Rolle, wir hatten es am Hals, wie immer. Dann sah ich die Jungs, die grau waren oder blutig oder schwarz.

Die Jungs, die weiß waren vor Wut oder grün vor Müdigkeit und manchmal zitterten, weil sie Angst hatten, dann tat es mir furchtbar leid, dass der Krieg wegen nichts und wieder nichts stattfand – und war sehr wütend.

Tatsächlich leiden große Gruppen im Frieden an denselben Schocksymptomen, mit denen auch ich mich herumschlage – und damit meine ich keineswegs die Jungen, die nach Hause zurückkehren und feststellen, dass sie inzwischen von einer wohlwollenden mütterlichen Armee abhängig geworden sind – dass sie ihren Frauen entwachsen, gesellschaftliche Außenseiter oder Alkoholiker oder Misanthropen geworden sind. Es ist schlicht Ungeduld mit dem gemeinen Dreck, den jetzt jeder um sich schleudert, denkt man an die relative Reinheit und echte Vornehmheit der Männer an der Front, an die Männer und Frauen in den lausigen kleinen Jobs, von denen sie meinten, sie würden helfen, den Krieg zu gewinnen – oder an die Leute, die Schuldverschreibungen kauften, damit ihre schändliche Regierung weitermachen konnte, nachdem die Kriegsanleihen ausgegeben waren, und an Familien, die immer noch mit gekürzten Rationen auskommen müssen, damit ein Haufen habgieriger Schufte mit unersättlichem Appetit genug Schlagsahne auf ihren Kaffee bekommt. Eine weniger organisierte, zügellosere und unehrlichere Bevölkerung hat es in der Geschichte nie zuvor gegeben.

Das Zimmer und meine Angelegenheiten sind in einem heillosen Zustand, und ich bin unfähig, sie in Ordnung zu bringen; doch sie bedrohen und deprimieren mich ohne Unterlass. Paul geht nicht ans Telefon, auch Picasso und Dora melden sich nicht – die ganze Stadt ist zum Erliegen gekommen und geschlossen, nicht nur für den August, sondern auch für eine Reihe von Sieg-über-Japan-Tagen, die sich mit Himmelfahrt etc. abwechseln. Morgen, Samstag, breche ich in aller Frühe nach

Österreich auf, voller Grauen und Langeweile. Davie hängt noch hier herum und wartet darauf, dass ich abreise, denn er weiß, wenn er es nicht tut, werde ich nie aufbrechen.

In Liebe Lee

Die geflügelten Schlangen triumphierten insofern, als dies in den nächsten sieben Monaten Lees einziger Brief an Roland blieb – ein gefährliches Schweigen, das seine Liebe zu ihr beinahe zerstört hätte. Ihre Gleichgültigkeit ihm gegenüber entsprang der Tatsache, dass sie in ihm zu diesem Zeitpunkt lediglich einen weiteren flüchtigen Liebhaber sah. Sie mochte ihn zweifellos sehr, investierte aber nicht in eine Zukunft der Beziehung. Dazu kam die Tatsache, dass sie Dave für den Plan zu interessieren versuchte, in den Vereinigten Staaten als Fotografenteam zu arbeiten. Dave lehnte ab, denn er glaubte, er würde das zerstören, was er für eine stabile, dauerhafte Verbindung mit Roland hielt.

Lees erster Halt war Salzburg. Der Ort war ein einziges Chaos, Lastwagenladungen voller französischer, britischer, amerikanischer und sowjetischer Soldaten waren anlässlich der Festspiele in der Stadt. Die eleganten Hotels glichen Übergangslagern für »Displaced Persons«; ein babylonisches Durcheinander aus zehn oder elf Sprachen schwirrte durch die Luft. Fünfzig sowjetische Infanteristen, offizielle Gäste des US-Generals Mark Clark, bestaunten mit offenem Mund die Sehenswürdigkeiten und empfingen den Dirigenten Reinhardt Baumgartner wie einen Helden. Ein Großteil der Festspielorganisation lag in den Händen von Barbara Lauwers, einer jungen Tschechin, die eher tollkühne Spionage- und Sabotageaktionen gewöhnt war. Es gelang ihr, eine Gruppe guter Künstler zusammenzustellen, auch wenn sie solche, die zum Nazi-Regime mehr als Musik beigetragen hatten, abweisen musste. Baumgartner befand sich noch im Exil in der Schweiz und musste dort abgeholt und an der Grenze identifiziert werden; andere mussten in ihren Verstecken davon überzeugt werden, dass die Verfolgung zu Ende war. Eines der größten Probleme war die Lebensmittelversorgung, doch die Behörden ließen sich schließlich überzeugen, dass es sich bei Musik um schwere Arbeit handelte. Am Ende der Festspiele konnte man auf der Straße an den Gesichtern ablesen, ob jemand für sein Abendessen gesungen hatte. (1)

Musik überwand die nationalen Grenzen, und für wenige Stunden waren die Demarkationslinien zwischen den französischen, sowjetischen, amerikanischen und englischen Sektoren vergessen. Ein mit zahlreichen Orden geschmückter Russe teilte seine Noten mit einem adeligen ungarischen Grundbesitzer, der noch ein paar Wochen zuvor vor der anrückenden Roten Armee geflohen war. Das Sprachengewirr war außer Kraft gesetzt, während alle der großen Reinheit von Händels *Messias* lauschten oder sich von Mozart entzücken ließen. Überall war Musik, und Musikgeplauder wurde in Salzburg zur Lingua franca. (2)

Lee verliebte sich in die Oper und besonders in die Opernstars. Die Sängerin, die die Festspiele eroberte, war Rosl Schwaiger, ein einheimisches Mädchen aus einer armen Familie, deren Vater es gelungen war, sie ans Mozarteum zu bringen. In ihrem Manuskript für die *Vogue* beschrieb Lee Schwaiger als ein »niedliches kleines Mädchen, das aussieht, als würde es eine Erwachsene spielen, mit dem rosa Dreieckstuch, die Haare oben auf dem Kopf zusammengenommen, in Strümpfen statt Söckchen. Ich hörte sie als Blondchen in der *Entführung aus dem Serail*. Sie hatte alles – schauspielerisches Talent, Persönlichkeit und einen aufsehenerregenden Sopran.«

Schwaiger nahm Lee mit zur ehemaligen Residenz Max Reinhardts, dem an einem See gelegenen Schloss Leopoldskron. Für beide wirkten die zerbombten Gärten und vernagelten Fenster wie der perfekte Rahmen für eine romantische Oper, und Schwaiger flatterte durch den Schutt und schmetterte Arien.

Die aus Rumänien gebürtige Maria Cebotari sang die Constanze in der *Entführung* mit Bravour, obwohl sie gerade mehrere Nächte am Bett ihres Schauspieler-Ehemanns, Gustav Diessl, verbracht hatte, der einen Herzinfarkt erlitten hatte.

Maria Cebotari schlug vor, wir sollten das berühmte Gasthaus zum Weißen Rössl in Sankt Wolfgang besuchen. Sie fand nichts dabei, hinten auf einen mit Segeltuch abgedeckten Waffentransporter zu steigen und dreißig Meilen mit scharfen Kurven und scharfen Bremsungen über sich ergehen zu lassen. Sie genoss diese seltene Gelegenheit, da Zivilisten nicht reisen durften. Ich hatte immer geglaubt, Opernsänger hätschelten ihre Stimmen und gurgelten in unpassenden Abständen, doch sie scherte sich nicht um ihre fliegenden Haare und den aufwirbelnden Staub. Sie hat eine warme Stimme und eine herzliche Persönlichkeit. (3)

In Hermann Aichers Salzburger Marionettentheater wurde wegen der britischen und amerikanischen Soldaten Englisch gesprochen. Operetten wurden dort mit Sängern aufgeführt, die unter den Dielenbrettern versteckt waren. Eine Vorstellung, eine Jules-Verne-Parodie, handelte von einem Menschen, der zu einer Reise in einer Weltraumrakete eingeladen wird.

Die Rakete saust mit einem Knall funkensprühend über die 90 cm breite Bühne, was ein bisschen zu sehr an die VIs erinnerte, deren Empfänger Ende letzten Jahres ja wir gewesen waren. Sie landet auf einem seltsamen Planeten, wo die Blumen allesamt tanzen und sprechen, und die Bewohner kleinen Käfern gleichen. Es sind magere, eidechsenähnliche Wesen mit

grünlichen Schädeln und hervorstehenden Rippen, die herum-
kriechen und quakende Geräusche von sich geben ... es ist eine Komödie, aber ich lachte nicht. Die Rakete ist ernst, und die
Eidechsen-Wesen erinnern an Dachau. (4)

Nach zehn Tagen Salzburg reiste Lee weiter nach Wien. Aus
Angst vor Banditen, die angeblich abgelegene Gegenden unsicher
machten, versicherte sie sich der Gesellschaft Fred Wackernagels,
eines Reporters der US Army Informational Services. Östlich von
Linz zeigten sie ihre Papiere vor und erhielten eine dicke, perl-
graue Karte mit ihren Namen in geschwungenen, fließenden Kur-
sivlettern, die eher nach einer Einladung zur Vernissage einer
versnobten Kunstgalerie aussahen. Nach einer Fahrt über Neben-
straßen gelangten sie schließlich zu einem Checkpoint an einer
schmalen Brücke, die über einen kleinen Fluss führte. Zwei amerikanische Wachposten, die Russisch und Deutsch sprachen, waren auf der einen Seite stationiert und zwei sowjetische Wachen
auf der anderen. Auf der amerikanischen Seite die üblichen Wit-
zeleien: »Sagen Sie, junge Frau, sind Sie Fahrerin oder Krankenschwester?« oder »Sagen Sie, junge Frau, wie lange, glauben Sie,
hält das Auto noch?« oder »Hören Sie auf meinen Rat und geben
Sie ein Inserat dafür auf!« und nach einem Blick auf Lees ganze
Ausrüstung hinten im Wagen: »Ist das nicht typisch Frau, so viel
Gepäck mitzunehmen?«

Es gab nur wenige, für den eingeschränkten Verkehr notwen-
dige Straßenschilder; sie waren infanterieblau und mit kabba-
listischen Zeichen beschriftet – Kandelabern, Bettgestellen und
einer Auswahl unserer Buchstaben und Zahlen, auf den Kopf
gestellt oder rückwärts wie Hexenschrift. An den größeren
Kreuzungen wedelten Verkehrspolizisten der russischen Armee mit roten und gelben Flaggen unverständliche Komman-

dos von Stop-and-go, außerdem gelang es ihnen mit kunst-
vollen Handzeichen, so kompliziert wie der vorschriftsmäßige
amerikanische Messer-und-Gabel-Wechsel beim Essen, elegant
vor dem vorbeifahrenden Wagen zu salutieren. In jeder der an-
steigenden Haarnadelkurven Richtung Wien vollführte ein
Verkehrsregelsoldat dieses Kunststück, ich konnte den Gruß
allerdings nicht erwidern, denn um mein schwer beladenes Auto um die Kurven zu wuchten, brauchte ich beide Hände. (5)

Wien war in fünf Besatzungszonen eingeteilt: eine sowjetische,
eine französische, eine amerikanische, eine englische und die
fünfte und komplizierteste, die unter internationaler Kontrolle
stand. Bei den daraus entstehenden Rivalitäten wurde kein chau-
vinistischer Trick ausgelassen, doch der schlaueste Schachzug war
die Aufteilung der Stadt in drei Zeitzonen, mit dem Ergebnis, dass
Lee stets entweder zwei Stunden zu früh oder zwei Stunden zu
spät irgendwo auftauchte. Eine Sternstunde für die Bürokraten,
und die kosteten sie aus. Sämtliche Genehmigungen mussten in
vierfacher Ausfertigung vorliegen – eine für jede Nation –, doch
manche waren nicht lange genug gültig, um noch rechtzeitig vom
nächsten Land gegengezeichnet zu werden.
Sämtliche Hotels waren vom Militär beschlagnahmt worden,
und Unterkünfte aller Klassen protzten am Eingang mit zwei
Wachposten der einen oder anderen Nationalität, jeweils mit Ba-
jonett. Scheinbar überall dudelte leichte Musik – zu seicht für leere Mägen. Wegen der strengen Lebensmittelrationierungen – Fisch
oder Fleisch war praktisch nicht erhältlich –, waren in der Zivilbevölkerung Unterernährung und deren Begleiterkrankungen
weit verbreitet. Die amerikanischen Truppen waren wie immer
gut versorgt, doch die anderen Nationen befanden sich in einer
weniger glücklichen Lage. Um ihr Schicksal zu verbessern, wollten einige unternehmungslustige russische Soldaten mit einer ge-

streiften Zeltplane den teilweise ausgetrockneten Zierteich im Park Belvedere abfischen. Schnell hatten sie einen Eimer zappelnder Karpfen gefangen, doch die letzten zwei Fische entkamen der Gefangenschaft, bis einer der Soldaten seinen Revolver zückte und sie erschoss.

Am schlimmsten war der Mangel an Medikamenten und anderen medizinischen Versorgungsgütern, die nur für das Militär erhältlich waren. Die eigentlich gut ausgestatteten Zivilkrankenhäuser waren voller Patienten, die jedoch wenig Hoffnung auf Überleben hatten, da es an Medikamenten fehlte. Windeln und Verbandszeug konnten aus dem weichen braunen Einwickelpapier für Flugzeugteile improvisiert werden, doch für Penicillin gab es keinen Ersatz. Lee besuchte ein Kinderkrankenhaus und telegrafierte an Audrey Withers:

Eine Stunde beobachtete ich ein Baby beim Sterben. Als ich den Jungen zuerst sah, war er dunkelblau. Es war das dunkle, staubige Blau der Wiener Walzernächte, dieselbe Farbe wie die gestreiften Kittel der Skelette in Dachau, dasselbe Fantasieblau wie von Strauss' Donau. Ich hatte immer geglaubt, alle Babys sähen gleich aus, aber das galt für gesunde Babys; die Sterbenden haben so viele Gesichter. Dieses Baby war noch nicht zwei Monate alt, ein magerer Gladiator. Es keuchte und kämpfte und mühte sich um sein Leben, und ein Arzt, eine Nonne und ich standen einfach dabei und sahen ihm zu. Es gab nichts zu tun. In diesem schönen Kinderkrankenhaus mit den Kinderreimen an den Wänden und den vorhanglosen Fenstern, mit den sauberen weißen Betten, den glänzenden chirurgischen Instrumenten und leeren Medizinschränken gab es nichts zu tun, als ihm zuzusehen. Es entblößte seinen scharfen, zahnlosen Kiefer und ballte die Fäuste gegen den Angriff des Todes. Dieses winzige Baby kämpfte um seinen einzigen Besitz, sein Leben, als

könnte es etwas wert sein und als gäbe es nicht tausend andere genau hier, vor der Schwelle des Krankenhauses, die auf ein
Bett warteten als der Arena für ihren verlorenen Kampf.

An dieser Stelle durchbohrte Lees Bleistift das Notizbuch, als ihre
Wut überkochte: »Dies ist eine dumme, einfältige, blöde Stadt –
sie ist nicht böse, arglistig oder tragisch. Tragödie ist das Schicksal
derer, die es nicht verdienen, nicht die verdiente Gerechtigkeit
der niederträchtigen Nazis.«

Inmitten all dieser Verzweiflung und Niedergeschlagenheit eines prekären Daseins in der international kontrollierten Zone lebte ein liebenswürdiger, dementer alter Mann – Nijinsky. Angesichts eines unter der Naziherrschaft drohenden sogenannten
Gnadentodes für Geisteskranke hatte seine Frau sich gezwungen
gesehen, ihn während des ganzen Krieges zu verstecken. Seine
verwirrten Sinne gewöhnten sich gerade erst wieder an die Idee,
eine Straße entlangzugehen oder in einem Café zu sitzen. Lee beschrieb ihn in demselben Telegramm:

Er gleicht einem freundlichen, sprachlosen, zurückgebliebenen
Kind, geht mit der Krankenschwester in den Park und sitzt dort
und hängt seinen eigenen Gedanken nach, während seine Ehefrau Romola sich mit den verschiedenen Zumutungen des modernen Wiens herumschlägt, den Regulierungen, Warteschlangen, Räumungen und Passierscheinen, dem Tauschhandel und
den Erpressungen, alles noch vervielfacht durch die Formulare
der vier Nationen. Sie waren auf dem Weg nach Amerika gewesen, als sie im neutralen Ungarn festgehalten wurden. Nach
dem Einmarsch der Deutschen waren sie für ein Konzentrationslager vorgesehen, doch es gelang ihnen, nur Hausarrest
zu bekommen. Sie warteten, bis sie dachten, die Gestapo wäre
anderswo beschäftigt, dann flüchteten sie und versteckten sich

in Sopron, bis die Kämpfe und unsere Luftangriffe sie einholten. In ihrer Straße blieb allein ihre Villa stehen. Voller Furcht während der Kämpfe, vergaß Nijinsky seine Angst vor Uniformen, sobald er den Klang der russischen Sprache hörte. Zum ersten Mal sprach er wieder und tanzte um das Lagerfeuer. Die Soldaten waren schockiert, dass die große Nijinskaya keine Schuhe hatte, und bargen in der Nähe ein rotes Ledersofa aus dem Schutt und schusterten ihr ein Paar Sandalen. Sie sind nicht gerade Perugia, aber sie trägt sie beim ständigen Gehen und Stehen auf ihren Botengängen, die hier das moderne Leben ausmachen.

In gewisser Weise lungerte Lee in Wien nur herum und schlug die Zeit tot. Sie wollte eigentlich dort sein, wo man am schwierigsten hinkam. Da es sich trotz Audrey Withers Bemühungen als unmöglich erwies, ein Visum nach Moskau zu erlangen, wurde das benachbarte Ungarn ihr Ziel. Die Absurdität, mitten im Winter auf den Balkan zu reisen, erhöhte für Lee womöglich noch den Reiz, ein Land zu betreten, das den meisten Menschen ohnehin verschlossen blieb. Der Papierkram für ihre Einreiseerlaubnis zog sich wochenlang hin. Es hieß fortwährend Schlangestehen vor den verschiedenen Militärmissionen, meist mit dem Bescheid, es seien noch weitere Formalitäten zu klären, was bedeutete, dass sie in den folgenden drei Tagen fünf weitere Besuche bei verschiedenen Amtsstellen zu absolvieren hatte.

Bei diesen trostlosen, öden Gelegenheiten leistete ihr ein Kätzchen Gesellschaft, das sie aus der Gosse gerettet hatte. Auf den Namen ›Varum‹ getauft, begleitete es sie, eingeknöpft in ihre Uniformjacke, überallhin. Mit dem unfehlbaren psychologischen Spürsinn aller Katzen wusste Kater Varum genau, wann er auftauchen und für amüsante Ablenkung sorgen durfte, was bei steifen Amtspersonen regelmäßig Wunder bewirkte – bis auf eine

Ausnahme. Als er in der sowjetischen Mission gerade über den Schreibtisch eines Obersten stolzierte, knallte eine Tür. Nach seinen Erfahrungen mit Gewehrsalven und Bomben assoziierte Varum Krach mit unangenehmen Ereignissen, erschrak, stieß dabei das reichgeschmückte Tintenfass um und flutete die Schreibtischplatte. Der Oberst sprang hoch, röhrend wie ein Bulle; die Tür flog auf, und ein Wachposten der Armee stürzte herein. Varum erfasste die Szene mit einem Blick. Eindeutig der einzig sichere Ort war Lees Busen, und er startete in diese Richtung – via Schreibtischplatte. Die Tinte spritzte nach allen Seiten, als er zum Sprung auf Lee ansetzte. Ohne auf die tintenverschmierten Pfoten und den röhrenden Oberst zu achten, stopfte Lee ihn in ihre Jacke und floh.

Die Tage des Wartens auf die Passierscheine füllte sie, indem sie mit den anderen Korrespondenten herumalberte oder ihrem neuentdeckten Operninteresse frönte. Die Opernsängerin Irmgard Seefried nahm Lee mit zu einem Besuch des ausgebrannten Opernhauses. Das ganze Gebäude war ausgeweidet, da das Dach über der Bühne zuerst Feuer gefangen und das Proszenium wie ein riesiger Kamin gewirkt hatte. Auf einem Brett, das in den zerstörten Zuhörerraum hineinragte, stand Seefried und sang eine Arie aus *Madame Butterfly*. Die Akustik war immer noch beeindruckend, und das Krachen der Hämmer und herabstürzenden Mauerbrocken bildete einen dramatischen Kontrapunkt.

Als die Reiseerlaubnis schließlich erteilt wurde, mussten die Blödeleien aufhören. Lee war sich nicht ganz sicher, ob sie froh war oder es bedauerte, wieder unterwegs zu sein. Am 25. Oktober brach sie, gegen jeden guten Rat, in ihrem Chevrolet mit Varum und zwei Passagieren auf, um über Land die ungarische Grenze zu erreichen.

Kapitel 9

Letzter Walzer: Osteuropa

1945-1946

Lees Hochgefühl darüber, dass sie etwas erreicht und die lange, schwierige Reise nach Budapest erfolgreich geschafft hatte, ist aus einem Brief an einen Wiener Freund ersichtlich. Der Mann wurde nie identifiziert, doch das ist nicht von Bedeutung. Vielleicht handelte es sich auch nur um einen weiteren Brief, den Lee niemals abschickte. Vielleicht hatte sie nie die Absicht gehabt, es zu tun, und es war einfach ihre Art, ihre Abenteuer aufzuzeichnen und ihre Gedanken zu ordnen.

Donnerstg. Abend, 25. Okt. 45

Lieber Ralph,

Ihr hättet wirklich zusammenlegen und ein paar Wetten abschließen sollen, ob ich mein Ziel erreiche oder nicht – wie hoch war die Wahrscheinlichkeit überhaupt? Es war eine lange, menschenleere Straße, und die Wachen sagten mir, ich sei die Einzige, die an diesem Tag dort passiere.

Die Abenteuer waren gutes Kino, darunter auch die Verfolgungsjagd durch bewaffnete russische Wachposten, die sich von beiden Seiten stetig meinem Auto näherten. Einer von ihnen setzte sich vor mich und blockierte die Straße. In größter Unschuld war ich einfach durch einen Checkpoint durchgefahren. Ein äußerst mürrischer Grobian zerrte meine beiden Reisebegleiter aus dem Wagen und winkte sie mit seiner Maschinenpistole in eines der Autos. Er selbst stieg neben mir ein und brummte etwas von *schnell* und anderen Richtungen. Sein großer Revolver bohrte sich mir sehr unangenehm in die Rippen, und Varum entschied sich, spielen zu wollen, und zwang mich, mehrere Male mit langem Arm nach ihm zu greifen, was meinen Bewacher nur noch mehr verärgerte. Natürlich fuhr ich so langsam wie möglich – es war ein äußerst miserabler Straßenabschnitt, und als er mich aufforderte, schneller zu fahren, fuhr ich gegen einen Höcker und bremste, so dass er mit der Nase gegen die Windschutzscheibe stieß, was ihn für die nächsten zehn Kilometer ruhigstellte. Nachdem wir in Bruck mehrere Gebäude abgeklappert hatten, gelangten wir schließlich in eine Hauptkommandatur und wurden von einem richtigen Colonel, einem Major und weiteren Persönlichkeiten empfangen. Alle waren ausgesprochen höflich, wenn auch irritiert von der Kombination aus einer amerikanischen Fahrerin, einem an Gelbsucht erkrankten ungarischen Major und einem österreichischen Radiokünstler, der im Auftrag des Roten Kreuzes unterwegs war.

Dann erschien ein extrem gutaussehender, charmanter Lieutenant Colonel und übernahm das Kommando. Er sprach besser Englisch als wir, hatte einen großartigen Humor und alle seine Sinne beisammen. Nach einem Kreuzverhör, warum ich, eine akkreditierte Kriegskorrespondentin, als Fahrerin fungierte und nicht als Sekretärin oder Kollegin, sprachen wir über Filme und neue Bücher. Er wird wahrscheinlich sofort versuchen, sich nach Wien versetzen zu lassen, weil er sich so für das österreichische Kino interessierte. Meine Papiere waren in Ordnung, abgesehen davon, dass der schöne Brief von Major Betz auf Papier von so schlechter Qualität geschrieben war, dass niemand wirklich glauben konnte, er sei mit der Autorität der amerikanischen Regierung ausgestattet. Wir einigten uns auf Papierknappheit wegen der zahllosen Dreifachausfertigungen und verabschiedeten uns.

An der ungarischen Grenze wurde der österreichische Pass des Schauspielers einer genaueren Prüfung unterzogen. Inzwischen war es bereits dunkel und schon spät. Die Donau war schon seit Stunden eine Art Chimäre, bis Budapest endlich wie eine juwelenbesetzte Ikone am anderen Ufer aufragte. Ich war müde vom Fahren zu dritt auf dem Vordersitz. Die Anspannung war den ganzen Tag über furchtbar gewesen, und das Hotel Bristol war grausig – leer, düster, und es roch nach feuchtem Gips und Rattenkot. Meine Begleiter bestanden darauf, einen besseren Ort für mich zu finden, deshalb versprachen wir, wiederzukommen, und machten, dass wir davonkamen. Varum, der den ganzen Tag alle bezaubert und Herzen erweicht hatte, sprühte immer noch vor Energie und Charme. Ich vermisste ihn erst, als wir das Astoria betraten. Zuletzt war er auf meinem Sitz gesehen worden, als wir vor dem Bristol ins Auto stiegen, und ich raste zurück wie die Feuerwehr, in der Hoffnung, im Scheinwerferlicht ein kleines grünes Augenpaar zu entdecken. Er lag auf dem Gehsteig, mausetot – ganz aufgeplustert und mit Buckel, als gebe er sich als Krieger. Ich konnte fünf Minuten lang nicht einmal weinen, doch als ich es dann konnte, waren es Tränen sowohl über die angesammelte Enttäuschung von Wochen als auch über den Verlust meines Lieblings so kurz vor dem Ziel. Im Astoria wurde ich in einem kahlen Zimmer ohne Bettlaken untergebracht, und Dein Wecker klingelte mich in einen neuen Tag; ich hatte meinen roten Schal (eine ehemalige Nazi-Flagge) über das Kopfkissen gebreitet, um wenigstens in meinem eigenen Schmutz zu liegen, und wegen der Tränen färbte die Farbe auf meine Nase und Augen ab. Trotzdem luden mich ein paar Militärpolizisten in ihre Messe ein, was wunderbar war. Nachdem ich Rühreier serviert bekommen und verspeist hatte, aß ich noch drei Spiegeleier. Der Kaffee war gut, die Butter echt und der Toast nicht nur leicht angekohltes warmes Brot. Die Unterhaltung war herzerwärmend. Der für die Kontrolle der Passierscheine zuständige Sergeant sagte, sie hätten mich schon seit Wochen erwartet, wo ich denn gesteckt hätte? Colonel Hegge meinte, ich könne nicht im Astoria bleiben, sondern müsse in das Kloster übersiedeln, wo ich jetzt bin und den Straßenbahnwagen zuhöre, die quietschend vorbeifahren.

Nach dem Abendessen war ich im Park Club, um etwas zu trinken, dann zurück, um Dir zu schreiben. Bei einem Gang durch die Straßen mit einer jungen englischen Korrespondentin in Zivil kam ich mir wie eine Lesbe vor. In der Tasche hielt ich meine kleine Walther fest und fand es sehr merkwürdig, dass ich die Schutzgewalt für einen anderen Menschen war.

Der oberste Colonel der US-Mission war dort an der Bar und gab uns im Gespräch einen finsteren Einblick in das, was er real erlebte. Er meinte, Korrespondenten störten ihn bei seinen Aufgaben und beeinträchtigten auch die Arbeit der Mission – sie verursachten zu viel Ärger und kämen nur, um auf Motivjagd zu gehen. Senatoren seien noch schlimmer und gäben am Tag manchmal fünftausend Dollar aus – gerieten aber wenigstens nicht in Kneipenschlägereien wie manche Journalisten. Er glaubte nicht, dass überhaupt irgendjemand je eine Geschichte ablieferte, dass sie vielmehr die Vorteile ihrer Rolle als Kriegskorrespondenten nutzten, um es sich gutgehen zu lassen. Er war glücklich, dass er die ganzen Passierschein-Angelegenheiten schließlich an die Russen delegiert hatte; jetzt konnten die zusehen, wen sie, je nach Lust und Laune, rein- oder draußen ließen – und taten das auch. Gleichzeitig gab er zu, dass der russische General völlig entnervt war, auf einer Liste 36 Leute mit einer Einreiseerlaubnis zu sehen, wenn dann nur ein sehr kleiner Prozentsatz von ihnen nach all der Arbeit, die es bedeutete, sie vor der Einreise zu durchleuchten, überhaupt auftauchte. In der Tat, wo hatte ich denn diese Wochen über gesteckt ...? Nun, ich bin froh, dass ich jetzt hier bin, aber es sieht wirklich so aus, als sei die Verzögerung allein meine

Schuld, weil ich diesen alten Bullen vor ein paar Wochen nicht bei den Eiern gepackt und mich in Bewegung gesetzt habe. Außerdem vermisse ich Dich.

In Liebe Lee

Die faschistischen ungarischen Truppen und ihre deutschen Verbündeten waren vom Rückzug abgeschnitten und hatten sich in Budapest in einem verzweifelten Stellungskrieg gegen die Russen verschanzt. Sie wurden zurückgeschlagen bis zu der antiken türkischen Festung von Buda und verteidigten sich nach siebenwöchiger Belagerung in letzter Verzweiflung in den Kellern und Tunneln unterhalb der Festung. Die luftlosen, verdreckten Bunker waren bereits voller Flüchtlinge, die sich zu Beginn der Kämpfe dorthin gerettet hatten, in der Erwartung, es sei nur für ein paar Tage. Die Brücken über die Donau, die Buda und Pest verbanden, waren alle zerstört, und die provisorischen wurden oft genug von Eisschollen davongespült.

Ein unveröffentlichter Teil von Lees Manuskript für die *Vogue* lautet folgendermaßen:

Das von einer Mauer umschlossene Wohngebiet Var mit seinen schmalen Gassen beherbergte in hübschen Häusern die großen Namen und Familien Ungarns. Artilleriefeuer und gezielte Bombardierungen haben den Palast und viele Häuser beschädigt oder zerstört und die Krönungskirche verwüstet, auch die kleine Konditorei Ruszwurm wurde in die Luft gejagt; dort hatten während der letzten fünfundzwanzig Jahre die aus Zucker gesponnenen Reliefs mit Blumen und Hochzeiten den hitzigen Auseinandersetzungen und dem Nebel der Korruption getrotzt, während die Gattinnen von Ministern und Palastbeamten, von Verrätern und den wenigen Männern guten Glaubens vor Teetassen und Gästelisten über die Entsorgung der Demokratie und Geografie im Verein mit den Karrieren ihrer Männer stritten.

Das katholische Kloster der Barmherzigen Schwestern, in dem Lee untergekommen war, lag in der Stefania Ut. Es war inzwischen das inoffizielle Pressequartier der US-Journalisten, darunter John Phillips von *Life* und Simon Bourgin von *Stars and Stripes*, die ebenfalls dort wohnten. Lee entschied, dass sie einen Dolmetscher und einen Assistenten brauchte, und der richtige Ort für ihre Suche schien das Studio des hervorragenden ungarischen Fotografen Bela Halmi zu sein. Sie erfuhr, dass der Maestro wegen eines verworrenen Delikts, das niemals völlig aufgeklärt wurde, im Gefängnis saß. In seiner Abwesenheit leitete sein Sohn Robert das Studio; und als Lee hereinplatzte, spielte er gerade in aller Ruhe eine Partie Schach. Chespy, wie Lee ihn nannte, war aus einem deutschen Gefangenenlager in der Tschechoslowakei entkommen und hatte die Belagerung Budapests knapp überlebt, als das Gebäude, in dem er sich versteckte, bombardiert wurde. Er sprach fließend Ukrainisch, Russisch, Ungarisch und Englisch, und Temperament und Pfiffigkeit erlaubten es ihm, sich relativ ungehindert zu bewegen. In einer Zeit, in der Menschen mit einer Kamera generell nicht willkommen waren, sollten sich diese Eigenschaften noch als äußerst nützlich erweisen.

Viele Jahre später erinnerte sich Halmi:

Lees Story lautete »Damenmode nach der Belagerung«. Die Kämpfe zwischen Russen und Deutschen hatten die halbe Stadt in Schutt und Asche gelegt. Die Story war Mist: Ich machte die Mädchen ausfindig, die ich kannte, und damals wurde aus jedem Fetzen Mode. Die Mädchen waren so hübsch, dass die Mode keine Rolle spielte. Ich war rund um die Uhr mit Lee zusammen. Ich war nicht erotisch von ihr angezogen. Sie war viel zu maskulin für einen jungen Ungarn. Meist trug sie diese ausgebeulten Militärhosen und trank zu viel. Sie war eine ausgezeichnete Fotografin, und sie wusste genau, was sie tat. Außerdem war sie absolut furchtlos. Wahrscheinlich wäre sie hundert Mal vergewaltigt worden, wenn die Russen sie nicht für einen Jungen gehalten hätten. Zudem besaß sie einen wunderbaren Sinn für Humor. Das war eine ihrer besten Eigenschaften. Wir wurden gute Freunde, und ich brachte sie jeden Abend nach Hause, wenn sie betrunken war. Im Kloster war es nicht einfach: Lee hatte den Nonnen Lippenstift und Seidenstrümpfe geschenkt, und Margit Schlachta, die Schwester Oberin, war strikt dagegen. Sie meinte: ›Das macht man nicht in einem Kloster.‹ Ich sagte, das hätten wir nicht gewusst. Es gab hysterische Anfälle, als eines Morgens eine Nonne in Lees Zimmer kam und mich auf Lee sitzen sah, während sie im Bett lag und ich ihr den Rücken massierte. Ich versuchte gerade, sie wiederzubeleben, ich machte das jeden Morgen. Sie hatte festgestellt, dass sie so ihren Kater loswurde, und so war es ihr am liebsten. Schlachta sagte zu uns: ›Auch das machen wir nicht.‹ – auf Ungarisch natürlich. Ich antwortete: ›Es tut mir leid, aber auch das wusste ich nicht, ich habe nie in einem Kloster gelebt.‹

Nachdem Lee schon beinahe einen Monat im Kloster wohnte, rettete sie einige Ungarn vor der Verhaftung durch die Russen. Sie brachte die Flüchtlinge in ihrem Zimmer unter und zog zu Bourgin und Phillips. Die Schwester Oberin war außer sich: »Wir haben die Milos überlebt, die Nazis und den Kommunismus überstanden, aber ihr Leute seid einfach zu viel!«, rief sie. Das Unvermeidliche geschah: Als ein weiterer Korrespondent mit einer Prostituierten in seinem Zimmer erwischt wurde, wurden sie *en masse* vor die Tür gesetzt.

Das gesellschaftliche Leben in Budapest spielte sich im Dunstkreis des Park Clubs ab. Dieser glamouröse Zufluchtsort war einst einer der exklusivsten Clubs der Welt gewesen, die hoch geschätzte Domäne des ungarischen Adels, der zu dieser Zeit, abgesehen von seinen Titeln, von seinem gesamten Besitz enteignet worden war. Man verließ sich jetzt auf Einladungen der derzeitigen Pfründeinhaber, der alliierten Offiziere der Kontrollkommission, um zu dieser Bastion früherer Privilegien Zugang zu erhalten. Dank der unglaublichen Inflationsrate, die den ungarischen Pengő de facto wertlos machte, stellten die ungefähr hundert Amerikaner, die in Dollar bezahlt wurden, voller Überraschung fest, dass sie die Elite einer neuen Aristokratie ausmachten. Kein Wunder also, dass die Amerikaner, die Luxus zu schätzen wussten, und die Aristokraten, die sich sehnsüchtig daran erinnerten, so gut miteinander zurechtkamen. Die Briten, die das Pech hatten, in Pengős bezahlt zu werden, und die Russen, die überhaupt kaum bezahlt wurden, hatten nicht so viel Glück.

Einladungen in den Park Club waren unter ungarischen Intellektuellen und entwurzelten *bons viveurs* sehr begehrt. Es war nicht nur die Aussicht auf gutes Essen und Unterhaltung durch die ›Two Georges‹, eine Band, die von allen anderen Budapester Bands beneidet wurde, weil sie immer an die neuesten Noten aus den USA kamen. Dort bot sich auch, dank der Kellner als willigen Komplizen, die Gelegenheit, das letzte goldene Zigarettenetui zu verhökern oder doch noch die Diamantohrringe loszuwerden und dafür ein paar Dollar zu ergattern.

Besonders frequentiert waren die freitäglichen Gala-Abende, denn sie waren die letzte Chance, noch am selben Wochenende zu einer Jagdpartie gebeten zu werden. Dieser Sport war zu einem Geschäft geworden, da das Wild sich an sämtliche Restaurants der Stadt verkaufen ließ. Eingeladen wurden nur die besten Schützen, da sich mehr als zwei Patronen pro Treffer nicht lohnten. Die Jagden fanden auf riesigen Landgütern statt und wurden von denjenigen veranstaltet, denen man sie erst vor Kurzem weggenommen hatte. Es war nicht ungewöhnlich, dass ein Graf oder Baron den neuen Besitzern begegnete, die wenige Monate zuvor noch in ihren Diensten gestanden hatten. In dem Wissen, dass das Glück sich jederzeit wenden kann, verbeugten sich die neuen Besitzer tief vor ihren früheren Herren und sagten: »Ich bitte um Entschuldigung, dass ich unerlaubt Ihren Besitz betrete – bitte verzeihen Sie mir –, ich träume von dem Tag, an dem Sie zurückkommen.« Es war eine gute Versicherung gegen den nächsten Machtwechsel.

Auf dem Land kam die Lebensmittelproduktion zum Erliegen, da die Bauern sich weigerten, ihre Produkte gegen wertloses Geld abzugeben, und die meisten Städter griffen auf Tauschhandel zurück. Eine Einkaufstour machte in beide Richtungen einen schwer bepackten Korb erforderlich. Ein Kilo Salz, eine gestohlene Uniform, ein paar leere Flaschen, Beutegut aus den Häusern von Menschen, die interniert waren – alles konnte gegen Essen eingetauscht werden. Es war die städtische Unterschicht, die am meisten litt. Kleinbauern gingen wieder zur Selbstversorgung über, und Handwerker, die ihr Geschick vermarkten konnten, kamen am besten weg.

Die einzigen Ressourcen der Aristokraten waren, von den wenigen geretteten Erbstücken abgesehen, ihr Verstand und ihre natürliche Widerstandskraft. Jahrhunderte eines prekären Status hatten dafür gesorgt, dass sie aus gutem Holz geschnitzt waren. John Phillips beschrieb sie als Menschen, deren »Kindermädchen sie barfuß durch Brennnesseln laufen ließen und ihnen, wenn sie weinten, den Hintern versohlten. Jetzt suchten sie eine reguläre Anstellung, und ihre Frauen taten es auch. Letztere wurden Bardamen oder Taxifahrerinnen und gingen zur Arbeit in ihren Nerzmänteln, bis auch diese verkauft waren.« (1)

Von den Männern war Lee allerdings wenig beeindruckt. Sie zählte »Drogenhandel, Sitzenlassen schwangerer Freundinnen, Schwarzmarkthandel, Stehlen der Penicillinvorräte des Landes, Sex mit der eigenen oder einer fremden Ehefrau in dem Wissen, dass man eine Geschlechtskrankheit hatte, und das Anschwärzen von Rivalen wegen politischer Allianzen, für die sie ins Kittchen wandern konnten«, als durchaus übliches Sozialverhalten auf. Über die Frauen schrieb sie:

Die Frauen waren durch eine harte Schule gegangen. Ihnen wurden Mut, Ausdauer und ein tief sitzendes Wertempfinden beigebracht. Einige Gesetze verurteilen Frauen zur Besitzlosigkeit, deshalb lernten Mädchen schon bei den ersten Tränen wegen eines Spielzeugs, dass sie für alles, das sie je besitzen wollten, würden kämpfen müssen – sei es ein Ehemann, Eigentum oder Macht. Sie wurden von den englischen Kindermädchen schikaniert, die die Wärmflaschen lieber den Jungen gaben, sie brachen sich die Knochen bei der Jagd, gebaren Kinder oder trauerten ohne einen Mucks und waren außerdem ergebene Ehefrauen und obendrein wunderschön.

Jetzt zahlt es sich aus. Wer von den Männern noch übrig ist, scheint ausnahmslos in Banken oder Büros zu sitzen und am Nutzen seiner Arbeit zu verzweifeln. Diese Männer quälen sich mit politischen Intrigen in den Ministerien herum oder arbeiten weiter als Direktoren lahmender Industrieunternehmen, und das für ein Jahressalär, das nicht einmal die monatlichen Kosten für die elektrische Beleuchtung deckt. Die praktisch veranlagten, logischen Frauen wussten, dass nichts erledigt werden würde, wenn sie es nicht mit eigenen Händen täten, und krempelten die Ärmel hoch, streiften ihre Ringe ab, verkauften sie einen nach dem anderen, und machten sich an die Arbeit. Die Gräfin Almassy, eine international bekannte

Pferdezüchterin und Reiterin, verdient ihren Lebensunterhalt als Chefin des Wiederaufbaus der Margaretenbrücke. Nach sechs Monaten führt sie jetzt zwei Mannschaften und hat einen Fahrer. In der eiskalten Morgendämmerung füttert sie die Pferde und schirrt sie an, dann geht sie an die Donau und schleppt Bauteile und Trümmer.

In vielen der ›Espressos‹, Cafés und Restaurants rekrutiert sich das Personal aus der ehemaligen Hautevolee der Stadt. Anfangs hatte es vielleicht noch etwas Snobistisches, wenn die Chefs Baroninnen und Gräfinnen als Kellnerinnen oder Spülerinnen beschäftigten, doch die wussten, wie guter Service auszusehen hatte, und schämten sich nicht, ihn zu leisten. Im Winter waren diese Stellen besonders begehrt – es gab Wärme, eine tägliche Mahlzeit und Geplauder mit den befreundeten Kundinnen. Das Gewerkschaftsregister der Kellnerinnen und Kindermädchen von Budapest liest sich wie der Gotha, und dank ihrer praktischen Erfahrung mit Arbeitgebern erkennen diese Frauen, dass diese schrecklichen Revolutionäre, die ›Gewerkschaften‹, womöglich eine Idee verfolgten.

Baronin Elisabeth Ullmann liefert mit dem Fahrrad Muffins aus, die ihre Tante gebacken hat, und die Prinzessin Gabriella Esterházy ist, nachdem sie ihren geschlossenen Wagen während der Belagerung für Essenstransporte benutzt hat, inzwischen im Möbelspeditionsgeschäft tätig.

Das Vermögen von Joseph Graf Teleki und seiner Frau wurde nach dem letzten Krieg durch Bankenkonkurse und die Inflation von 1920 vernichtet. Er wurde daraufhin Direktor einer Käsefabrik und ging schließlich unter ziemlich bescheidenen Umständen und mit angeschlagener Gesundheit in Rente. Jetzt sind sie erneut bankrott. Sie gehen kilometerweit zu Fuß zu der Käsefabrik und stolpern mit einer Ladung Käse zurück, die sie in der Stadt von Tür zu Tür anbieten; und niemand, am wenigsten sie selbst, findet es bemitleidenswert, dass ein alter, tauber, rheumatischer Mann und eine zarte, dünne Frau wieder ganz unten anfangen müssen. (2)

Auch berühmte Künstler und Wissenschaftler waren gegen solche Schicksalsschläge nicht gefeit. Lee besuchte Albert Szent-Györgyi, der für seine Arbeit über das Vitamin C den Nobelpreis bekommen hatte, und musste feststellen, dass er mehr Energie darauf verwandte, sich selbst und seine Angestellten zu ernähren und unterzubringen, als für seine Forschungen. Er war gezwungen gewesen, ins Schwarzmarktgeschäft einzusteigen, um sein Labor zu finanzieren. Der Bildhauer Sigismund de Strobl war in einer besseren Lage dank der neuen Nachfrage der Alliierten nach Kriegsdenkmalen, insbesondere die Sowjets gaben mit Vorliebe erhabene, von Siegesfiguren gekrönte Säulen in Auftrag.

Auf der Suche nach Abenteuern außerhalb der Stadt fuhren Lee und Chespy nach Mezökövesd, einem Städtchen im Nordosten, das berühmt war für die reich geschmückten, bestickten Trachten seiner Bewohner. Oktober und November waren besonders farbenprächtige Monate des Jahres. Nachdem die Ernte sicher eingebracht war, die Tage kürzer wurden und Zeit vorhanden war, dachten junge Pärchen vermehrt an die Ehe, und allerorten wurde gefreit und geheiratet. Ledige Mädchen auf der Suche nach einem Ehemann promenierten abends regelmäßig zu viert oder sechst durch die Straßen, an Sonn- und Feiertagen sogar den ganzen Tag. Und wenn ein Mädchen erfolgreich promeniert hatte, fand sie sich bald darauf in ein beeindruckendes Arrangement aus wasserfallartigen weißen Fransen verpackt, die in der Taille mit bunten Bändern zusammengehalten wurden. Hochzeitsfeierlichkeiten dauerten mehrere Tage und wurden begleitet von den romantischen, sinnlichen Melodien wandernder Musikkapellen.

Lee konnte sich frei bewegen und fotografierte mit Chespys Hilfe im gesamten Dorf.

Ich hatte gerade erst mit der wundersamsten alten ›Dame‹ (dieses eine Mal benutze ich das Wort korrekt) gesprochen, die einen Kopfputz aus großen rosa Pompons und ein schwarzes Trauerkleid trug. Sie saß auf dem Ofen und zeigte mir, wie sie die freihändigen Blumenzeichnungen anfertigte, die die einheimischen Frauen dann in der Winterzeit ausstickten, nur dass es jetzt kein Garn mehr gab – als ich verhaftet wurde.

Der staubige kleine russische Soldat mit dem Banjo-Gewehr hatte es eilig. Er schrie immerzu DAH VYE!, DAH VYE! Das bedeutet ›los, los‹, ist aber auch russischer Militärslang für ›her mit deiner Uhr, deinem Gewehr oder was auch immer‹. Zunächst ist es sehr beängstigend, russische Soldaten miteinander reden zu hören. Sie schreien aus Leibeskräften in einem Ton, als wäre es das Vorspiel zu einem Axtmord. Das erste Mal, als ich eine derart freundlich und höflich geführte Unterhaltung hörte, hielt ich instinktiv nach Deckung Ausschau, wo ich mich im Falle einer Schießerei verstecken könnte. Ihre Brüllerei erwies sich als Gespräch über den fröhlichen Abend zuvor und eine Einladung ins Theater.

Ich wurde in die Provinzhauptstadt Miskolc eskortiert und verbrachte die nächsten Tage in der Kommandantur. Ich saß in schmucklosen Räumen unter einem Stalin-Foto und wurde von Offizieren diversester Abstufungen in Rang, Liebenswürdigkeit und Truppengattung interviewt, durchleuchtet und aufgefordert zu warten. Jedermann war sehr höflich und geduldig, und man bot mir köstliche Zigaretten mit langen, papierenen Spitzen an. Ich stand unter Bewachung, war aber nicht im Gefängnis, sondern in einem guten Hotel untergebracht, zu Preisen, die sich am Vorkriegs-Pengő orientierten.

Ich brachte dem diensthabenden Offizier, der für mich verantwortlich war, dieses Spiel mit der Papierserviette auf einem Glas bei; man brennt mit der Zigarette Löcher hinein, bis die Münze schließlich ins Glas fällt, und wir spielten sämtliche Spiele, die man mit Münzen anstellen konnte, da es keine Streichhölzer gab. Wir malten Bilder von imaginären Ungeheuern, indem jeder einen Kopf zeichnete und das Blatt verdeckt an den anderen weitergab, der dann den Körper malte. Ungarische Spielkarten verwirrten mich, darauf sind Glocken und andere Symbole abgebildet, die ich nicht kenne, außerdem sind die Karten rund.

Mir fiel nichts ein, was ich falsch gemacht haben könnte. Reichte es für Sibirien? Würde man meine Kameras beschlagnahmen? Würde ich aus Ungarn ausgewiesen werden?

Nach Lees Verhaftung fuhr Chespy sogleich zurück nach Budapest. Die Situation war ihm wohlbekannt, und er wusste genau, was zu tun war. In seinem Studio fälschte er rasch einen Pass. Er musste wichtig aussehen, deshalb bestand der Einband aus rotem Karton, und es gab ein Foto von Lee mit einer Vielzahl leicht verschmierter, offiziell wirkender Gummistempel. Der Eintrag besagte, dass Lee Erlaubnis habe, überallhin zu reisen und Kinder zu fotografieren.

Die Wachen in Miskolc waren äußerst beeindruckt; sie hatten noch nie einen so prächtigen, gewichtigen roten Pass gesehen und ließen Lee umgehend frei. Mittlerweile standen sie alle miteinander auf so freundschaftlichem Fuß, dass es ihnen wahrscheinlich sogar peinlich war, sie unter Arrest zu halten. Lee fuhr in ihrem Manuskript fort:

Ein paar Tage später kehrte ich an den Schauplatz meines Verbrechens und meiner Verhaftung zurück und stattete meinen

Wachen einen Höflichkeitsbesuch ab. Sie freuten sich über mein Erscheinen, veranstalteten mir zu Ehren eine Party und nahmen mich mit ins Theater. Wir tanzten im Café und tranken tausendmal auf unsere Präsidenten und Premierminister, unsere Helden und unsere abwesenden Freunde. Wir beschrieben unsere Länder, kritisierten unsere Feinde, und am nächsten Tag fühlten wir uns miserabel. (3)

Ein paar Tage später trafen sich Lee und John Phillips in aller Herrgottsfrühe in dem eisigen Vorzimmer der Todeszelle von László Bárdossy, dem ehemaligen faschistischen Premierminister Ungarns, der in Kürze als Kriegsverbrecher gehängt werden sollte. Im Gefängnis kam es zu einem Stromausfall, und sie mussten im Licht einer defekten, rauchigen Öllampe endlos warten. Ein unveröffentlichter Teil von Lees Manuskript lautet folgendermaßen:

Als der Gendarm uns nach draußen schickte, konnten wir das angespannte Gemurmel mehrerer hundert Menschen hören, die die Erlaubnis erhalten hatten, der Hinrichtung durch den Strang beizuwohnen, und darauf warteten, von hinten in den Hof zu gelangen. Im Hof selbst war es beinahe hell – so hell es wahrscheinlich bei diesem Wetter und zwischen diesen Mauern je werden würde. Der gesamte Aufbau wurde gerade geändert. Anstelle des großen, balkendicken vertikalen Pfahls stapelten Wärter Sandsäcke vor der Mauer. Man hatte sich umentschieden und gönnte Bárdossy die Würde eines Exekutionskommandos. Die Menge drängte näher und kletterte auf die Fenstersimse – verrückte große, schwere Steine und schob einen Wagen als provisorische Tribüne heran. Es wurde ein langes Warten.

Einige Beamte traten mit Papieren und Akten an den Tisch unter meinem Fenster. Dann, in Begleitung eines Priesters und einiger Gendarmen und unter dem Raunen der unruhigen, schweigenden Menschenmenge, trat nassforsch ein kleiner Mann durch einen dunklen Torbogen. Er trug noch denselben Knickerbockeranzug aus Tweed, die knöchelhohen Stiefel mit den umgeschlagenen weißen Socken wie bei seiner Verhaftung. Er hielt sein schnabelartiges graues Gesicht hoch gereckt, seine Haltung war stramm. Er lauschte den Worten des Richters, und als er auf die Sandsäcke zuging, wedelte er mit der Hand und verweigerte die Augenbinde. Die vier Gendarmen, die sich freiwillig zu der Exekution gemeldet hatten, hatten nebeneinander Aufstellung genommen und warteten auf den Schießbefehl. Sie standen weniger als zwei Meter von ihm entfernt. Bárdossys Stimme erklang in einem hohen Krächzen: ›Gott bewahre Ungarn vor all diesen Banditen.‹ Ich glaube, er war im Begriff, noch etwas zu sagen, doch das chaotische Stakkato der Gewehrschüsse übertönte ihn. Er wurde gegen die Sandsäcke geschleudert, machte eine Pirouette nach links und stürzte zu Boden, die Knöchel ordentlich gekreuzt.

Er war tot, bevor das Geräusch der Schüsse aus zwei Metern Entfernung ihn erreicht haben konnte. Der Priester, der ganz in der Nähe stand, kniete nieder und betete zehn Minuten lang. Er hatte eine schlimme Erkältung und griff immer wieder in seinen spitzenbesetzten Ärmel nach einem sehr zerknüllten Taschentuch. Die Gefängnisärzte horchten den entblößten, reglosen Brustkorb ab. Ein kleines goldenes Kreuz lag an einer Kette auf einem der Einschusslöcher. Die vierte Kugel hatte ihn am Kinn getroffen, das mit einem Taschentuch bedeckt worden war. In meinem üblichen Lokal, dem Café Floris, redeten alle über die Erhängung. ›Ist es nicht entwürdigend, ihn zu hängen wie einen gewöhnlichen Verbrecher, der Strang für einen so ausgezeichneten, hervorragenden Premierminister?‹ Ich stürzte ein großes Glas hinunter und meinte:

›Es ist in Ordnung, am Ende wurde er doch erschossen.‹ ›Nein, er wurde erhängt!‹, und sie erzählten weiter ihre Geschichten. In der nächsten Version hatte man ihn erschossen, und er hatte sich vierzig Minuten unter Qualen gekrümmt. Man hatte keine Gnade walten lassen, und Fotografieren war der Presse verboten. Und so wurde immer weiter ausgeschmückt. Am Ende würde er zu einem großen Helden werden, und eines Tages würde ich auf dem Weg zur Exekution der jetzigen demokratischen Führer eine Straße entlanggehen, die man zu seinen Ehren ›Bárdossy-Straße‹ genannt hätte. Ich gab auf und überließ Ungarn seiner Fabelwelt. (4)

Weihnachten und Neujahr verbrachte Lee in Budapest auf wilden, alkoholgetränkten Partys im Park Club mit den Korrespondenten und ihren aristokratischen Gefolgsleuten. John Phillips, ein Meister darin, gellend durch die Finger zu pfeifen, erinnert sich, dass er am Silvesterabend durch Lees Finger pfiff, etwas, das er noch nie zuvor getan hatte. Doch unter der frivolen Oberfläche spielten sich immer auch Tragödien ab, in die Lee und ihre Kollegen verwickelt wurden, wenn sie versuchten, Penicillin aufzutreiben, einem kranken Kind Blut zu spenden, Flüchtlingen Pässe zu beschaffen oder Menschen aus dem Gefängnis zu holen. Der Krieg handelte nicht länger von heroischen Zugewinnen und Rückschlägen; es drehte sich nicht mehr alles um ausgebombte Flüchtlinge oder das Leid der Soldaten. Jetzt ging es um das universelle, massive Elend unzähliger, jammervoller Zivilisten.

Weder Phillips noch Lee schienen die leiseste Ahnung zu haben, was sie eigentlich mit ihrem Umherziehen auf dem Balkan bezweckten. »Es ist meine verdammte innere Unruhe«, schrieb Lee an Dave, »ich muss einfach unterwegs sein.« Lees ›Ausrede‹ für weitere Reisen war natürlich ihre Arbeit für die *Vogue*, doch

Harry Yoxall wurde immer unbehaglicher zumute, als Lees Spesenabrechnungen eintrudelten, das verwendbare Material aber nur noch hereintröpfelte. Tatsächlich war Lee auf der Flucht vor sich selbst.

Rumänien war ihr nächster Zufluchtsort. Ende Januar nahm sie bewegt Abschied von Chespy und brach mit Phillips im Chevrolet Jemima zu einer Fahrt über die weiten Ebenen im Südosten Ungarns auf. Phillips' Fahrer Giles T. Schultz begleitete sie in einem altersschwachen Jeep. Streckenweise war das Land so flach und eintönig, dass die Erdkrümmung den Horizont um sie herum als perfekten Kreis erscheinen ließ. Die Fahrzeuge krochen wie Insekten entlang eines Meridians, der nachlässig auf die flache Scheibe gekritzelt war, die da im All hing. Ab der rumänischen Grenze veränderte sich die Landschaft allmählich und wurde abwechslungsreicher, bis sie zu dem hügeligen, bewaldeten nördlichen Vorgebirge der transsilvanischen Alpen gelangten. In ihrem Artikel für die *Vogue* schrieb Lee:

Die Augenlider gegen die blendende Helligkeit fest zusammengekniffen, blickte ich auf die verschneite Weite aus weißen Ebenen und wunderschönen, von einem blauen Himmel gekrönten Bergen. Das war Rumänien, und ein später Schneesturm hatte alles unkenntlich gemacht. Siebenbürgen, diese Provinz, ist ohnehin von etwas zweideutiger Nationalität: Jeder Krieg verschiebt es auf die ungarische Seite der Grenze. Jetzt ist es wieder Rumänien, so wie damals, als ich 1938 dort zu Besuch war.

Ich war von Rumänien begeistert. Die Menschen waren romanischen Ursprungs, die Sprache war verständlich oder, wenn man Französisch oder Italienisch konnte und die Endung ›iuls‹ abzog, zumindest lesbar. Falls man nicht lesen konnte, gab es an den Geschäften neben der Tür einfache, fröhliche

Zeichnungen, z. B. von Schweinekoteletts, Würsten, Hüten, Handschuhen, Hämmern, Sägen und Pflügen und was auch immer, das sie drinnen auf Lager hatten. Die Bäuerinnen webten ihre eigenen Stoffe mit traditionellen, einheimischen Mustern und bestickten ihre Schaffellmäntel mit Blumensträußen und dem Kaufdatum. In den Marktflecken konnte man anhand der Stickmuster einer Jacke, der Farbe oder Webart eines Schals feststellen, aus welchem Dorf jemand stammte. In den Dörfern gab es quirlige Musik mit Melodien, die so fröhlich waren wie die Kleidung, und die Bräuche waren sogar noch fantastischer.

In dieser offenkundigen Wildnis gab es keine Verkehrsschilder. Die ungarischen Ortsnamen waren beseitigt und die rumänischen noch nicht aufgestellt worden. Ich hätte auch gut in Russland oder Michigan oder Patagonien sein können, anstatt so langsam in Siebenbürgen voranzukommen. Die Straßen waren höllisch – tiefe Schneeverwehungen wechselten sich ab mit vereisten Kurven, wo ein scharfer Wind die Straße frei blies. Als die Dämmerung anbrach, hatten wir noch immer nicht Sibiu erreicht, wo wir auf ein Hotel hofften. In meiner Erinnerung war Sibiu eine geheimnisvolle Stadt. In den Straßen gibt es Treppen und unter den Häusern Arkaden, und in die schrägen Dächer waren kleine Fenster eingelassen, die wie spähende, spionierende, taxierende Augen aussahen. Ich dachte gerade an die bösen Blicke von Sibiu, als ich ins Schleudern geriet und wir durch eine endlose, steile Kurve bergab rutschten und, mit dem Kühler in der falschen Richtung, in einer talwärts geneigten Schneeverwehung landeten.

John Phillips erinnert sich an Lees kaltblütige Bemerkung: »Es tut mir wahnsinnig leid, John«, als der Chevrolet über den Straßenrand pflügte, durch junge Schösslinge krachte und endlich in einem verrückten Winkel zum Stehen kam. Sie bekam ihn nicht wieder flott. Einem Kommando russischer Soldaten gelang es dann beinahe, den Wagen mit ihrem Laster wieder auf die Straße zu ziehen, doch sie gaben auf, als ihr eigenes Gefährt über den Rand zu stürzen drohte. Ihr Jeep war kaum noch fahrtüchtig, doch Lee und Phillips türmten ihre wertvollsten Sachen hinein und fuhren los, um Hilfe zu suchen. Als sie zurückkamen, war das Heckfenster des Chevrolets eingeschlagen und alles gestohlen. Kleidung, Rationen, Karten, Benzin waren verschwunden, und schlimmer noch: auch alle vier Räder. Lee und ihre Begleiter ließen zwei russische Soldaten als Wachen zurück und machten sich auf den Weg nach Sibiu.

In Lees Artikel heißt es weiter:

Es war eine absolute Katastrophe. Schließlich schlief ich mit Hilfe der zwei Schlaftabletten, die ich seit Beginn des Krieges in meiner Tasche hatte, und quälte mich mit klugen Ideen, für die ich zuvor zu müde und von dem rüden Stoß des Steuerrads in meinen Magen zu geschockt gewesen war. Mir fielen ein Dutzend Möglichkeiten ein, wie ich den Unfall entweder hätte verhindern oder wieder in Ordnung bringen können, von denen eine einzige bereits ausgereicht hätte. Ich hätte mir nicht ausreden lassen dürfen, Ketten aufzuziehen. Man hatte uns davor gewarnt, nach Einbruch der Dunkelheit unterwegs zu sein, und wir hätten auf zusammengerollten Decken in der dortigen Polizeistation kampieren sollen. Ich hätte nicht an die bösen Blicke von Sibiu denken sollen, sondern an meine Fahrweise. Ich hätte ein paar Benzinkanister und Gepäck ausladen sollen, um den Wagen leichter zu machen. Ich hätte bis auf den Erdboden hinuntergraben und Erde auf das Eis streuen sollen. Ich hätte mein ganzes Gepäck mit in den Jeep nehmen sollen. Ich hätte beim Auto bleiben sollen, während der Jeep

81 Die Wiener Opernsängerin Rosl Schwaiger vor dem ›perfekten Hintergrund einer romantischen Oper‹ – Schloss Leopoldskron. 1945. (Lee Miller)

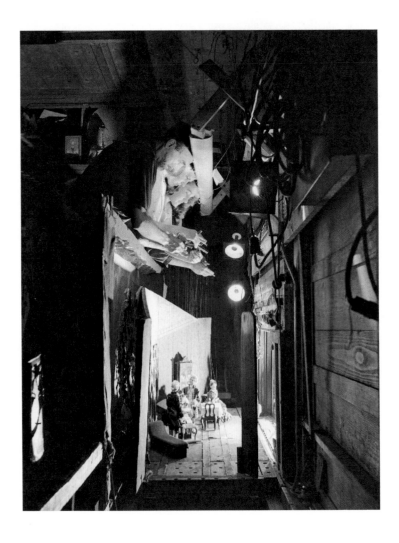

83 Opernstar Irmgard Seefried singt in der ausgebrannten Wiener Oper eine Arie aus *Madame Butterfly*. 1945. (Lee Miller)

84 Sterbendes Kind im bestens ausgestatteten Wiener Kinderspital, wo es alles gab außer Medikamenten. 1945. (Lee Miller)

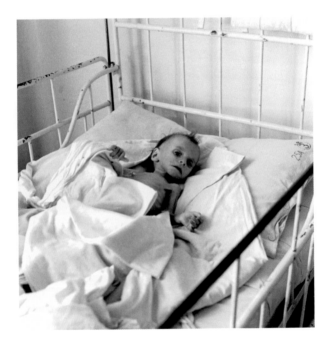

85 Vaslav Nijinsky in Wien mit seiner Frau Romola, die ihm sehr
ergeben war. Sie versteckte ihn vor den Nazis aus Angst, aufgrund
seiner Geisteskrankheit könnte er Opfer der Euthanasie-Kampagne
werden. 1945. (Lee Miller)

86 Alte Frau mit Feuerholz. ›Field of Blood‹ [Vérmező-Park],
Budapest, 1945. (Lee Miller)

87 Obdachlose Mädchen in Ungarn. 1945. (Lee Miller)

88 Atelier von Sigismund de Strobl, ›bekanntester Bildhauer‹.
Budapest, 1945. (Lee Miller)

89 Diese ›wundersame alte Dame‹ fotografierte Lee gerade in Mezőkövesd, als sie verhaftet wurde. 1946. (Lee Miller)

90 ›Der Park Club, Mekka des gesellschaftlichen Budapest‹.
Budapest, 1946. (Lee Miller)

91 László Bárdossy, faschistischer ungarischer Ex-Premierminister, vor dem Erschießungskommando. Budapest, 1946. (Lee Miller)

92 ›Die Augen von Sibiu‹. Piata Mică, Sibiu, Rumänien, 1946.
(Lee Miller)

93 Der Friedhof von Sinaia mit den Gräbern von 1000 Soldaten der U.S. Air Force, die während der Luftangriffe auf die Erdölraffinerien in der Stadt Ploieşti starben. 1946. (Lee Miller)

94 Harry Brauner (Musikgelehrter) und Maritza [Maria Lataretu]
(rumänische Volkssängerin). Die trommelförmigen Behälter
enthalten von Brauner gesammelte Volksmusikaufnahmen an der
Universität Bukarest. 1946. (Lee Miller)

95 Königinmutter Elena von Rumänien. Peleş-Palast, Sinaia,
Rumänien, 1946. (Lee Miller)

96 Lee bei der Massage durch einen rumänischen Tanzbären.
Sie nannte es die ›einzig wirksame Behandlung von Fibrose‹. 1946.
(Harry Brauner mit Lee Miller)

eine Wache holte. In der größten Not war mir nicht eine dieser endlosen Möglichkeiten eingefallen – sie fielen mir erst jetzt allmählich ein und verursachten mir eine schlaflose Nacht. (5)

Am folgenden Morgen machten sie unter den schrottreifen Taxis von Sibiu einen antiquierten Chevrolet ausfindig. Sie mieteten ihn für einen Dollar fünfzig die Stunde und schraubten die Räder ab. Später am selben Tag, nach viel risikoreicher, mühseliger, harter Arbeit wurde ihr Wagen vorübergehend mit den geliehenen Rädern bestückt und zu einer Werkstatt gefahren, wo Lee ihn, auf Blöcken aufgebockt, offiziell aufgab. Worüber sie in ihrem Artikel hinwegsah, war die Tatsache, dass das Auto eigentlich Dave Scherman gehörte, der nicht allzu erfreut darüber war, was mit seinem 1500-Dollar-Auto passiert war, das ihm viele Monate später von der amerikanischen Militärmission zurückgegeben wurde.

Der erste Mensch, nach dem Lee in Bukarest Ausschau hielt, war Harry Brauner. Das letzte Mal hatte sie ihn kurz vor dem Krieg in London gesehen, als er beim Folklore-Festival in der Royal Albert Hall eine Calusari-Bauerntanz-Truppe begleitet hatte. Der Auftritt war ein durchschlagener Erfolg gewesen; die Fußböden ihres kleinen Hotels in Kensington waren durch die stampfenden Füße bei den Proben allerdings beinahe pulverisiert worden.

Harry fand sich an der Bukarester Universität, wo er nach einigen beinahe tödlichen Jahren in einem Arbeitsbataillon vor Kurzem wieder seine Arbeit als Dekan für Musikgeschichte aufgenommen hatte. Sein gewaltiges Archiv aus Wachszylinder-Tonträgern mit Zigeuner- und Volksmusik war wundersamerweise intakt geblieben.

Neben ihren zahlreichen eingebildeten Leiden wie ›Stärkevergiftung‹ hatte Lee auch eine echte Krankheit – eine Bindegewebsentzündung. Diese Muskelbeschwerden verschlimmerten sich noch durch ihre Lebensweise, wenn sie z. B. in eine Decke gewickelt auf der Erde schlief. Sie war überzeugt, die einzige Möglichkeit, ihren schmerzenden Knochen Erleichterung zu verschaffen, sei die Massage durch einen karpatischen Tanzbären. In Begleitung Harrys brach sie auf, um jemanden zu finden, der einen Bären besaß, doch aufgrund der Siedlungsbestimmungen der Regierung und der Verfolgung von Nicht-Ariern durch die Faschisten waren sowohl Zigeuner als auch Tanzbären beinahe ausgelöscht. Zuerst suchten sie in den Bukarester Zigeunervierteln und Slums und hielten nach den alten Bärenhotels Ausschau. Hier Lees Beschreibung:

Bei einem Bärenhotel handelt es sich eigentlich um ein Café in einem Hof, wo die Tiere schlafen und ihre Besitzer sich neben ihnen zusammenrollen, so halten sie einander warm. Café-Hotels mit dieser Art Kundschaft haben gewöhnlich keine anderen Gäste.

Wir blieben erfolglos, bis Harry Brauner seinen Mund-zu-Mund-Informationsdienst in den Dörfern aktivierte. Sechzig Kilometer von der Hauptstadt entfernt erklärte ein Notar, der einzige Telefonbesitzer in diesem Ort, sein Dorf sei ein Zentrum der Bärenausbildung. Wir heuerten dasselbe uralte Taxi mit dem liebenswürdigen Fahrer an, der uns geholfen hatte, die Außenbezirke abzuklappern, und rumpelten auf beängstigend holprigen Straßen in eine geheimnisvoll nebelverhangene Landschaft, knirschten durch Schnee und Fahrrillen bis zu einer typisch ländlichen Gemeinde: verputzte, strohgedeckte, einstöckige Häuser mit vernachlässigten Gärten. Die zahllosen Sonnenblumenstiele sahen aus wie die Zigeunerzelte, die ich vor dem Krieg gesehen hatte. Es wirkte falsch, dass sie in Häusern wohnen sollten.

Es gab nur noch eine einzige Bärin. Aber eine war alles, was ich brauchte ... Meine Bärin schlief. Sie war inmitten einer Streu aus Maiskolben an einen Pfosten gekettet. Bei jedem Atemzug stoben aus ihren Nüstern schnaufend zwei Dampfwolken in die frostige Luft. Schläfrig und griesgrämig schnappte sie ein paar Mal nach ihrem Besitzer. Den ganzen Winter war sie nicht zum Einsatz gekommen, deshalb hatte sie sich in den Winterschlaf zurückgezogen und reagierte mürrisch, als sie wieder arbeiten sollte.

Sie legten der Bärin einen Maulkorb an und führten sie zu einer offenen Fläche vor dem Haus ihres Besitzers, wo sie weiter knurrte und brummte, bis die Musik einsetzte. Die schrillen Querpfeifen und das Schlagen der Trommeln machten ihr Beine, und aufgerichtet stampfte sie mit den Hinterbeinen im Takt zu den verschiedenen Rhythmen, allein in einem Solo, aber auch mit ihrem Besitzer als Partner.

Mehrere Dutzend rotznasiger Gören drückten sich johlend herum, und beinahe die gesamte Nachbarschaft hatte sich eingefunden, um zu sehen, was los war. Ich hatte bei meiner magischen Behandlung nicht mit der Ermutigung durch so viele Zuschauer gerechnet, aber aufhalten lassen wollte ich mich davon nicht.

Ich wurde aufgefordert, mich mit dem Gesicht nach unten auf einen grellbunten Teppich zu legen, den sie auf der gefrorenen Erde ausgebreitet hatten. Nun, ich hatte es gewollt, jetzt war es so weit! Ich zeigte Harry, wie man meine Rolleiflex bedient, und hatte eine Unmenge böser Vorahnungen, als ich meine Kilo gegen die beinahe dreihundert Pfund aufrechnete. Ich erhaschte einen Blick auf die langen Klauen des Biests und beschloss, meinen Mantel anzubehalten, ein einheimisches Produkt aus gewendetem Schaffell, dick und fest. Mir war ohnehin furchtbar kalt.

Die Bärin verstand ihr Geschäft. Sie tappte sachte, wie auf rohen Eiern, auf allen vieren meinen Rücken hinauf und hinunter. Jede dicke Pfote suchte sich ihren Weg, bis sie eine Stelle fand, wo sie sich nicht eindrückte, und so wurde das Gewicht mit sehr geringfügigen Schwankungen von einem Fuß auf den anderen verlagert. Als erneut die Musik einsetzte, erhob sich die Bärin auf die Hinterbeine und bewegte sich mit schleifenden Schritten auf meinem Rücken auf und ab. Es war zermalmend und erhebend. Alle meine Muskeln zogen sich zusammen und entspannten sich wieder, um nicht plattgetreten zu werden. Dann wurde die Bärin weggeführt und kehrte, mit dem Kopf in die andere Richtung, zurück. Sie pflanzte ihren großen, pelzigen, warmen Hintern in meinen Nacken und rutschte mit sachten Bewegungen von oben bis hinunter zu den Knien und wieder zurück. Anfangs hielt ich meine Fäuste unter das Schlüsselbein, um sicher zu sein, dass sie mir keinen unerwarteten Schlag verpasste. Die Menge Luft, die ich erwischte, während sie sich zentimeterweise vorwärtsbewegte, genügte, es war, wie in einem See aus Blei zu kraulen.

Ich fühlte mich herrlich danach, hatte eine fantastische Blutzirkulation, war beweglich und energiegeladen. Ich stellte fest, dass ich meinen Nacken und meine Schultern auf eine Art wieder bewegen konnte, die ich längst vergessen hatte. Dies war die Antwort auf mein ›Oh, meine Rückenschmerzen!‹.

Der Besitzer war hocherfreut. Dass er nicht seine Bärenhaut riskiert hatte, sondern sich standhaft, wie von der Gendarmerie angeordnet, nicht von der Stelle gerührt hatte, war belohnt worden. Das Geld, das wir ihm gaben, im Gegenwert von eineinhalb Dollar, war alles, was wir nach zwei Monaten Wanderschaft noch bei uns hatten. Zunächst wollte er gar nichts nehmen. Er bat lediglich darum, dass wir versuchen sollten, dass der Bann über die Bären aufgehoben würde, und sie wieder legal durch das Land wandern könnten. Es war schwer, ihm zu erklären, dass dies aus hygienischen Gründen geschah, weil man die Zigeuner für die Überträger von Typhus hielt, aber wir sagten, wir würden tun, was wir konnten, auch wenn es uns nicht gefiel und wir Zweifel hatten, dass es, vor Ende der epidemischen Monate des Frühjahrs, günstige Ergebnisse geben würde. (6)

Nördlich von Bukarest, die Südhänge der Karpaten im Rücken, liegt die ehemalige rumänische Sommerhauptstadt – Sinaia. Die an einen Kurort erinnernde Atmosphäre mit Casinos, Skisport und Grandhotels schien sehr genau zu dem Sammelsurium diverser, heterogener königlicher Paläste zu passen. Im größten und fantastischsten wurde Lee von seiner Majestät, König Michael, und seiner Mutter, Königin Elena, empfangen, obwohl sie eigentlich in einer gemütlichen nahen Villa lebten. Lee schrieb:

Die formellen, übermäßig retuschierten Porträts einer unter ihren Perlen fast erstickenden Dame, die ich von ihrer Majestät in all den Cafés und Amtsstuben gesehen hatte, flankiert von Bildern des verträumt dreinblickenden Michael, waren eine schlechte Vorbereitung auf meine Begegnung mit dieser anmutigen, schönen Frau mit Sinn für Humor und sehr viel Charme. Sie trug Grün, und selbst ich erkannte, dass ihre straußeneigroßen Perlenohrringe echt waren, ungeachtet der Tatsache, dass sie mit größter Schlichtheit und vollendeter Haltung getragen wurden. (7)

Mit König Michael verstand Lee sich sehr gut. Er war merkwürdig schüchtern, stellte sie fest, aber sie brachte ihn bald zum Reden über seine beiden Leidenschaften – schnelle Autos und Fotografie. Er benutzte eine Leica und entwickelte und druckte selbst, mit beeindruckenden Resultaten.

Nicht weit vom Palast und vom Kurort entfernt lag, ein grimmiger Kontrast, ein großer US-Friedhof. Achthundert Gräber waren bereits ausgehoben und belegt, hauptsächlich mit Soldaten der Luftwaffe, die bei den katastrophalen Angriffen auf Ploieşti ihr Leben verloren hatten. Die Männer von der Kriegsgräberkommission hoben immer noch Gruben aus, insgesamt wurden über tausend Leichen erwartet.

In gewissem Sinn grub Lee hier auch ein Grab für einen Teil ihrer selbst. Der Kreis ihrer Reise hatte sich geschlossen, als sie die Spur kreuzte, die sie mit Roland Penrose und Harry Brauner acht Jahre zuvor gelegt hatte. Sie war körperlich und emotional erschöpft, und sie brachte nicht mehr genügend Enthusiasmus auf, um noch weitere Orte zu besuchen. Sosehr sie auch versuchte, den Rumänien-Artikel zu schreiben, die Worte wollten nicht kommen. Zunehmend von Panik und Verzweiflung geplagt, stellte sie fest, dass sie weder aufhören noch weitermachen konnte. Durch die Entfremdung von Man Ray, Aziz und Roland hatte sie sich in eine Position gebracht, aus der sie keinen Ausweg wusste – ohne den krachenden Verlust ihres Stolzes. Sie war bankrott, deshalb würde sie sich wahrscheinlich erneut in Abhängigkeit begeben müssen. Schlimmer noch, sie musste sich eingestehen, dass es seit Berchtesgaden nicht mehr diese Erregung gegeben hatte, die als lebenswichtiger Katalysator für ihr Talent gewirkt hatte und ihr die Sicherheit hätte geben können, eine produktive, lohnende Karriere fortzusetzen. Das, was es ihr ermöglicht hatte, sich zusammenzunehmen und ihre Fähigkeiten zu kanalisieren, war verschwunden. Lees geflügelte Schlangen hatten erneut triumphiert. Sie hatten sie in eine Ecke gedrängt, aus der sie, ohne sich zu kompromittieren, nicht mehr herauskam.

Der jüngste Brief von Roland Penrose würde wahrscheinlich

der letzte sein. Er hatte die Hoffnung aufgegeben, nachdem er fortwährend Briefe geschickt hatte und ihr hinterhergejagt war, ohne je die geringste Antwort zu erhalten. Seine einzige Möglichkeit, Neues über Lee zu erfahren, war weiterhin Audrey Withers. Als er und Lee einander geschworen hatten, niemals zuzulassen, dass ihre Liebe ihre Freiheit einschränkte, war diese Mauer des Schweigens nicht das, was er im Sinn gehabt hatte. Mittlerweile hatte er zu viele Abfuhren eingesteckt und stellte fest, dass ihn eine dauerhafte Beziehung mit einer anderen Frau lockte. Er verkündete klar und deutlich, dass er, sollte dieser letzte Brief ebenfalls nicht beantwortet werden, davon ausgehe, Lee kehre nicht zurück.

Es ist zweifelhaft, ob Lee ohne das Telegramm von Dave Scherman jemals auf diese Drohung reagiert hätte. In dem Bemühen, Lee wegen der Rivalin in Downshire Hill zu warnen, gelang es Kathleen McColgan, Dave in New York anzurufen. Mit Hilfe John Phillips' spürte er Lee auf und telegrafierte aus New York: »Geh nach Hause«. Über eine Woche verging, bis die Antwort kam: »o.k.«. Könnte ein Telegramm den Tonfall einer Stimme übermitteln, wäre es in diesem Fall tiefer Groll gewesen.

Lee kehrte, hauptsächlich per Bahn, nach Paris zurück. Menschen, die von Lee Millers fabelhafter Schönheit gehört oder sie gekannt hatten, waren entsetzt über die rotäugige, hagere Erscheinung, die ihnen gegenüberstand. Lee hatte sich mit einer Krankheit infiziert, die mit Blasen auf den Lippen und blutendem Zahnfleisch einherging. Ihr Gesicht war teigig, das blonde Haar schlaff. Sobald sie versuchte, etwas Kompliziertes zu tun, zitterten ihre Hände vor Erschöpfung. Sie blieb gerade lange genug, um im Hôtel Scribe ein paar Sachen abzuholen, dann reiste sie nach London weiter.

Lee und Roland waren schnell versöhnt. Die Rivalin verabschiedete sich freundschaftlich, und Lee machte sich daran, sowohl ihre Gesundheit als auch ihr Leben zurückzugewinnen. Eines späten Abends verwöhnte Roland Lee mit einer Fußmassage. Lee murmelte: »Liebling, das ist herrlich; es macht mich absolut ruhig. Hätte doch jemand auf diese Weise Hitlers Füße massiert, dann hätte es keine Massaker gegeben.« »Wer hätte denn so etwas tun wollen?«, fragte Roland ungläubig. »Maria Magdalena«, antwortete Lee.

Wieder in London, aber schon fast auf dem Weg nach Frankreich, half Dave ihr durch die üblichen Anfangswehen beim Schreiben des Rumänien-Artikels. Bevor sie ihn fertigstellen konnte, musste er abreisen, um seine neue Stelle in Paris anzutreten. Nun übernahm Timmie O'Brien die Aufsicht, spendierte gleichermaßen Whisky und Trost. Der Artikel wurde mit Beifall aufgenommen, und die *Vogue* brachte ihn in der Ausgabe vom Mai 1946 als große, mehrseitige Strecke mit zehn Fotos, zwei davon ganzseitig. Es war der Abgesang auf Lees Abenteuerleben.

Kapitel 10

Geflügelte Schlangen
Eheleben in Hampstead
und Sussex

1946-1956

Im Sommer 1946 konnte Lee dank des wieder aufgenommenen Flugverkehrs ihre Eltern in den Vereinigten Staaten besuchen. Roland wollte sie auf dieser Reise unbedingt begleiten, und so flogen sie im Juli über den Atlantik.

Zuallererst fuhren sie mit der Bahn am Hudson River entlang nach Poughkeepsie, zum Haus der Familie. Beinahe zwölf Jahre waren vergangen, seit Lee als Aziz' Braut von dort aufgebrochen war. Jetzt kehrte sie zurück, offiziell immer noch als Mrs Eloui, doch mit einem anderen Partner. Da Lee so selten nach Hause geschrieben hatte, konnte die Familie nur Vermutungen über ihren neuen Liebhaber anstellen. Während des Krieges hatte Theodore Miller einen Teil von Rolands Gemäldesammlung bei sich beherbergt, zusammen mit seinen eigenen Arbeiten, und die Aussicht, den Erschaffer dieser seltsamen Bilder persönlich kennenzulernen, verstärkte noch seine Neugier. Lees Eltern hießen Roland überschwänglich willkommen. Für sie war offensichtlich, dass Roland ihre Tochter anbetete und sie ihn und dass sie sorglos und glücklich wirkte; dennoch lag eine gewisse Reserviertheit in der Luft.

Die Lokalzeitung schickte einen Fotografen und einen Reporter, die Lee zu ihren Erlebnissen befragten. Der Fotograf bat die Familie, Aufstellung zu nehmen, und wollte gerade auf den Auslöser drücken, als Lee wegen einer Bemerkung ihres Bruders John wutentbrannt davonstürmte. Das Sonntagslächeln der Familie war nach dieser unerwarteten Wiederkehr kindlicher Wutanfälle dahin. Dem Fotografen zuliebe ließ Lee sich schließlich doch wieder herbeilocken; mit diesem Zwischenfall war Roland in die Familie eingeführt.

In New York plante die *Vogue* zu Ehren Lees eine Feier und brachte die beiden als Zeichen ihrer Gastfreundschaft im Sheraton Hotel unter. Zu ihrem Kummer mussten Lee und Roland allerdings feststellen, dass unverheiratete Gäste streng voneinander getrennt auf unterschiedlichen Stockwerken schlafen mussten. Das Frauen-Stockwerk wurde von einer bulligen Kastellanin bewacht, die neben dem Lift Posten bezogen hatte. Diese mürrische Person hielt sich die ganze Nacht im Korridor auf und sah finster hinter einem Schreibtisch hervor, um ihre Gäste von nächtlichen Wanderungen abzuhalten. Das stimmte eindeutig nicht mit Lees und Rolands Plänen überein, doch ein anderes Hotelzimmer war nirgendwo aufzutreiben.

Anfragen bei ihren Freunden wegen eines freien Zimmers wurden allesamt höflich, ablehnend beschieden. Selbst Julien Levy, von dem man wusste, dass er für eine Weile die Stadt verlassen würde, konnte ihnen nicht helfen, lud sie aber immerhin zu einem Glas ein. Noch am selben Abend rief er sie im Sheraton an. »Mir ist aufgefallen, dass ihr nur Bier wolltet«, sagte er ernst, »und eure Zigaretten im Aschenbecher ausgedrückt habt. Wenn ihr um Scotch gebeten hättet, wäre ich nicht bereit gewesen, aber ihr seid offenbar gemäßigter als früher, deshalb könnt ihr meine Wohnung benutzen, während ich weg bin.« Am nächsten Tag zogen sie ein. In seiner schönen Wohnung hingen überall surrealistische Gemälde, und sie fühlten sich restlos zu Hause.

Die *Vogue*-Party für Lee war üppig und herzlich und zog weitere Partys nach sich. Zu den neuen Freunden, die Lee und Roland gewannen, gehörte Alfred Barr, der Roland mit seiner Gründung des Museum of Modern Art gewaltig beeindruckte und ihn in seiner alten Idee, ein Institute of Contemporary Arts zu gründen, bestärkte.

Max Ernst, der inzwischen mit der Malerin Dorothea Tanning zusammenlebte, hatte sich in Sedona, Arizona, niedergelassen, wo er gerade ein Studio baute. Lee und Roland flogen nach Phoenix, um sie zu besuchen, und kamen in eine Landschaft aus wuchtigen

Blöcken und dramatischen Farben, die so stark an Max' Gemälde erinnerte, dass es schien, als hätte er sie selbst entworfen. Jeden Nachmittag verdunkelte sich der Himmel und zuckende Blitze bohrten sich in die Mesas, begleitet vom grollenden Widerhall des Donners in den Canyons. Vor diesem Hintergrund hatte Lees Foto von einer winzigen Dorothea, die gegen die riesige, dominante Gestalt von Max ankämpft, etwas geradezu Prophetisches, was das Schicksal von Lees eigener Kreativität anging.

In der ungastlichen Umgebung der Mesas führten die eingeborenen Hopi-Indianer ein harmonisches, frugales Leben. Mit Max und Dorothea als Führern besuchten Lee und Roland ihr Dorf und kauerten sich auf die flach gedeckten Häuser, um sich den Hopi-Regentanz anzusehen. Die Katsinam-Tänzer kamen in einer stampfenden, schwankenden Reihe aus der unterirdischen Kiva, Körper und Lendenschurze über und über mit kühnen geometrischen Mustern bemalt. Die Anführer des Tanzes hielten mit ausgestreckten Armen lebende, sich windende Klapperschlangen. Aus dem Innern ihrer Masken drang ein hypnotisch brummender Singsang, so zwingend, dass sich bei jedem Zuschauer sofort die Schultern verspannten und die Nackenhärchen sträubten.

Der Tanz dauerte den ganzen Nachmittag, und es schien, als sollte er noch mehrere Stunden weitergehen, doch Max, der wusste, was auf sie zukommen würde, bestand darauf, aufzubrechen. Die Zeremonie wirkte; nur Momente nach ihrem Aufbruch öffnete der Himmel seine Schleusen, und die Autos der anderen Besucher steckten im Handumdrehen im Schlamm fest.

In Los Angeles sollte es zu einem besonderen Wiedersehen kommen, über das Lee sich am meisten freute. Mafy und Erik hatten viele Höhen und Tiefen durchlebt, seit Lee die beiden 1939 in Kairo zurückgelassen hatte. Erik hatte lange Zeit keine Arbeit gefunden, und Mafys Gesundheit war durch eine Tropenkrankheit schwer angeschlagen. Als Erik 1941 bei der Lockheed Aircraft

Corporation eine Stelle als Fotograf fand, begann sich das Schicksal allmählich zu wenden. Inzwischen hatte er sich mit seinen Flugzeugaufnahmen, die Dramatik und Ästhetik aufs Schönste vereinten, einen ausgezeichneten Ruf erworben. Von all den Menschen in Lees Leben waren es Erik und Mafy, denen sie die tiefste, anhaltendste Zuneigung entgegenbrachte, auch wenn sie sie bezeichnenderweise selten sah und ihnen so gut wie nie schrieb.

Los Angeles war voller alter und neuer Freunde. Im alten Teil Hollywoods, jenseits der Vine Street, hatte Man Ray sein Studio in einem Hof eingerichtet, wo Palmen und Blumen üppig wucherten. Die Atmosphäre in dieser stillen Oase, nur wenige Schritte vom betriebsamen Hollywood entfernt, hatte große Ähnlichkeit mit jenem Paris, aus dem er 1940 geflohen war. Man Ray konzentrierte sich jetzt ganz auf seine Gemälde, die Fotografie spielte keine Rolle mehr. Sein Erfolg wuchs noch, als sich unerwarteterweise herausstellte, dass er ein ausgezeichneter, anspruchsvoller Dozent war.

Ungefähr zu dieser Zeit heiratete Man Ray ein schlankes, dunkelhaariges Mädchen, Juliet Browner. In einer Doppelhochzeit mit Max Ernst und Dorothea Tanning waren die beiden Paare gegenseitig Trauzeugen.

Die nächsten drei Wochen vergingen in einem einzigen Wirbel. Lee und Roland wohnten bei Erik und Mafy, waren aber ständig unterwegs und trafen sich mit irgendwelchen Leuten. Lee unterstützte Roland bei einem seiner größten Talente: seiner Gabe zur Freundschaft. Ihre Geselligkeit glich seine englische Reserviertheit aus und öffnete ihnen beiden die Türen. Sie besuchten Hollywood-Größen wie Gregory Peck und seine Ehefrau Greta, den Dichter und Sammler surrealistischer Kunst Walter Arensburg, Strawinsky und den Filmproduzenten Albert Lewin und den Toningenieur Dick Van Hessen, der für sie mehrere Führungen durch die Filmstudios organisierte. Lee war zu professionell, um sich all diese Möglichkeiten entgehen zu lassen. Sie fotografierte für die *Vogue*, wo immer sie hinkam, doch nichts davon wurde je veröffentlicht.

Lee hätte in den Vereinigten Staaten bleiben können. Fotojournalisten waren damals noch nicht vom Fernsehen bedroht, und sie hätte ausgezeichnete Aussichten auf eine Karriere bei der *Vogue*, bei *Life* oder *Picture Post* gehabt, die alle gerade ihre Blütezeit erlebten. Doch letztlich fühlte sie sich zu europäisch, um sich in Amerika niederzulassen, außerdem war das Leben mit Roland durchaus verlockend, denn offenbar war er bereit, in der Kunstwelt völlig neue Wege zu beschreiten.

Erst im März 1947 übernahm Lee einen nächsten Auftrag für die *Vogue*. Es handelte sich um einen Artikel über Mode und Prominente in Sankt Moritz, wo sich zum ersten Mal nach dem Krieg die High Society wieder auf den Skipisten einfand. Prinzessinnen, Playboys und Modedesigner trafen sich auf den Skihängen. Lee war zusammen mit einer Autorin von der *Vogue*, Peggy Riley, mit dem Zug gekommen, und obwohl sie froh war, wieder zu arbeiten, kam es zu einer unvorhergesehenen Komplikation, die sie in einem der wenigen Briefe an Roland, die sie tatsächlich abschickte, beschrieb:

Liebling,

dies ist eine verdammt romantische Art, Dir zu sagen, dass ich in Kürze für einen kleinen Mann kleine Anziehsachen stricken werde – es scheint aber tatsächlich zu stimmen. Mir ist deshalb ziemlich seltsam zumute, körperlich und emotional. Körperlich heißt, ich fühle mich schwer und lethargisch – die morgendliche Übelkeit hat wahrscheinlich nichts damit zu tun, die hatte ich auch schon vorher –, aber emotional freue ich mich sehr. Bisher weder Groll noch Furcht, keine Sinnesänderung und keine Panik – nur mildes Erstaunen darüber, dass ich so glücklich bin. Ich musste es Peggy sagen, weil sie sonst nicht verstanden hätte, wieso ich so schnell nach London zurückwill, obwohl der Auftrag noch nicht erledigt ist – und sie mit ihrer ersten Geschichte im Stich lasse. Sie freut sich mächtig und verwöhnt mich wie verrückt – macht sich Sorgen, dass ein dreibeiniges Stativ einen schlechten pränatalen Einfluss ausüben könnte. Wir sind so mit diesem verdammten Ding beschäftigt und verlieren es ständig, dass wir beide fürchten, Junior werde mit drei Beinen zur Welt kommen.

Sag mir, wie Du Dich bei der Aussicht auf Vaterschaft fühlst – bist Du Dir sicher, dass Du es willst? Und warum? Da ist nur eins – MEIN ARBEITSZIMMER WIRD NICHT DAS KINDERZIMMER. Wie wäre es mit Deinem Studio? HA HA

Liebling, ich liebe Dich – und rufe Dich heute Abend oder morgen in London an.

In Liebe, Lee

Die Schwangerschaft war alles andere als einfach, und die anfänglichen Komplikationen wurden durch den Umzug im März in ein größeres Haus auf der anderen Straßenseite, 36 Downshire Hill, nicht geringer. Es war der berühmte Winter von 1947, einer der kältesten je. Der Wind pfiff durch die Fußbodenritzen. Kohle war noch immer rationiert, und als einzigen Brennstoff gab es magere Holz- und Torfmengen von Straßenverkäufern. Roland ging dazu über, alte Segeltuch-Tragbahren sowie Bilderrahmen und die hölzernen Sockel seiner Skulpturen zu verbrennen.

Als der Geburtstermin näher rückte, verschoben sich Lees Ansichten in eine konventionellere Richtung. Während der Kriegsjahre waren nur wenige von Aziz' Briefen angekommen, und nach dem Krieg enthielten die, die ankamen, unweigerlich Bitten um Antwort auf die vorangegangenen. Dies war nicht unberechtigt, denn in seiner außerordentlichen Großzügigkeit hatte er Lee eine Mehrheitsbeteiligung an seinen zwei wichtigsten Unternehmen übertragen. Ohne ihre Unterschrift auf den Papieren oder eine Vollmacht von ihr war er machtlos gegen einen Coup des Aufsichtsrats, der ihn loswerden wollte. Er verlor ein Vermögen und Lee natürlich auch.

Trotz seines Ruins war Aziz Lee nicht böse und reiste bei der ersten Gelegenheit nach London. In jenem Monat herrschten in 36 Downshire Hill, selbst nach surrealistischen Maßstäben, sehr ungewöhnliche Verhältnisse. Valentine war gekommen und setzte sich abends zu Roland und Aziz an einen runden Kartentisch am Fuß von Lees Bett, und sie aßen gemeinsam. Aziz hielt alle in seinem Bann mit Geschichten, die so fantastisch waren wie die aus *Tausendundeiner Nacht*.

Aziz hätte Lee gegenüber nicht liebevoller oder großzügiger sein können. Er hatte ihr während ihrer Ehe stets alles gegeben, was ihm möglich war, und jetzt war der Moment gekommen für sein letztes Geschenk: Lees offizielle Freiheit. Er stellte sich vor ihr Bett und sprach, sein Vorrecht als Mann nach islamischem Gesetz nutzend, mit fester Stimme: ›Ich gebe dich frei, ich gebe dich frei, ich gebe dich frei‹, und beendete so eine dreizehnjährige Ehe, die zu den merkwürdigsten auf der Welt gezählt haben dürfte.

Ein paar Tage später, am 3. Mai, heirateten Lee und Roland im Standesamt von Hampstead. Die Studioleiterin der *Vogue*, Sylvia Redding, und der Maler John Lake waren Trauzeugen und als Einzige bei der kurzen Zeremonie anwesend. In Downshire Hill wartete ein wunderschön kalligraphierter Umschlag mit einem blauen Aquarell auf Mrs Lee Penrose. Er stammte von ihrem seit einer Stunde angetrauten Ehemann und enthielt lediglich drei Buchstabenkarten eines Rechtschreibspiels – I, O und U –, das Karo-Ass, ein Aluherz und die abgerissene Ecke eines Blatts, auf dem stand ›und liebe Roland‹.

Die Schwangerschaft war für Lee ein wunderbarer Vorwand, ihre Hypochondrie zu pflegen und sie mit besonders originellen Spleens anzureichern. So bestand sie darauf, Haustiere zu halten. Ihre erste Begeisterung galt einem Axolotl. Dann mussten es Igel sein, und nicht nur einer. Lee schickte Roland aufs Land und drohte ihm, wenn er nicht mit einer vollständigen Familie zurückkäme, würde das Baby zweifellos mit Stacheln geboren. Ein freundlicher Wildhüter entsprach diesen Wünschen, und Roland kam mit einer ganzen Igelmenagerie in einem Korb nach Hause. Lee war anfangs begeistert, erkannte allerdings schnell, dass die Igel litten, also musste Roland sie in Hampstead Heath wieder freilassen.

Die Igel schienen dennoch einen positiven Einfluss ausgeübt zu haben, denn am 9. September 1947 wurde Lee in einer Londoner Klinik durch Kaiserschnitt erfolgreich von einem gesunden Sohn entbunden. Sein offizieller Name lautete Antony ›Tony‹ William Roland, doch zunächst kannten ihn alle wegen seiner boxerhaften Züge als Butch; später bestand Lee allerdings darauf, dass er Tony genannt wurde. ›Ich möchte nicht, dass er zu einem Verbrecher heranwächst‹, erklärte sie. Lee, die Erz-Kinderhasserin, war Mutter geworden. Einige Tage nach der Geburt nahm Paul Éluard, der gerade in Downshire Hill zu Besuch war, ein großes Stück Sperrholz und zeichnete zwei vogelähnliche Figuren darauf – groß, elegant und beschützend die eine, unreif und stoppelig wie ein Küken die andere. Darunter schrieb er:

La beauté de Lee aujourd'hui
Antony,
c'est du soleil sur ton lit

Paul Éluard

Lees Schönheit heute,
Antony,
ist Sonnenlicht auf deinem Bett

Die ersten Wochen der Mutterschaft gefielen Lee ausnehmend gut, denn sie beherrschte von ihrem Bett aus die Szene. Folgenden Bericht verfasste sie für die April-Ausgabe 1948 der *Vogue*:

Für mich ist ein weißes Bett ein Symbol für Sicherheit. Eine lange Reihe hoher, weißer Betten unter Aufsicht einer gestärkten weißen Krankenschwester stellt für mich den Himmel dar. Aber kranke oder verletzte Menschen haben unterschiedliche Vorstellungen von Sicherheit. Einige wollen sich verkriechen, allein. Andere wollen die Mutter. Wieder andere sind durch das Unbekannte alarmiert und wünschen sich nichts lieber, als zu Hause zu sein, mit dem Trost wohlbekannter Gegenstände, Geräusche und Abläufe.

Ich wünschte mir meine weiße Insel der Sicherheit, wollte aber nicht, dass sie nur von eiserner Strenge umgeben ist. Einige Monate zuvor hatte die Oberschwester der Geburtsklinik mir eine gedruckte Liste geschickt. Die Überschrift in Großbuchstaben lautete ›BITTE BRINGEN SIE IHRE ESSENSMARKEN MIT‹ und endete ›bitte bringen Sie alle Kleidungsstücke für das Baby mit; VOR ALLEM WINDELN, allesamt gekennzeichnet‹. Dazwischen gab es keinerlei Glanz. Keinen Hinweis auf Träume mit Satinschleifen oder darauf, wie winzig alles schien und wie weich. Einfach: 4 Wolljacken, 4 Nachthemden, Sicherheitsnadeln, Tragetuch, Haube, Kreppbandagen, 2 Büstenhalter etc. Die Hälfte der Sachen war durchgestrichen, damit die Liste der Mindestmenge an Gutscheinen entsprach. Kein Wort darüber, dass die Ausstattung im Bedarfsfall von Blau zu Rosa verändert werden könnte, oder auf einen Flauschelefanten oder einen Film für die Kamera oder eine Flasche Gin für Besucher oder ein Buch, denn vierzehn Tage sind eine lange Zeit, wenn man vollständig von einem einzigen Familienmitglied abhängig ist, und dazu noch einem Fremden.

Der Artikel fährt fort mit Tipps für Make-up, Kleider und Dauerwellen und dass man darauf achten sollte, »sich die Ellbogen einzufetten, wenn man sie nicht nach vierzehn Tagen als Feile benutzen will«. Zum Schluss hält Lee folgenden Rat bereit:

Wenn ein Freund sagt: ›Süße, du hast eine Menge Blumen und scheinst schon alles zu haben, was du brauchst, was kann ich dir bringen?‹ – legen Sie jede Scheu ab, stürzen Sie sich auf diese Liste und kommen Sie ihm mit nicht mehr als einem der hier aufgeführten Dinge auf einmal:

Tomatenketchup, etwas wie Worcestersauce, Meerrettichsauce und echte Mayonnaise (bewirken Wunder bei den Krankenhausmahlzeiten).

Räucherlachs, Pâté de Foie gras, roter oder schwarzer Kaviar, eine Dose Nescafé, Kondensmilch, dosenweise Grapefruit- oder Tomatensaft, Würfelzucker, Zitronen, eine Pfeffermühle, hausgemachte Kekse, ein frisch gewaschener grüner Salat mit einer Flasche French Dressing, eine Dauerbestellung Eiscreme von Selfridges mit einem Glas Schokoladensauce, ein ständiger Vorrat an Eiswürfeln in einer Thermosflasche mit großer Öffnung, ein Mädchen von Elizabeth Arden, das Ihnen das Gesicht macht, ein Abonnement bei einem Windelwaschdienst.

Und jetzt kommt Ihre große Chance! Sagen Sie dem Besitzer kühn: ›Wie wäre es, wenn du mir für vierzehn Tage deinen Picasso oder diesen Sutherland leihen würdest, damit ich ihn an die Wand hängen kann?‹ Der Freund kann Ihnen das kaum abschlagen, Ihr Zimmer wird zum Palast, und die Krankenschwestern behandeln Sie höchst zuvorkommend als eine Patientin, die völlig außer sich geraten könnte, falls man sie nicht mit größter Vorsicht behandelt.

Zuletzt, falls Sie nicht wollen, dass mit Öffnen des nächstgelegenen Pubs all Ihre Besucher davonströmen, vergessen Sie nicht die Flasche Gin.

Zurück in Downshire Hill, fern vom sicheren Hafen der Londoner Klinik mit den vielen Krankenschwestern, die sofort kamen, wenn sie sie rief, begannen sich Lees mütterliche Instinkte schnell abzunutzen. Glücklicherweise war Annie Clements da, die ihr Tony abnahm und ihn vergötterte. Das ließ Lee den Freiraum, wieder mit der Arbeit zu beginnen, und ihr erster großer Auftrag war ein Bericht über die Biennale von Venedig. Den Artikel, veröffentlicht in der August-Ausgabe 1948 der *Vogue*, war eine Mischung aus witzigem Klatsch und scharfer Beobachtung:

Guttuso, ein Preisträger der ›jungen Maler‹, ist ein mächtiger, unordentlicher, charmanter Römer, seine Themen sind Holzhäcksler, Wäscherinnen und Landschaften mit Vögeln. Er kombiniert Abstraktion mit sozialem Realismus; seine Farben glühen mit der Sattheit der Landschaft … ein weiterer Preis, der für junge Bildhauer, wurde an Viani vergeben, einen talentierten Venezianer, dessen sinnliche anatomische Abstraktionen in Marmor von ihren Sockeln aufsteigen wie Seifenblasen. Er ist ein ernsthafter junger Mann und sieht aus wie René Clair.

Die wärmsten Kommentare hob sie sich für Henry Moore auf.

Er reiste noch vor der Ankündigung ab, dass er den Preis als bester ausländischer Bildhauer in Höhe einer halben Million Lire gewonnen hatte. Er hatte jedoch in Florenz eine Woche

und in Venedig ein paar Tage Zeit gehabt, um seine Arbeit auf-
zustellen. Er streifte umher, stämmig, unromanisch, ernst und
schlicht. Er unterhielt sich mit italienisch sprechenden Künst-
lern und Kritikern, bildete seine unbeholfen formulierten Ansichten mit den Händen nach wie ein Italiener und wurde von
seinen Bewunderern gedolmetscht. Er mochte die Sonne, Ame-
ricanos (ein Vermouth mit Soda) und eine Figurengruppe aus
Bronze am rechten Rand von St. Markus.

Im Sommer 1948 besuchten Theodore und Florence zum ersten
Mal England. Florence, bekannt für ihre mustergültige Ehrlichkeit,
war so bewegt von Lees Schilderungen der Rationierungen in der
Nachkriegszeit, dass sie zwischen Buchseiten versteckt eine große
Anzahl gefalteter Seidenstrümpfe durch den Zoll schmuggelte.

In Downshire Hill widmeten die beiden einen Großteil der
Zeit ihrem Enkel, der seine ersten Schritte machte und sehr zu
Lees Freude auf unsicheren Beinen von Theodore in Florence'
Arme tapste. Roland unternahm alle möglichen Ausflüge mit ihnen und stellte fest, dass sie sich für alles interessierten und daher leicht zufriedenzustellen waren. Unnötig zu erwähnen, dass
die erfolgreichsten Touren solche waren, die zu Brücken und
anderen Ingenieursleistungen führten, die Theodore bewundern
konnte. Gegen Ende des Aufenthalts nahm Theodore Roland beiseite und sagte mit unbewegter Miene und vollkommen ernst:
›Roland, Florence und ich haben alles sehr genau beobachtet, und
wir möchten, dass du weißt, es ist nicht halb so schlimm gekommen, wie wir vermutet hatten.‹

Roland hatte schon immer Landwirt werden wollen. Ursprünglich hatte er gehofft, als Dichter-Landwirt in Irland zu leben, doch
seine tiefe Verbindung mit der Londoner Kunstszene machte dies
unmöglich. Stattdessen begab er sich auf die Suche nach einer
Farm im Südosten Englands. Die Nähe zu den Ärmelkanalfähren

war wichtig, denn Luftreisen waren immer noch teuer und wenig zuverlässig. Zudem war ihm klar, dass er sich nie vollständig auf dem Land verkriechen würde, deshalb musste London gut erreichbar sein. Es gab zahlreiche Offerten, doch nichts schien geeignet – bis Freunde Harry Yoxalls Farley Farm erwähnten, einen Hof in einem Dörfchen mit dem sympathischen Namen Muddles Green. Roland und Lee besuchten das Anwesen an einem grauen Februartag, verliebten sich auf der Stelle und erstanden es ein paar Tage später bei einer Auktion.

Die 48 Hektar hügeliges Weideland erstreckten sich südlich und westlich des großen, abgelegenen Hauses, dessen düsteres Aussehen das Potential, das Roland sofort erkannt hatte, kaum ahnen ließ. Neue Fenster Richtung Süden, um die Sonne einzulassen, eine größere Küche und die Anlage eines riesigen Gartens waren die ersten Schritte. Die endlos vielen Wände boten reichlich Flächen für die rasch wachsende Gemäldesammlung. Bei ihrem nächsten Besuch machten Lee und Roland eine überraschende Entdeckung. Strahlender Sonnenschein ermöglichte den freien Blick nach Süden auf die zehn Meilen entfernten South Downs, die von der riesigen Figur des Long Man in Wilmington beherrscht wurden – ein gutes Omen. An einem Hochsommertag steht die Sonne, vom Haus aus gesehen, direkt über dem Kopf des Long Man, und nachts, zur Wintersonnenwende, nimmt ein sogar noch gewaltigerer Riese dieselbe Position im mächtigen Orion-Sternbild ein. Auf diese Weise fühlten Lee und Roland sich bestätigt, dass sie von den richtigen Wächtern beschützt wurden.

Roland war klug genug, sich einzugestehen, dass er von Landwirtschaft nichts verstand und dass seine Träume von grünen Feldern und fruchtbarem Vieh der Unterstützung von Experten bedurften, um sie zu verwirklichen. Er hatte das Glück, Peter Braden als Verwalter zu gewinnen, und er übernahm auch den größten

Teil der Farmarbeiter. Der Traum von einem Garten benötigte ähnliche Unterstützung, bevor aus dem kalten, schweren Wealden-Lehm ein verführerisches Refugium erwuchs und neugepflanzte Bäume das Haus umstanden. Grandpa White, ein weiser Mann vom Lande, und Fred Baker wurden für diese Aufgabe engagiert. Als Haushälterin und Köchin kam Paula Paul, eine robuste Irin von unvergleichlicher Herzlichkeit, die ihre Tochter Patsy Murray als Kinderfrau für Tony vorschlug, nachdem Annie Clements in den Ruhestand gegangen war.

Auf einen Schlag hatte die Zahl der Angestellten viktorianische Ausmaße angenommen, doch auf ihre typische gesellige Art führte Lee den Haushalt wie eine Familie. Das hatte nichts mit den modischen linken Ansichten jener Zeit zu tun; es war schlicht Lees natürliche Herzlichkeit, die Barrieren von Klasse und Status überwand. Ihre Zugewandtheit war niemals gönnerhaft; sie war direkt – ganz gleich, ob Lee betrunken oder nüchtern, bei guter oder schlechter Laune war.

Lee interessierte sich von Anfang an für den Garten, beschränkte sich aber strikt auf die Rolle einer Beobachterin. Heimlich verschlang sie mehrere Bände Gartenliteratur. Das neu erworbene Wissen, gepaart mit ihrer wissenschaftlichen Einstellung, ließ Lee bald zur Expertin werden, die den Matronen der Chiddingly Horticultural Society auf Augenhöhe begegnete.

Lees fixe Idee von der ›Selbstversorgung‹ war weniger erfolgreich. Zunächst entschied sie, dass die Familie ihre Butter aus der eigenen Milch herstellen sollte, also wurde das modernste Butterfass angeschafft. Sorgfältig wurde es mit einer Unmenge Sahne und Milch gefüllt und erwartungsvoll an der Kurbel gedreht. Mehrere Stunden und zahlreiche erschöpfte Kurbelumdrehungen später zeigte die Mischung keinerlei Neigung, sich in Butter zu verwandeln. »Verdammt nochmal!«, schimpfte Lee. »Ich bringe das Ding zurück in den Laden.« Aber so weit, dass Lee ein mit saurer Sahne gefülltes Gefäß zu Harrods zurückschleppte, kam es nicht, denn genau in diesem Moment verwandelte sich der Inhalt zu Butter. Trotz dieses Triumphs wurde das Experiment nie wiederholt.

Der nächste Versuch war wesentlich desaströser. Unter der Ägide des Women's Institute wurden Schweine zum Schlachten geschickt, die Kadaver zerlegt und zu Schweinefleisch und Speck verarbeitet. Die Szenerie in der hinteren Küche war unvorstellbar. Auf Lees Bitte hatte der Schlachthof sämtliche Innereien geschickt, für deren weitere Verwendung Lee große Pläne hatte. Die Arbeit begann am Morgen und schien sich endlos hinzuziehen. Stärkung war vonnöten in Form etlicher Whiskys, und es dauerte nicht lange, bis die Eimer mit den Innereien umgestoßen wurden. Nachmittags hatte Lee von der ganzen Sache genug, zog sich zu einer Siesta zurück und überließ es Patsy und Paula, die Arbeit zu Ende zu bringen. Die Schweine bekamen ihre Rache: Irgendetwas stimmte nicht mit der Zusammensetzung der Lake, und beinahe das ganze Fleisch verdarb.

Lees eigener Aussage zufolge zählten die ersten Ehejahre mit Roland zu den glücklichsten ihres Lebens. Sie genoss Freiheit und Sicherheit und fand es aufregend, sich an Rolands Seite an vorderster Front für die moderne Kunst einzusetzen und den Aufbau des neu gegründeten Institute of Contemporary Arts voranzutreiben. Ein früher Erfolg waren die Ausstellung ›Forty Years of Modern Art‹; 1949 folgte die Schau ›Forty Thousand Years of Modern Art‹, die den Einfluss sogenannter primitiver Kunst auf Zeitgenossen wie Picasso, Henry Moore, Miró, Hepworth und viele andere illustrieren wollte. Über sie schrieb Lee für die Januar-Ausgabe 1949 der *Vogue* einen fundierten, scharfsinnigen Artikel, der »reichlich Gründe liefert, in der Ausstellung zu verweilen, bis Sie ›Museumsfüße‹ bekommen und die Regale Ihres Unterbewusstseins überfüllt und durcheinandergeraten sind!«.

Es folgte eine Reise nach Sizilien an Bord eines BOAC-Flugboots mit drei Mannequins, einem Assistenten, einem Fashion Director und einem Berg Ausrüstung. Die *Vogue* hatte mit der Fluglinie den kostenlosen Transport vereinbart, im Gegenzug sollte das Unternehmen in dem Artikel positiv erwähnt werden. Selbstverständlich war in dem fertigen, auf zehn Seiten angelegten Bericht mit einem fantastischen Layout nichts von den nervigen Verzögerungen und Frustrationen der Reise zu spüren. Lediglich die Kontaktabzüge belegen, mit welchen Problemen Lee zu kämpfen hatte. Insgesamt hatte sie über tausend Aufnahmen geschossen, und die Dinge waren eindeutig nicht einfach – nicht wegen der Mädchen oder der Kleider, sondern weil Lee Probleme hatte, ihr Interesse wachzuhalten.

Lee war angesehen und etabliert auf ihrem Gebiet, so dass sie in London keine größere Konkurrenz zu fürchten hatte, es war jedoch die Routine, die sie mürbe machte. »Ich werde immer deprimierter«, klagte sie gegenüber ihrem engen Freund, dem Arzt Carl H. Goldman, der scharf erwiderte: »Dir fehlt nichts, und wir können auf der Welt nicht ständig Krieg führen, nur um dir genügend Aufregung zu verschaffen.«

Aufträge kamen mal mehr, mal weniger herein. Die einzige Erleichterung inmitten eines endlosen Stroms von Kleidern boten Aufträge wie ›London Spotlight‹ oder ›New Writers of Fiction‹, die sie mit alten und neuen Freunden in Kunst, Literatur und Schauspiel zusammenbrachte. Das Interieur von Downshire Hill bildete immer häufiger die Kulisse für ihre Arbeiten, da Lee sich mit ihrer Arbeit immer weniger Mühe gab. Die Ergebnisse waren technisch stets ausgezeichnet – die Probleme lagen nicht bei der Kamera, sondern unmittelbar dahinter. Zum Glück für alle Beteiligten nahm Timmie O'Brien es immer noch willig auf sich, dafür zu sorgen, dass Lee rechtzeitig lieferte.

Ein Artikel, zu dem Lee allerdings nicht gedrängt werden musste, erschien im November 1951 anlässlich Picassos siebzigstem Geburtstag in der *Vogue*; das Ereignis wurde mit einer Ausstellung im Institute of Contemporary Arts begangen. Picasso hatte während seines Besuchs in England aus Anlass des Sheffielder Friedenskongresses bei Lee und Roland gewohnt, war aber kurz vor der Ausstellungseröffnung abgereist.

Falls Picasso jemals ein Großer Alter Mann werden will, sollte er besser schnell damit anfangen, da es ihn ein beträchtliches Training kosten wird. Er ist gerade siebzig geworden und muss die charakteristische Aura eines GAM, eines Großen Alten Mannes, erst noch erwerben. Große Alte Männer sollten im Ruhestand leben: reizbar, zerbrechlich, unnahbar. Ihre Jugend des Kampfs, der Revolte, der Unsicherheit und des Sich-die-Hörner-Abstoßens sollte längst unvorstellbar geworden sein, und falls sie überhaupt noch arbeiten, sollten sie so manierlich sein, in dem Stil weiterzumachen, für den sie schon lange verehrt werden. Es ist unwahrscheinlich, dass Picasso dieses Ziel jemals erreicht.

Der Artikel geht im Weiteren auf die Reise ein, die Lee, Roland und Tony im Jahr zuvor zu Picassos Haus in Vallauris in der Nähe von Saint-Tropez unternommen hatten; damals wählte Roland die Arbeiten für die Ausstellung im ICA aus. Dank einer wunderbaren Koinzidenz war Paul Éluard gleichzeitig dort, und sie hatten ihre Reise um einige Tage verlängert, um seiner Hochzeit mit Dominique Lemort beizuwohnen. Bei der Zeremonie im Rathaus waren Picasso und Françoise Gilot die Trauzeugen, und Lee machte die Fotos. Danach lud Picasso die Hochzeitsgesellschaft, der sich noch Tony sowie Marcel, Picassos Chauffeur, anschlossen, im Hof eines alten Wirtshauses in der Stadt zum Mittagessen ein.

Mit ihrem besonderen Talent, Gebildetes und Gewöhnliches

zu verbinden, vermittelt uns Lee dieses persönliche Porträt des Künstlers und seiner Art zu leben:

Picasso sammelt nicht – er wirft einfach nie etwas weg. Jedes Ding besitzt für ihn eine gewisse Schönheit oder Bedeutung, die er bewahren will. Selbst meine gebrauchten Blitzlichter hatten sein Interesse geweckt und liegen noch immer in der Ecke neben der Treppe, wo ich sie in der Woche der Befreiung vor sechs Jahren liegen ließ. Werden ein Studio oder eine Wohnung selbst für ihn zu voll, schließt er einfach ab und fängt anderswo neu an. Sein Haus in Vallauris füllt sich vermutlich ebenfalls schon – ich frage mich, ob ich in fünf Jahren dort ein paar der Dinge finden werde, die er bei seiner jüngsten Englandreise gesammelt hat. Neben Kwells [Tabletten gegen Reisekrankheit] und Postkarten vom Pavillon in Brighton gehörten dazu eine Schulmütze mit Schild für ihn und seinen Sohn, ein Bournvita-Plastikbecher in Form eines schläfrigen Mannes mit einem Nachtmützen-Deckel, eine Fotografie von Rolands Großtante Priscilla Hannah beim Friedenskongress in Bath 1875 und ein roter Londoner Spielzeugbus.

Während seines Englandaufenthalts besuchte Picasso Farley Farm zwei Mal.

Auf unserer Farm in Sussex empfand Picasso die Welt als sehr englisch: die Landschaft der Downs mit den Constable-Wolken, den prüden Long Man in Wilmington, das Linksfahren, rote und weiße Ayrshire-Rosen, offene Kaminfeuer, Whisky-Soda als Schlaftrunk, Wärmflaschen, ein warmes Frühstück und Tee. Eine Dose mit Plumpudding, ein leuchtend roter Stechpalmenkranz – das war tatsächlich englisch, *sehr* englisch und eigentlich unvorstellbar.

Unser dreijähriger Sohn Tony war ganz entzückt. Picasso und er wurden dicke Freunde, teilten Geheimnisse miteinander, fanden Spinnwebschätze und Samenhülsen, tobten herum und sahen sich Bilder an. In Tonys frühem Wortschatz waren die Wörter Bild und Picasso synonym, ich vermute, weil Roland und ich von einem bestimmten Bild mal als ›Bild‹ und mal als ›Picasso‹ sprechen und die Wörter im Englischen ähnlich beginnen. Später begriff er, dass Picasso ein Mann war, der, wie Daddy und er selbst, Bilder malte. ›Bilder‹, das schloss Craxton, Max Ernst, Klee und Braque mit ein. Ich weiß allerdings nicht, welchen Sammelbegriff er für naturalistische oder wunderliche Illustrationen und Fotografien verwendet; sie gelten jedenfalls *nicht* als ›Bilder‹.

Picasso und er waren sich einig, und sofort verwendeten sie Bücher mit Illustrationen, insbesondere *Farmer's Weekly*, um in ihrer geheimnisvollen gemeinsamen Sprache Missverständnisse aufzuklären. Ich habe erst kürzlich begriffen, dass Picasso wahrscheinlich wesentlich besser Englisch spricht, als er zugibt. Lediglich dieser Umstand, nicht Zauberei, würde das perfekte Einverständnis der beiden und ihre geflüsterten Unterhaltungen erklären.

Man kann nicht im Verborgenen herumtoben. Picasso und Tony rangen miteinander mit Gekreische und Gebrüll. Mit jeder Begegnung, hier und in Frankreich, erweiterte sich ihr Repertoire, z.B. um kichernde Attacken hinter dem Sofa, Bullengebrüll, beifälliges *olé, olé*. Die Gewalt steigerte sich in einem Crescendo von Ohrenzwicken über Treten bis zu Beißen. Picasso biss kräftig zurück – ›der Beißer, gebissen‹, und sagte in das erstaunte Schweigen hinein: ›*Denkt nur! Das ist der erste Engländer, den ich je gebissen habe!*‹

Ich kann mir nicht vorstellen, warum Picasso sich mit diesem ›Sparringpartner‹ dermaßen herumschlug, es sei denn, um für sein Söhnchen Claude in Form zu bleiben. Claude ist ein anstrengender Partner und gibt nur dann Ruhe, wenn Picasso sich rasiert. Picassos spezielle Kindervorführung sieht so aus: Er schäumt alles ein, vom Adamsapfel bis zur Schädeldecke, und schafft eine weiße, leere Fläche. Dann pflügt er mit den Fingernägeln durch den Schaum bis zur braunen Haut darunter und malt ein Clownsgesicht. Er macht weiter, überdeckt es mit dem Pinsel und malt mit dem Finger zahllose raffinierte Mienen, bis die Zuschauer vor Lachen rückwärts in die Badewanne fallen.

Tony lebt immer noch in Picassos Welt. Er erzählt vollkommen wahre, ›große‹ Geschichten darüber, was er mit Picasso in Staint-Tropez alles erlebt hat – von Tiefseetauchern, Prozessionen mit Gewehrsalven und einer Blumenvase, die Picasso Paul Éluard zur Hochzeit schenkte – ›größer als er selbst und mit lauter Damen ohne Kleider drauf, die sehr glücklich aussahen‹. Genau wie sein Held trägt er eine Baskenmütze und St.-Tropez-Sandalen, und seine derzeitige Ausrede für jede Art merkwürdigen Benehmens lautet: ›So machen sie es in Frankreich – genau wie Picasso.‹ Er tunkt sein Brot ein und besteht darauf, das Schälchen in der Hand zu halten, wenn er ein Eis ist, und mit dem Rücken zum Tisch zu sitzen – ›Genau wie Picasso‹ – der es genauso gemacht hatte, weil er sonst die Aussicht auf den Hafen und das Defilee hübscher Mädchen verpasst hätte.

Alles Gute für einen GAM. Herzlichen Glückwunsch zum Geburtstag, Picasso!

In Farley Farm herrschte bald die Atmosphäre eines permanenten Kunstkongresses. Lee und Roland führten ein offenes Haus. Die Gesellschaft von Freunden schenkte ihnen Befriedigung und Anregung wie nichts sonst. Kunst war unverzichtbar und musste gelebt und geteilt werden, sonst wurde sie akademisch, steril und war so gut wie tot. Beide genossen es, eine Atmosphäre zu schaffen, in der neue Ideen und Projekte entstehen konnten, und die Versammlung bunt zusammengewürfelter Wochenendgäste bot eine erfreuliche Gelegenheit dazu.

Da waren die *habitués* wie Timmie O'Brien mit ihrem Mann Terry und Tommy Lawson vom ICA mit ihrem Mann Alastair. Der amerikanische Künstler Bill Copley war gerade zu Besuch, als im Gemeindesaal ein Tanz stattfand; er entschied sich kurzerhand, er sei der ›Grüne Mann‹ eines Heimatbrauchs, hängte sich Efeugirlanden um und umwarb leidenschaftlich die einheimischen Mädchen. William Turnbull besorgte sich die Schweißerausrüstung der Golden-Cross-Autowerkstatt, um seine Wetterhahn-Skulptur für das Dach des Taubenhauses zu vollenden. Und Audrey Withers, inzwischen mit dem Fotografen Victor Kennett verheiratet, erschien mit einem Tümmlertauben-Pärchen, das diese einzigartige Unterkunft bewohnen sollte. »Oh, lass sie Mummy nicht sehen«, bat Tony, »sie steckt sie gleich in die Tiefkühltruhe.« Dass in New Haven Exzentriker auftauchten, war bald so alltäglich, dass Jean Dubuffet, als er, ohne ein Wort Englisch zu sprechen, von der Kanalfähre kam, von einem Taxifahrer geradewegs nach Farleys kutschiert wurde.

Die dortigen Vorgänge wurden von den Einheimischen mit Interesse beobachtet; sie stellten fest, dass sie sich, und das war nur leicht übertrieben, blendend unterhalten konnten mit Geschichten von Nackttänzen auf dem Rasen, einer Menge Gelächter, unterbrochen von heftigem Streit, unverständlichen Bildern an den Wänden und merkwürdigen, im Garten sprießenden Statuen sowie von Menschen in ausländischer Kleidung, die in fremden Zungen sprachen. Man Ray war einer der wenigen Besucher, die ernst genommen wurden, weil er mit Huw Wheldon im BBC-Fernsehen in der Serie *Monitor* zu sehen war.

Lee war sich ihrer sonderbaren *ménage à trois* durchaus bewusst. Sie liebte ihre Rolle als Gastgeberin, auch dank Patsy und Paula, die sie unterstützten, denn ihre Komplizen zu piesacken war schon immer eine Besonderheit ihrer Kreativität gewesen. Man Ray bemerkte einmal, Lee könne, egal, was sie gerade tue, anderen mehr Arbeit aufhalsen als alle, die er kenne. Jemanden untätig herumsitzen zu sehen, war ihr ein Gräuel; sie bestand darauf, dass alle unter ihrer Anleitung in eine Aufgabe eingebunden wurden, und mit erstaunlicher Erfindungsgabe dachte sie sich für jeden eine Beschäftigung aus. Mit einer scharfsichtigen Offenheit, die man fälschlicherweise für skurrilen Humor halten konnte, beschrieb sie 1953 in dem Artikel ›Arbeitende Gäste‹ in der Juli-Ausgabe der *Vogue* ihre Vorgehensweise:

Es gibt zahlreiche Druckspalten, in denen Experten Gästen und Gastgebern gute Ratschläge zu einem gelassenen Umgang miteinander erteilen. Man findet Tipps und Ermahnungen – und es wimmelt von fabelhaften Gastgebern und Gästen. Auch wenn es Tabellen und Menüpläne gibt, die allein zuständigen Gastgeberinnen Sorgenfreiheit und Zeit versprechen, führt die zum Wohl der Gäste beschworene gute alte Zeit geräuschloser Dienstleistung meist nur zu Anleitungen für ein gut eingespieltes Team aus Ehemann und Ehefrau und zur Vortäuschung des Eindrucks, die Arbeit werde im Hintergrund von einem Schwarm eifriger Feen erledigt. Besonders ein Artikel war so eisern in seiner Darstellung eines ›gut geführten Haushalts‹, dass man Ratschläge bekam, wie sich das Angebot, sich bei der Arbeit helfen zu lassen, erfolgreich umgehen ließe.

Ich will es nicht so und mache es auch nicht so; ich habe vier Jahre lang geforscht und geübt, wie all meine Freunde die ganze Arbeit machen können. Ob sichtbar oder unsichtbar, vom Holzstapel bis zum Wassertank auf dem Speicher, von der

Stuhlbespannung bis zum gepökelten Schweinefleisch und dem Inhalt des Tiefkühlers gibt es kaum etwas, das nicht die Signatur arbeitender Gäste trägt.

Da die meisten Gäste den ganzen Morgen verschlafen und ich nach dem Mittagessen gerne eine Siesta halte, ist ein maßgeschneiderter Plan notwendig, der einen flüssigen Ablauf garantiert. Neben dem Gästebuch liegt ein Fotoalbum, dem grimmige Bedeutung zukommt: Darin sieht man keine ›glücklichen Urlaubsschnappschüsse‹ müßiger Gruppen mit Sonnenbrille und einem Glas Pimm's in der Hand, vielmehr könnte man die Bilder für Standfotos aus einem Propagandafilm über sowjetische Arbeiter halten: Freude durch Arbeit.

Dieser Katalog ›fröhlicher Werktätiger‹ soll Neuankömmlingen und verrückten Liebhabern von Gebrauchsanweisungen Vertrauen einflößen, wenn sie darin vielleicht einen mit zwei linken Händen ausgestatteten Bekannten erkennen, der erfolgreich eine große, Geschicklichkeit erfordernde Aufgabe erledigt. Er zeigt die Vielfalt und den Abwechslungsreichtum der Projekte und droht Sitzstreikenden und Drohnen mit gesellschaftlicher Ächtung.

Des Weiteren umreißt Lee die ausgeklügelten Tricks, mit denen sie ihre Helfer dazu bringt, zu malen, zu polstern, im Garten zu arbeiten, Vorhänge zu nähen oder einen Zierteich anzulegen. Die nur leicht übertriebene Geschichte wurde den Lesern durch Schnappschüsse, die die Gäste unmittelbar bei der Arbeit zeigten, bestätigt. Alfred Barr, Direktor des Museum of Modern Art in New York, ist beim Schweinefüttern zu sehen, Saul Steinberg, wie er mit dem Gartenschlauch kämpfte und sich in eine seiner eigenen Karikaturen verwandelte, und Henry Moore, wie er seine Skulptur umarmt. Renato Guttuso setzt sich für einen Kücheneinsatz die Kochmütze auf, und die Moderedakteurin Ernestine

Carter injiziert einem antiken Stuhl Gift gegen den Holzwurm. Madge Garland (Lady Ashton), Professorin am Royal College of Art, mahlt beflissen getrockneten Majoran, während Vera Lindsay (Lady Barry) wegen einer Attacke auf das Gemüsebeet ein Messer zwischen den Zähnen hat und einen erlegten, frisch eroberten Kürbis in den Händen hält. Das letzte Foto in diesem Artikel ist passenderweise von Lee höchstselbst, die tief und fest auf dem Sofa schläft.

›Arbeitende Gäste‹ war der letzte Artikel, den Lee für die *Vogue* schrieb, und der vorletzte ihres Lebens. Der Schreibprozess war inzwischen so traumatisch geworden, dass Roland in dem dabei entstehenden Wirbel unterzugehen drohte. Heimlich schrieb er an Audrey Withers – »Ich flehe Dich an, bitte fordere Lee nie wieder auf, etwas zu schreiben. Das Leid, das dies ihr und den Menschen in ihrer Umgebung verursacht, ist unerträglich.« Audrey wusste schon seit Langem von Lees Schwierigkeiten in Zusammenhang mit ihrer Arbeit. Sie waren so charakteristisch, dass es vielmehr darum ging, sie den Erfordernissen der Zeitschrift anzupassen, als sie einfach darin unterzubringen. Zudem gab es das Problem mit den Abgabeterminen, doch am allerschwierigsten war es, einen Auftrag zu finden, der Lee genügend interessierte, dass sie ihn tatsächlich auch ausführte. Angesichts der vielen neuen Talente, die Audrey zur Verfügung standen, muss es ihre Loyalität sehr strapaziert haben, Lee so lange zu beschäftigen. Am Ende war es Lee selbst, die entschied, mit dem Schreiben aufzuhören – weil sie sich nicht vorstellen konnte, dass es für sie noch irgendetwas Dringendes zu sagen gab. Das Kochen wurde zu ihrem neuen Metier; es besaß den begreiflichen Vorteil, entschieden geselliger und eine weniger einsame Beschäftigung zu sein als das Malträtieren sowohl ihrer selbst als auch ihrer Schreibmaschine.

Trotz des angenehmen Trubels in Farleys war Lee am glücklichsten in London. Das Haus in Downshire Hill war verkauft worden, und während der Woche wohnten Lee und Roland in einer kleinen Wohnung in Kensington. Die Enge war kein Hindernis, da Tony, wenn er nicht zur Schule musste, glücklich mit Patsy in Farley untergebracht war. Die Wohnung wurde von Elsa Fletcher versorgt, einer ruhigen, herzlichen Frau, die Lee bald unerschütterlich ergeben war – und Lee ihr. Die Wohnung war Lees Refugium und Elsa ihre Vertraute, ein unverzichtbarer Quell von Mitgefühl und Verständnis.

Um 1955 geriet Lee in eine teuflische Abwärtsspirale, die sie beinahe das Leben kostete. Nach Tonys Geburt hatte sie plötzlich festgestellt, dass Sex ihr kein Vergnügen mehr bereitete. Darüber hinaus büßte sie rasch ihr gutes Aussehen ein. Ihr Gesicht verlor seine feine Zeichnung, Falten und Runzeln breiteten sich aus, und ihre Augen schwollen an. Ihr Haar wurde dünner und leblos. Fettpolster entstanden und ließen ihren Körper grob und massig wirken. Und die Frau, die immer als modisch extravagant gegolten hatte, vernachlässigte ihr Äußeres. Bei eleganten Abendessen tauchte sie in schmuddeligen, unpassenden Kleidern auf – in wadenlangen Strümpfen unter einem knielangen Rock oder einer schlecht sitzenden Jacke zu Hosen. Doch von allen Alterserscheinungen war es der Verfall ihres Gesichts, der Lee am meisten zu schaffen machte und sie zu quälenden Gesichtsstraffungen und unpassenden Perücken trieb.

Roland dagegen war auf dem Sprung zu einer neuen Karriere. Das ICA sorgte dafür, dass sich das gesamte Ethos der modernen Kunst in England veränderte. Ein Erfolg jagte den nächsten, und von allen Seiten hagelte es Anerkennung. Obendrein wurde er ironischerweise äußerlich noch attraktiver.

Zu all den Bürden kam als weiteres Problem noch Lees Entscheidung, sich das Rauchen abzugewöhnen. Sie war es gewohnt gewesen, täglich an die fünfzig Zigaretten zu rauchen. Und es war ein Wunder, dass sie mit ihrer Angewohnheit, sich mehrere Zigaretten gleichzeitig anzuzünden, die dann in Aschenbechern oder an den Kanten von Möbelstücken vor sich hin schwelten, nie ein Haus in Brand gesetzt hatte. Mitten in einer Zigarette im Restaurant *Chez Anna* in der Nähe des Trocadéro verkündete sie eines Abends, dass sie ab sofort mit dem Rauchen aufhören werde. Das folgende Jahr, möglicherweise sogar noch länger, machte der Kampf gegen die Entzugserscheinungen ihr und ihrer Umgebung das Leben zur Hölle.

Lee wurde schwierig und streitsüchtig, und diejenigen, die der Front am nächsten waren, wurden zur Zielscheibe ihrer gehässigen Tiraden. Eine böse Fehde zwischen ihr und Tony begann. Keiner der beiden verpasste eine Gelegenheit, dem anderen aus dem Hinterhalt einen Schlag zu verpassen, wohl wissend, wohin sie zielen mussten, um den größtmöglichen Schaden anzurichten. Kleinigkeiten setzten Angriffe und Gegenangriffe in Gang, und beide verfolgten ihr Ziel mit gnadenlosem Einfallsreichtum. Ein offensichtliches Ergebnis war, dass Tony seine ganze Zuneigung auf Patsy übertrug. Gewaltige Whiskymengen verschlimmerten Lees zahlreiche Probleme noch, und die Spirale wurde immer enger. Lee trank, weil sie sich ungeliebt fühlte, und sie wurde nicht geliebt, weil sie trank.

Für Roland war diese Krise schwer begreiflich, vor allem, weil Lee sich alle Mühe gab, zu verhindern, dass jemand sie wirklich verstand. Sie wälzte sich in ihrem Elend, schwelgte in dieser anhaltenden Phase der Selbstzerfleischung und übte hasserfüllt Rache an jedem, der in ihre Nähe kam.

1954 beauftragte der Verleger Victor Gollancz Roland damit, ein Buch über *Pablo Picasso. Sein Leben – sein Werk* zu schreiben. Für Lee war dies ein weiterer Schlag – »Mein Gott, wie willst du schreiben?«, meinte sie. »Du kannst nicht einmal buchstabieren, wenn es um dein Leben geht!« Die Kränkung saß tief, besonders weil sie begriff, dass ihr eigenes Talent so rasch in Vergessenheit geriet. Als Roland für den British Council den Posten als Director of Fine Arts in Paris annahm, war das nur ein weiterer Anlass für Depressionen. Die langen Aufenthalte in Paris wurden in luxuriösen geliehenen Wohnungen verbracht, und das gesellschaftliche Leben der beiden bestand aus einer endlosen Runde von Vernissagen und Partys. Zehn Jahre früher wäre Lee darüber begeistert gewesen, doch jetzt hasste sie es. Zum ersten Mal in ihrem Leben hatte sie das Gefühl, zu einem Anhängsel geworden zu sein und ihr Schicksal nicht mehr selbst in der Hand zu haben. Die Hauptrolle spielte jetzt Roland, selbst in Paris.

Im Auge dieses privaten Hurrikans stand die Tatsache, dass Roland sich in eine Akrobatin verliebt hatte, die Trapezkünstlerin Diane Deriaz. Diane war eine enge Freundin Paul Éluards gewesen, der über sie geschrieben hatte:

*

Je suis amoureux d'une voyageuse.
Elle a son soleil
Je n'ai pas le mien

*

Ich liebe eine Reisende.
Sie hat ihre Sonne
Ich habe nicht die meine

Dianes schönes Gesicht mit den durchdringend blauen Augen und den üppigen blonden Locken war ein sonniger Anblick, es strahlte Energie aus. Anfangs hatte Lee die Affäre ermutigt und vertraute darauf, dass es sich nur um eine weitere von Rolands Amouren handelte. Dann sah sie Diane plötzlich als Bedrohung. Wohlwollende Toleranz verwandelte sich in offene Feindseligkeit.

Die Auseinandersetzungen wurden immer verheerender und zogen Lee und Roland in einen Mahlstrom. Zwischen zwei Ausbrüchen gab Lee sich Mühe, alles ›auszusitzen‹, doch ihr Selbstvertrauen war so angeschlagen, dass sie sich außerstande sah, diese Affäre mit einem Achselzucken abzutun.

Ihr Hass war zu allumfassend, um die Erkenntnis zuzulassen, dass Diane sie eigentlich beschützte. Trotz Rolands wiederholten Bitten weigerte sie sich standhaft, ihn zu heiraten. Lee konnte dies allerdings nicht glauben und sah in ihr nichts als eine tödliche Rivalin. Rolands sexuelle Eskapaden bedeuteten Lee wenig, und nach dem Verlust ihres eigenen sexuellen Interesses ermutigte sie ihn sogar, sich mit anderen Frauen einzulassen. Der Schmerz rührte daher, dass sie gezwungen war, seine Liebe zu teilen. Sie fühlte sich völlig isoliert. Valentine, Patsy, Diane und viele andere talentierte, ihm zugetane Frauen bildeten einen Kreis der Bewunderinnen um ihn. Lee war die Außenseiterin, die ständig betrunken, schlampig und im Unrecht war. Auch Tony zog sich mehr und mehr zurück. Beiläufige Bemerkungen wie »Bitte Patsy darum, mich vom Schulzug abzuholen, denn wenn Mummy kommt, weiß ich nicht, ob ich sie erkenne«, hinterließen tiefe, unsichtbare Wunden. Später, in seinen Teenagerjahren, wurde es noch schlimmer; der Umgang der beiden miteinander wurde offen feindselig.

Um 1956 kamen Lee und Roland einander wieder näher, als sie begann, ihn bei der Arbeit an seinem Buch zu unterstützen. Auf vielen Recherchereisen musste das Buch mit Picasso besprochen und auch Málaga, der Ort seiner Herkunft, besucht werden. Lee machte Fotos von der Altstadt, der maurischen Zitadelle und der Kunstschule von San Telmo, die Roland als Gedächtnisstütze dienten. Keines dieser Fotos erschien in dem Buch, da beinahe der ganze verfügbare Platz briefmarkengroßen Reproduktionen der wichtigsten Gemälde vorbehalten blieb. Viele waren dann

1956 in der Ausstellung im ICA mit dem Titel ›Picasso Himself‹ zu sehen, die zu Ehren von Picassos fünfundsiebzigstem Geburtstag ausgerichtet wurde. Der Ausstellungskatalog erschien unter dem Titel *Portrait of Picasso* als Buch bei Lund Humphries. Das Vorwort stammte von Alfred Barr, der Text von Roland, und das Buch enthielt zusätzlich etliche von Lees Fotos, neben solchen von Man Ray, Robert Capa und Gjon Mili.

Das gesellschaftliche Leben in Paris wirkte in gewissem Maß als Palliativ für Lee; wenn sie sich nicht gerade stritt, war sie eine Gastgeberin ohnegleichen. Die Gästelisten für ihre Partys stellte sie mit beinahe kulinarischem Blick zusammen. Das Ergebnis war ein Paradies für Name-Dropper: Max Ernst und Dorothea Tanning, Man Ray und Juliet, John Huston, Marcel Duchamp, Jacques Prévert, Lynn Chadwick, Dominique Éluard, Michel Leiris, Philippe Hiquily. Wirklich nahe stand Lee damals jedoch nur Ninette Lyon, eine Malerin, später eine berühmte Kochbuchautorin Ninette und ihr Mann Peter veranstalteten ebenfalls großartige Partys, und ihre Freundschaft mit Lee begann ursprünglich damit, dass sie untereinander Rezepte und Ideen austauschten.

Selbst bei der großartigsten Party konnte Lee ihre Anspannung kaum verbergen. Die leiseste Provokation veranlasste sie zu einer Szene, die alle in Verlegenheit stürzte, auch wenn ihr vollkommen bewusst war, dass sie damit die Menschen abstieß, deren Zuneigung sie eigentlich ersehnte. Ninette entdeckte einmal in kühner Schrift die Buchstaben NA auf dem Spiegel von Lees Toilettentisch. Auf die Frage, wofür diese Buchstaben standen, lautete die Antwort: »Es bedeutet: Never Answer – Nie Antworten – und es soll mich daran erinnern, dass ich widerstandslos weiterzumachen habe.«

Unterdessen wüteten die geflügelten Schlangen ungehindert und nahmen Lees Gedanken in Beschlag. Aus Angst, für geisteskrank gehalten zu werden, versagte sie sich jedoch professionelle Hilfe. Sämtliche Formen mentaler Störungen faszinierten Lee, doch schon bei der leisesten Andeutung, sie selbst leide an psychischen Problemen, reagierte sie abweisend und verängstigt. Die geflügelten Schlangen hielten sie erbarmungslos im Griff. Am Tiefpunkt ihrer Depression gestand sie Ninette, der einzige Grund, der sie davon abhalte, sich in der Seine zu ertränken, sei das Wissen, dass Roland und Tony ohne sie sehr glücklich wären.

Es war das Essen, das ihr das Leben rettete.

Kapitel 11

Essen, Freunde und ferne Orte

1956-1977

Zum Glück für die geistige Gesundheit aller gelang es Lee in dieser düsteren Zeit, beim Kochen einen gewissen Trost zu finden.

Das Kochen ist eine Kunst, die viele unterschiedliche Fähigkeiten erfordert; die Technik der Präsentation ist nicht die geringste darunter. Um den damit verbundenen Aufwand und auch andere Aspekte ihrer Kunst zu rechtfertigen, brauchen Köche Zuschauer, und Lees Familie stand ihren Bemühungen allzu oft nicht gerade aufgeschlossen gegenüber. Roland äußerte immer wieder den Wunsch nach englischem Essen, und als Tony alt genug war, um auf der Farm mitzuarbeiten, sehnte er sich nach schlichten Mahlzeiten. Valentine murrte bei ihren langen Aufenthalten gewöhnlich wegen der meisten Dinge. Es war Patsy, die Lee am ehesten ermutigte. Sie war Vegetarierin, und ihre Ansprüche stellten eine interessante Herausforderung dar. Lee konnte Stunden damit verbringen, die Geschäfte sämtlicher Weltgegenden nach vegetarischen Köstlichkeiten zu durchforschen, und kam jedes Mal mit kleinen Döschen exotischer Gemüse-Patés nach Hause.

Wie bei allem anderen, was sie tat, war Lee auch als Köchin keine devote Nachahmerin. Zwar absolvierte sie selbstverständlich ihren Cordon-Bleu-Kurs in London und bestand ihn mit fliegenden Fahnen, und sie ackerte *Mrs Beeton's Book of Household Management* und den *Großen Larousse Gastronomique* von vorn bis hinten durch, doch all dies war bloßes Grundwissen. Sie verschlang Kochbücher wie andere Romane und besaß schließlich eine Bibliothek von über zweitausend Bänden. Dazu kamen ein ähnlich großes Zeitschriftenarchiv sowie unzählige Kisten mit Querverweisen zu Rezepten eigener Erfindung. Aus all diesen Zutaten kreierte Lee ihren eigenen, unverwechselbaren Stil, dessen Markenzeichen seine bizarre Originalität war. ›Muddles Green

Chicken‹ war tatsächlich grün, doch ›Goldfish‹ bestand glücklicherweise aus einem gewieft zubereiteten, drei Kilo schweren Kabeljau, und ›Persian Carpet‹ war nicht zum Daraufsitzen gedacht, sondern bestand aus Orangen und kandierten Veilchen.

Das Kochen sprach unmittelbar Lees Neugier auf alles Exotische an; kaum ein Land der Welt, dessen Nationalgericht sie nicht zubereitet hätte, und wenn sie jemanden aus einem fernen Land auftreiben konnte, der ihr zeigte, wie man eines der Nationalgerichte kochte, war das eine Wonne für sie. Patsys Freund Stan Peters stammte aus Polen, und Lee verbrachte immer wieder Stunden mit ihm, um *bigos* und andere traditionelle polnische Gerichte zuzubereiten. Renato Guttuso war der Experte für Pastagerichte, die O'Briens, gerade erst aus Teneriffa zurückgekehrt, kannten sich mit spanischen Reisgerichten aus, und Wells Coates fand in ihr eine Komplizin, mit der er ungezügelt seiner Leidenschaft für chinesisches Essen frönen konnte. James Beard kam und blieb, und er und Lee bereiteten zwei Tage lang einen Fisch zu. Es war nicht nur der Fisch, der wichtig war, es waren die unzähligen anderen Dinge, über die sie sich während des Kochens unterhielten.

Lee stellte außerdem fest, dass ihre kulinarischen Künste sich als Waffe einsetzen ließen. Eines Tages ließ Cyril Connolly, der seine Gastgeberinnen gerne grob anfuhr, plötzlich eine Suada über die Dekadenz der amerikanischen Kultur vom Stapel. »Sie besitzen die moralische Stärke eines Marshmallows und ertränken sich in einem Meer dieses ekelhaften Getränks Coca-Cola«, so sein Verdikt. Lee erwiderte nichts und verschwand in der Küche. An diesem Abend war das Dessert besonders köstlich, und Lees Augen glänzten triumphierend, als Cyril ihr gratulierte. Es bestand aus Marshmallows und Coca-Cola.

Besser gefiel es Lee, ihre Freunde zu verwöhnen. Sie besaß ein Notizbuch mit ihren Vorlieben und Abneigungen: ›Bernard hasst

Pilze – Jim verträgt keine Gurken – Peggy liebt Guacamole‹ – und so weiter, über viele Seiten. Wenn sie jemanden mit einer besonderen Vorliebe fand, die sie befriedigen konnte, gab es nichts, was sie lieber tat. Terry O'Brien mit seinem unersättlichen Appetit auf Süßigkeiten war in dieser Hinsicht ein verlässlicher Getreuer. Wunderbar cremige Gedichte aus Stachelbeeren, Himbeeren oder schwarzen Johannisbeeren kamen auf den Tisch oder im Winter eine Schichttorte aus Schokolade und Biskuit, mit Schlagsahne verziert.

Lee verpasste keine Gastronomiemesse oder ›Ideal Home‹-Ausstellung, und sie kam stets mit den neuesten Küchenutensilien zurück. Selbst wenn Handarbeit in bestimmten Fällen entschieden schneller war, mussten die diversen Gerätschaften eingesetzt werden, da sie Lees Vorliebe für Technik befriedigten. Unterhaltungen in der Küche wurden bald unmöglich wegen des Röhrens und Jaulens diverser Maschinen, die schnipselten, schredderten, mixten, mahlten – und häufig kaputtgingen.

Die meisten von Lees bedeutenderen kulinarischen Kunstwerken wurden mit Elsa und der Co-Feinschmeckerin Bettina McNulty in London ausprobiert. Die großen Auftritte waren dann Farleys vorbehalten, wo die riesige Küche ein hervorragendes Spielfeld war. Außerdem gab es dort Patsy, verstärkt durch Fred Bakers Frau Joan, die sich danach mit den Bergen von Abwasch herumschlugen. Neben der Gefriertruhe und dem Dorfladen lieferte der Gemüsegarten beinahe alles, was nötig war.

Das Beste war, dass an den Wochenenden jede Menge Besucher erschienen, die Lees Bemühungen beinahe ausnahmslos höher schätzten als ihr eigener Haushalt.

Kein kulinarisches Thema war zu abseitig oder unbedeutend, als dass es nicht hätte erkundet werden können. Eine beiläufige Bemerkung von Peter Lyon führte an einem langen Wochenende zu einer fieberhaften Suche nach dem Rezept der Konföderierten-Suppe. Es wurden Bücher über den amerikanischen Bürgerkrieg konsultiert, Freunde angerufen und das ganze Vorhaben sorgfältiger in Angriff genommen als die Schlacht von Gettysburg. Die Zubereitung dauerte zwei Tage, und die Gäste nannten das Ergebnis köstlich – aber war es diesen Aufwand wert? Für Lee musste die Antwort ja lauten – wie sonst hätte sie so viele Vorlieben mit einem Schlag befriedigen können?

Wenn Lee kochte, klebte sie nicht am Kochtopf. Die ersten Arbeiten für das Abendessen begannen häufig am frühen Morgen und schlossen komplizierte Vorbereitungen für das Mittagessen nicht aus, denen ebenfalls Zeit eingeräumt werden musste. Nach dem Mittagessen machte Lee gewöhnlich ein Nickerchen, während Patsy sich mit Töpfen und Pfannen herumschlug, dann ging das Kochen in gnadenlosem Tempo weiter, bis die Kreationen für das Abendessen fertig waren. Stockungen oder interessante Seitenpfade konnten die Geschehnisse leicht um Stunden verzögern, so dass alle von Rolands generös ausgeschenkten Getränken schon ziemlich abgefüllt waren, wenn sie sich endlich an den Tisch setzten. Solche Abende nahmen meist einen guten Verlauf, denn Lee liebte es, ihre Gäste nicht nur zu erfreuen, sondern auch sie zu überraschen. Dagegen war das Chaos nie größer, als wenn Lee, Roland zu gefallen, ein englisches Traditionsgericht, etwa eine gebratene Lammkeule, servierte. Da sie für das Gericht kein kreatives Interesse aufbrachte, schmorte es im Backofen vor sich hin, bis es zu trocken war, während sie trank und sich mit den Gästen amüsierte.

Im Lauf der Jahre drohte Lee immer wieder damit, ein Kochbuch zu schreiben – eine Vorstellung, die den Haushalt in Angst und Schrecken versetzte. Sie wollte die stibitzten Lieblingsrezepte zusammenstellen und trug in ihrer Handtasche mehrere ausgefallene Schneidewerkzeuge mit sich herum, um selbst im Wartezimmer eines Arztes die Zeitschriften ausweiden zu können. Sie hielt dieses Projekt mehrere Jahre aufrecht und füllte etliche Kisten mit ihrer Ausbeute. Auch ruhige Wochenenden verbrachte sie mit dem Durchforsten von Zeitschriften, die nur für diesen Zweck gekauft wurden. »Das ist meine Arbeit«, konterte sie Rolands Proteste, wenn eine Flut von Papierschnipseln das Wohnzimmer in Farleys überschwemmte. Valentine schloss sich der allgemeinen Verachtung an – »Was ist das überhaupt, was du da Arbeit nennst – einen Haufen Zeitschriften zu zerreißen und dann darauf einzuschlafen?« Doch Lee ließ sich nicht beirren, und Roland begriff irgendwann, dass die einzige Chance für ein bewohnbares Wohnzimmer darin bestand, dass er Lee auf der Südseite des Hauses ein eigenes Studio errichten ließ. Das Studio erwies sich dann als einer der angenehmsten Räume. Bestückt mit weißgestrichenen Bücherregalen vor blauen Wänden, fiel das Licht durch ein großes Südwestfenster sowie weitere bodentiefe Fenster, von denen man bis zum Long Man blicken konnte. Zweitausend Kochbücher füllten die Regale, und die Zeitschriften waren, wenn auch nicht unter Kontrolle, so doch in Schränken untergebracht und den Blicken entzogen.

Lees Interesse am Kochen reichte zurück bis in die Zeit ihrer Reisen durch die ägyptische Wüste, doch erst in den frühen 1960er Jahren erlangte es seinen Höhepunkt. Nicht nur half es gegen ihre Depression, sondern Lee schloss auch etliche neue Freundschaften, die mit der Kunstwelt nichts zu tun hatten – einem Gebiet, das inzwischen von Roland okkupiert war. In der Hitze der Küche traten die geflügelten Schlangen den Rückzug in ihre Höhlen an, aus denen sie drohend starrten und gelegentliche Nachhutgefechte vom Zaun brachen. Endgültig besiegt wurden sie schließlich nicht durch das Kochen, sondern dank einer neuen Leidenschaft, die Lee früher niemals in den Sinn gekommen wäre – Musik.

Wie es zu ihrem Interesse für klassische Musik kam, ist jedem, der sie kannte, ein Rätsel. Ihr musikalisches Talent war so, dass man sie als ›kann nicht einmal einen Ton halten‹ beschrieb, doch durch simples Lernen wurde sie plötzlich zu einer Liebhaberin klassischer Musik mit sehr präzisen Vorlieben. Schumann und Brahms waren ihre Lieblingskomponisten. Mozart wurde geschätzt, doch Wagner kam überhaupt nicht in Frage – er war unverzeihlich deutsch. Zu jener Zeit gab es bei Radio BBC eine regelmäßige Sendung von Anthony Hopkins zum Thema Musikverständnis. Nichts konnte Lee davon abhalten, sich dieses Programm anzuhören. Natürlich mussten diese Gespräche schließlich auf Band aufgenommen werden, und bald gesellten sich zu den Stapeln zerrissener Zeitschriften unzählige Bänderspulen. Konzerte waren ihre größte Freude, und Lee wurde zur regelmäßigen Besucherin der Wigmore Hall und der Royal Festival Hall. Sie besuchte auch das Opernhaus in Glyndebourne, wo man traditionell mit einem Picknickkorb erschien und das Picknick in der Pause im eleganten, romantischen Park verspeiste. In diesem Fall verbanden sich Lees Musikbesessenheit mit ihrer Begeisterung fürs Essen.

Im Jahr 1960 endete Rolands Arbeit für den British Council in Paris. Sein Buch über Picasso wurde erfolgreich veröffentlicht. Er war inzwischen Treuhänder der Tate Gallery und übernahm die Organisation der größten Picasso-Ausstellung, die es in Großbritannien jemals gab. Auf der ganzen Welt wurden über 250 Werke ausgeliehen, darunter mehrere aus der Leningrader Eremitage, was alle Beteiligten in höchste Nervosität versetzte, weil sie erst am Vorabend der Eröffnung in London eintrafen.

Mit einem gewieften diplomatischen Schachzug gelang es Roland, den Eröffnungsabend am 5. Juli 1960 in eine Spendengala zugunsten des Institute of Contemporary Art zu verwandeln; es wurde ein glanzvolles Ereignis mit vielen berühmten Gästen, darunter auch Seine Königliche Hoheit, Prinz Philip, der Herzog

97 Isamu Noguchi, der japanisch-amerikanische Bildhauer, in seinem Atelier. New York, 1946. (Lee Miller)

98 Max Ernst und Dorothea Tanning. Arizona, 1946. (Lee Miller)

99 Man Ray und Roland Penrose in Man Rays Atelier. Los Angeles, 1946. (Lee Miller)

100 Lee bei einem Mode-Auftrag in der Schweiz, März 1947. (Unbekannter Fotograf)

101 Lee mit Peggy Riley (spätere Rosamond Russell) bei einem Mode-Auftrag in der Schweiz. Auf dieser Reise stellte Lee fest, dass sie schwanger war. (Unbekannter Fotograf)

102 *First View*, von
Roland Penrose, 1947.
Roland war fasziniert
von Lees sich verän-
dernder Figur und fer-
tigte zahlreiche Studien
an. Höhepunkt war
sein Ölgemälde, auf
dem der Fötus als
grüne Eidechse darge-
stellt ist.

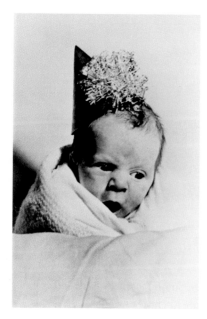

103 ›First Baby, First Christ-
mas‹. Antony, fotografiert
von Lee für die Weihnachts-
ausgabe von *Vogue* 1947. Der
Hut wollte nicht oben bleiben
und musste separat fotografiert und später auf den Abzug
montiert werden.

104 Blick von Farley Farm zu den South Downs. Auf dem Rasen
Mother and Child von Henry Moore (rechts unten). 1952. (Lee Miller)

105 Saul Steinberg, der New Yorker Karikaturist. Farley Farm, 1959. (Lee Miller)

106 Picasso und Antony Penrose in Farley Farm, September 1950.
Picasso war in England, um an der Friedenskonferenz in Sheffield
teilzunehmen. Er war zwei Mal zu Besuch in Farley Farm und
interessierte sich besonders für den Bullen und behauptete, er wolle
sich ebenfalls als Farmer in Sussex niederlassen. (Lee Miller)

107 Picasso und Roland Penrose in angeregter Unterhaltung auf Französisch in der Villa *La Californie*, Cannes. 1956. (Lee Miller)

108 Lee mit ihrem Vater in Theodores Werkstatt in der Forbus Street, Poughkeepsie, New York, ca. 1958. Abzug von einem Polaroid. (Unbekannter Fotograf)

109 Theodore Miller und Lee in Venedig. 1960er Jahre. (Unbekannter Fotograf)

110 Joan Miró im Londoner Zoo, ca. 1964. (Lee Miller)

111 Antoni Tàpies in seinem Atelier. Barcelona, 1973. (Lee Miller)

112 Lee in der Küche von Farley Farm, ca. 1970 (Kachel von Picasso). (Christina Ockrent)

113 Lee mit Bettina McNulty. Farley Farm, 1974. (Unbekannter Fotograf)

114 Roland und Lee. Sitges, bei Barcelona, 1972. (Unbekannter Fotograf)

115 Suzanna Penrose und Ami. Burgh Hill, 1977. (Antony Penrose)

116 Lee 1976 in Arles kurz vor dem Ende einer langen Reise, mit einem Extra-Hut für einen Freund. (Marc Riboud)

von Edinburgh. Auf dem Rasen der Tate wurden Zelte errichtet, in denen die Gäste unterkamen, und neben ihrer Unterstützung bei der Menüauswahl nahm Lee übereilt den Auftrag an, einen kurzen Artikel für die Gala-Broschüre zu schreiben. Und während Roland fast unterging in den letzten Vorbereitungen zu der Ausstellung und der Gala, wurde Lees Trödelei gar nicht bemerkt. Zwei Tage vor dem Ereignis fiel ihr plötzlich der Abgabetermin ein, und kein noch so flehentliches Bitten verschaffte ihr eine Verlängerung.

»Wie soll ich anfangen?«, beklagte sie sich bei Roland. »Versuch doch einfach dir vorzustellen, Picasso käme zur Eröffnung«, sagte er und eilte aus der Wohnung. Lee breitete auf dem Küchentisch Zeitungspapier aus und verbrachte Stunden damit, ihre Baby Hermes, das Wörterbuch, Schreibmaschinenpapier, Durchschläge und Whiskyflasche immer wieder neu anzuordnen. Der Tag verging. Als Roland spätnachts nach Hause kam, standen nicht mehr als ein Dutzend Wörter auf dem Papier. Er ging in düsterer Stimmung zu Bett und ließ Lee, über ihre Schreibmaschine gebeugt, in der Küche zurück.

Am nächsten Morgen war der Küchenfußboden mit Papierknäueln bedeckt. Neben der leeren Whiskyflasche stand eine zweite, die nur noch ein paar Tropfen enthielt. Die Ränder und jede verfügbare freie Fläche der Zeitung waren mit Kritzeleien bedeckt. Von Lee keine Spur, doch vom Wohnzimmersofa vernahm er unter einem Stapel Decken ein kräftiges Schnarchen. Auf der Schreibmaschine lagen, ordentlich verklammert, drei tadellos getippte Seiten, gezeichnet, mit einem gewissen Anspruch, LEE MILLER. Als Lee später aufstand, bestand sie darauf, dass Roland den Drucker anrief und, als Geste der Versöhnung, die Autorenzeile zu LEE MILLER PENROSE veränderte.

Wenn Picasso heute Abend hier wäre, um Sie zu begrüßen und Ihnen die Hand zu schütteln, würden Sie bei der Berührung etwas spüren, das im 18. Jahrhundert Dr Mesmers ›animalischer Magnetismus‹ genannt wurde. Seine blitzenden schwarzen Augen haben bisher jeden in Bann gezogen, der Picasso auch nur von Weitem gesehen hat, und wer ihn richtig kennenlernt, fühlt sich durch die Persönlichkeit dieses kleinen, warmherzigen, freundlichen Mannes, dessen Name für moderne Malerei steht, in ein neues, aufregendes inneres Gleichgewicht versetzt.

Wo immer er sich gerade aufhält, lebt er ein unglaublich einfaches Leben inmitten eines unglaublich chaotischen Sammelsuriums. Es sind allesamt Schätze, ein kunterbuntes Durcheinander, zusammenpassend, chic, schäbig, geliebt oder vergessen. Meisterwerke liegen neben Plunder, aus dem unter seinen Händen weitere Meisterwerke werden. Altes Eisen, Scherben und Knochen warten auf ihren Moment des Ruhms.

In *La Californie*, seiner Villa in Cannes, gibt es eine große, verspiegelte Vitrine mit falschen Nasen, Bärten und Haaren und Kostümjacken aus aller Welt: der Harem, die Stierkampfarena, der Zirkus (keine kugelsicheren Westen oder Zwangsjacken) – und Dutzende, Aberdutzende Hüte. Picassos Freude am Verkleiden und das Vergnügen, seine Freunde als Clowns oder Chorsänger zu sehen, ist unschuldig, aber das Spiel kann, wie bei ›Truth or Consequences‹, zu einer unvergesslichen Offenbarung werden, aber auch zu einem ersten Schritt, das Eis zu brechen.

Die Krone macht den König und der Lorbeerkranz krönt den Poeten, deshalb geht mit diesem Hüte-Anprobieren, dem alle Komiker und die meisten Männer frönen, ein Wunsch in Erfüllung – es ist eine Art Wahrsagen. Wenn dir der Hut passt, trag ihn. Man wird zum Kesselflicker, Schneider, Soldat oder

Seemann. Ohren und Augen, wie das Ich und das Es, werden vielgestaltig, und der Ausdruck kann von boshaft zu engelhaft wechseln, und das alles dank eines Huts.

Das *Château* von Vauvenargues, trutzig und riesengroß, der jüngste von Picassos Wohnsitzen, ist weniger streng, als seine Architektur und Lage glauben machen. Das Schloss gleicht einer frühen Renaissance-Tapisserie, von Erdbeeren und Nachtigallen umgeben, und die Schlossherrin Jacqueline und Picasso haben eine Atmosphäre der Liebe und Zärtlichkeit mitgebracht.

Trotz der einladenden Geräumigkeit, einige Verliese eingeschlossen, verhindern die noblen Proportionen der Säle, dass Vauvenargues zu einem Abladeplatz für ungeöffnete Kisten und geheimnisvolle, unförmige Pakete wird wie *La Californie*, dessen der Vergangenheit angehöriger banaler Luxus eine schroffe Abfertigung verdient. Die Würde des Schlosses wird noch gehoben durch eine Reihe von Picassos Skulpturen, die am Fuß der Eingangstreppe aufgestellt sind (der Lieferwagen lud sie ab und ließ sie wie einen Chor dort stehen) und zu Hausgöttern und Freunden wurden, stets bereit, jemanden zu begrüßen oder ihm zum Abschied zuzuwinken.

Picassos Leben im Süden besteht nun aus Arbeit, Liebe und provenzalischer Sonne. Er reist selten weiter als nach Nîmes zu einem Stierkampf oder nach Nizza zu einem Freund, und obwohl sein letzter Besuch in Paris vor fünf Jahren leicht mit einer großen Schau seiner Arbeiten im Louvre hätte kombiniert werden können, bemühte er sich nicht darum. Wunderbarerweise ist er zu sehr beschäftigt, Neues zu schaffen, um dem Alten zu huldigen: Er war nie sein eigener Aficionado. Doch wenn ich einen Wunsch frei hätte, dann, dass er heute Abend hier wäre. Ich glaube, es würde ihm gefallen.

Lee Miller Penrose 1960

Nach der bahnbrechenden Leistung, die Rolands Buch *Pablo Picasso. Sein Leben – sein Werk* bedeutete, war es für Lee sicherlich nicht einfach, einen eigenen Zugang zu Picasso und zu der Ausstellung zu finden. Doch sie machte ihre Sache gut und vermittelt uns einen persönlichen, originellen Blick. Wer mit ihren Umständen vertraut war, konnte darin ihre leichthändige, bissige Ironie erkennen.

Am 11. September 1954 war Lees Mutter an Krebs gestorben. Und in den Sechzigern begann Theodore, regelmäßig alle zwei Jahre nach England zu reisen. Unterstützt von Tommy Lawson, nahm Lee ihn einmal im Rollstuhl mit nach Venedig und Rom. Es wurde für alle sehr anstrengend, doch Theodores Begeisterung für die Ingenieursleistungen sämtlicher Jahrhunderte kannte keine Grenzen.

Peggy Guggenheim war eine der Ersten, die sie besuchten. Theodore betrachtete höflich-reserviert ihre fantastische Sammlung moderner Kunst, doch er und Peggy verstanden sich wie alte Kumpel, und statt im Rollstuhl ließen sie sich während ihres restlichen Aufenthalts anmutig und elegant in Peggys Gondel transportieren.

Während seiner langen Aufenthalte in Farleys war Theodore auf seinem Stuhl in der Ecke der Küche so etwas wie ein Fixpunkt. Patsy und ihre Tochter Georgina waren in ihn vernarrt, und er mochte sie sehr, nannte Georgina seine ›Adoptiv-Enkelin‹ und bestand darauf, dass sie das unterschriebene Versprechen abgab, nicht vor dem einundzwanzigsten Lebensjahr zu rauchen. Theodore liebte die Farm, und einer seiner Lieblingsplätze war Tonys Werkstatt. Er hielt sich stundenlang dort auf und schaute zu, ohne etwas zu sagen, und gab nur dann einen Rat, wenn er darum gebeten wurde, war aber immer großzügig mit seinen Ermutigungen. Abends zog er sich früh zurück und schrieb in sein Tagebuch; auf dessen Vorsatzblatt stand: »Such nicht nach Skandalen – die wurden nicht festgehalten.« Tatsächlich widmete er sich in seiner mühevollen, zittrigen Handschrift keinen offensiveren Angelegenheiten als Luftdruck, Temperatur und dem Zustand des Himmels.

Neben dem Kochen und der Musik entwickelte Lee eine weitere Leidenschaft. Als Variante ihrer alten Passion für Kartenspiele und Kreuzworträtsel waren nun Preisausschreiben der letzte Schrei. Lee freute sich weniger über den tatsächlichen Preis als daran, ihn zu gewinnen. Sie machte einen geselligen Zeitvertreib daraus und bat andere, ihr mit Hinweisen zur Seite zu stehen. Alastair Lawson – ein Ass in Anagrammen und Werbeslogans – war Lees größter Unterstützer. Bei Multiple-Choice-Fragen erarbeitete sich Lee die Lösungen mathematisch und reichte so viele Möglichkeiten ein, wie sie konnte, indem sie die Namen all ihrer Freunde und Familienmitglieder einsetzte. Gelegentlich versagte dieses System, und ein begehrter Preis ging an einen weitläufigen Bekannten, doch alles in allem war sie außerordentlich erfolgreich. Bald hatten sich in Farleys so viele glänzende Küchengerätschaften angesammelt, dass sie ein Geschäft hätte eröffnen können.

Kochwettbewerbe waren eine natürliche Weiterentwicklung. Als das Zentrum für norwegische Lebensmittel für die Zubereitung des besten belegten Sandwichs üppige Preise ausschrieb, war Lees Vorstellungskraft über die Maßen angestachelt. Sie verbrachte Tage in der Bibliothek und erforschte Norwegens Gebräuche und die Ursprünge seiner Nationalgerichte. Dann folgten monatelange Versuche, in denen Lee ihre Preiseinreichungen perfektionierte. Zu allen möglichen Mahlzeiten gab es belegte Brote in unterschiedlichen Ausfertigungen. Roland träumte von Roastbeef und Tony von gebackenen Bohnen, während sie vor sorgfältig zubereiteten, komplizierten Arrangements aus eingelegtem Gemüse, rohem Fisch und Salami auf dünnen Scheiben dunklen

Brots saßen. Ein amerikanischer Besucher soll in dezentem, aber ungläubigem Ton gesagt haben: »Jetzt bin ich um die halbe Welt zu einer von Englands führenden Feinschmeckerinnen gereist und kriege ein Sandwich vorgesetzt?« Noch Monate später konnte man traurige kleine, vertrocknete Sandwichs mit verzweifelt aufgebogenen Ecken unter den Möbeln finden, wo sie von weniger freimütigen Gästen heimlich abgelegt worden waren.

Die Norweger sahen das anders. Als eine von vielen hundert Bewerbern reichte Lee im Londoner Zentrum für norwegische Lebensmittel drei Sandwichs ein, die lediglich durch eine Nummer zu identifizieren waren. Das Urteil der Jury war einhellig – Lee gewann sensationell den ersten, zweiten und dritten Preis. Den zweiten und dritten lehnte sie großzügig ab, doch den ersten, einen vierzehntägigen Urlaub in Norwegen für zwei Personen auf Kosten der norwegischen Tourismusbehörde, nahm sie, ohne zu zögern, entgegen. »Was würden Sie bei ihrem Besuch in Norwegen gerne sehen?«, wurde sie gefragt. »Ich möchte eine Fischfabrik besichtigen, in einer professionellen Küche kochen, viele Norweger kennenlernen und Kunstgalerien besuchen«, antwortete Lee, strahlend vor Aufregung.

Roland hatte wenig Lust, sie zu begleiten, und so lud sie kurzerhand Bettina McNulty zu der Reise ein. Lee hatte Bettina, ebenfalls eine Amerikanerin, 1961 bei einem Mittagessen in Madame Pruniers Restaurant kennengelernt, und daraus war eine enge und anhaltende Freundschaft geworden. Bettina, ihr Mann Henry und ihr Baby Claudia wurden regelmäßige Gäste in Farleys. Bettinas Interesse an Essen, Musik und Reisen entsprach genau dem von Lee.

In Norwegen war die Fischfabrik in Stavanger die erste Station ihrer Reise. Lee versetzte ihre Gastgeber mit ihrem Wissen um die technischen und physikalischen Vorgänge wie auch mit ihrer überbordenden Begeisterung für alles und jedes in Erstaunen.

Es war mitten im Winter, und Lee und Bettina reisten mit der Bahn in sauberen, gut ausgestatteten Zügen. In Oslo hatte das Vigeland-Kunstmuseum gerade geschlossen, doch das Tourismusbüro organisierte für die beiden Frauen eine Sonderführung. Ein heftiger Schneesturm nur Tage zuvor ließ Gustav Vigelands verstörende, komplexe Skulpturen im Park noch ausdrucksvoller erscheinen.

Der Höhepunkt der Reise war auf dem Rückweg nach Oslo in dem Skiort Geilo: In der Küche des größten Hotels war Lee Gast des Chefkochs, der ihr auf seinen riesigen Edelstahlherden mit all den aufgereihten Gerätschaften und Lebensmitteln freie Hand ließ. Sie hatte an einer einfachen kulinarischen Übung kein Interesse, sondern entschied sich, mit ihrem Gastgeber auf Augenhöhe zu arbeiten, und bat darum, ein Gericht für das Smörgåsbord-Büfett, das im Hotel zum Mittagessen angeboten wurde, zubereiten zu dürfen. Sie entschied sich für eine traditionelle norwegische Speise namens ›Jansson's Versuchung‹, eine deftige Kombination aus gratinierten Sardellen, Zwiebeln, Kartoffeln und Sahne. Das Gericht war gut gewählt; es war nicht zu kompliziert, musste jedoch sorgfältig und mit Geschick zubereitet werden. Die einstündige Garzeit verschaffte Lee reichlich Gelegenheit, zuzusehen, wie die anderen Köche vorankamen, aber auch die Leistungen ihres Gastgebers zu beobachten. Es gefiel ihr in der Küche so gut, dass sie nirgendwo anders hinwollte. Sie ließ Bettina ausrichten, sie solle bitte über ›Jansson's Versuchung‹ wachen, die auf dem Smörgåsbord-Büfett prangte, und berichten, wie das Gericht im Vergleich zu den anderen abschnitt, die den Hotelgästen angeboten wurden. Die Reaktionen waren positiv, ›Jansson's Versuchung‹ war blitzschnell verzehrt, und Lee war mit ihrer Leistung zufrieden und verbrachte den Rest des Tages in der Küche.

1963 unternahm sie mit Bettina eine weitere Reise, die ihr aus völlig anderen Gründen sehr am Herzen lag. Dank Tommy Lawson veranstaltete das ICA eine Reihe von Reisen für Kunstliebhaber. Lee war 1961 auf einer Russland-Exkursion dabei gewesen – einer der ersten und eindrücklichsten –, diesmal war Ägypten das Ziel. Die Tour führte über Abu Simbel nach Aswan und auf dem Flussschiff *Gliding Swan* auf dem Nil wieder zurück. Lee erschien selten an Deck, sondern verbrachte die meiste Zeit mit Freunden im Salon. Bettina dagegen war von der exotischen Umgebung bezaubert und fotografierte unentwegt, nur um später festzustellen, dass kein Film in der Kamera gewesen war. »Mach dir nichts daraus«, tröstete sie Lee, »es ist die Absicht, die zählt, und deinen Spaß hattest du beim Akt des Fotografierens.«

Es waren eigentlich nicht die Sehenswürdigkeiten, die Lee nach Ägypten lockten, auch wenn sie unleugbar fasziniert war von der unvorhersehbaren Art und Weise, in der die Zeit manche Orte bis zur Unkenntlichkeit verändert, andere dagegen völlig übergangen hatte. Aziz lebte ruhig und bescheiden in Alexandria. Das Alter war nicht freundlich zu ihm gewesen. Die sozialistische Regierung hatte ihm alles genommen, was er besaß. Von den Gebrechen des Alters heimgesucht, lebte er von einer kleinen Pension, jedoch hingebungsvoll versorgt von Elda, die er in den fünfziger Jahren geheiratet hatte. Nach dem offiziellen Ende der Reise blieb Lee noch eine weitere Woche, um mit ihm zusammen zu sein. Sie sprach später ungern darüber; seine bedrängte Lage muss sie sehr bedrückt haben, doch es war offensichtlich, dass zwischen beiden noch immer eine starke, herzliche Zuneigung bestand.

Rolands Verdienste um die ›Förderung der zeitgenössischen Kunst‹ in Großbritannien trugen ihm 1966 die Ritterwürde ein. Er überlegte lange und gründlich, bevor er sie annahm – es war für einen Surrealisten nicht üblich, auf diese Weise anerkannt zu werden, und er versöhnte sich nie ganz mit dem Prahlerischen seines neuen Titels. Doch er hatte – zu Recht, wie sich später herausstellte – das Gefühl, der Titel werde seinen Bemühungen zur Förderung des ICA größeren Nachdruck verschaffen.

Nach der Verleihung feierten Sir Roland und Lady Penrose mit zehn Gästen im Ritz. Aus Spaß rief Bettina an der Rezeption an, um Lee als Lady Penrose ausrufen zu lassen. Lee war begeistert. Sie wurden endlos aufgezogen: »Sir Roland, wer war die Lady, mit der Sie die letzte Nacht verbrachten?«, kicherte Bill Copley. »Lady Lee«, als die sie schnell bekannt wurde, hatte nicht das geringste Interesse an den Allüren und Umgangsformen, wie sie Menschen dieses Standes so gerne pflegten. Es konnte kaum jemanden geben, der weniger daran interessiert gewesen wäre, konventionelle Rollenerwartungen zu erfüllen, doch das Aufsehen, das der Titel in der amerikanischen Presse erregte, gefiel ihr durchaus. Er war das Tüpfelchen auf dem i, das nötig war, um ihr als Köchin weitreichende Anerkennung zu verschaffen, und prompt erschienen in den Zeitungen und Zeitschriften der ganzen Welt Artikel über sie.

In Amerika brachten die *Vogue* und *Studio International* ausführliche Berichte, doch das größte Kompliment kam von Bettina in ihrer neuen Funktion als Redakteurin von *House and Garden*. Der Artikel umfasste neun Seiten mit drei doppelseitigen Fotos von Ernst Beadle, der mit großem Geschick die ohnehin schon überwältigende Sinnlichkeit der Gerichte noch stärker hervorhob. Das Innere von Farley wirkte mit ein wenig Nachhilfe und vielen von Roland gepflückten und arrangierten Blumen farbenprächtig, willkommen heißend und zwanglos – genau so, wie es war. Lee empfand berechtigten Stolz, und die Vertriebsabteilung von *House and Garden* mag dort, wo sie Dutzende Exemplare kaufte, um sie ihren Freunden zu schicken, in ihrer Statistik einen Aufschwung verzeichnet haben.

Altersmilder geworden, hatten Lee und Roland sich einander

wieder angenähert. Rolands Arbeit bot ihm zunehmend Gelegenheit zu reisen, und manchmal begleitete ihn Lee. Von den vielen Orten, die vorgeblich aus hochmögenden kulturellen Gründen besucht wurden, gefiel es Lee in der Tschechoslowakei und in Japan am besten. Ihre größte Freude war, sich davonzustehlen und in berühmten oder in unbekannten Restaurants zu essen. Wann immer es möglich war, platzte sie nach dem Essen in die Küche, um mit dem Koch Rezepte auszutauschen, und nichts bereitete ihr mehr Vergnügen, als mit einem weiteren Stapel Kochbücher und einer Vielzahl merkwürdiger Dinge in Dosen nach Hause zu kommen.

Während all dieser Reisen fotografierte sie kaum. Die Rolleiflex-Kameras verstaubten im Schrank, und das Thema Fotografie weckte kaum noch die Spur eines Interesses. Niemand konnte sie dazu überreden, wieder Fotos zu machen. Alle Vorschläge wies sie entschieden zurück, selbst wenn es sich um Familienschnappschüsse handelte. Sie sagte: »Wenn man einmal Profi war, kann man nicht einfach wieder Amateur werden.« Heimlich hatte sie eine Honeywell Pentax gekauft. Der eingebaute Lichtmesser und das kompakte Format hatten offenbar an ihre Technikbegeisterung appelliert. Doch sie benutzte sie selten. Sie bekam noch viele Angebote, und manches plante sie selbst, doch der einzige bedeutende Auftrag, den sie annahm, waren Porträts des katalanischen Künstlers Antoni Tàpies bei der Arbeit in seinem Studio. Die Aufnahmen verraten in jedem Detail Lees Wahrnehmungsvermögen und ihren Stil aus frühen Tagen und geben auf zwingende Weise die Atmosphäre von Tàpies' Umgebung wieder.

Lees Haltung zu ihrem Werk verblüffte alle. Vertreter großer Museen kamen und baten um Leihgaben für Ausstellungen oder Bücher. Wenn sie ein Foto von Hoyningen-Huene, Steichen oder Man Ray wollten, entsprach sie ihren Wünschen und wühlte in den abgewetzten Kartons, in denen die wunderschönen Originalabzüge verstaut waren. Und mit einer Mischung aus Stolz und Bedauern erklärte sie dann: »Ich bin inzwischen der letzte lebende Mensch, der damals dabei war«, und begann wundervolle Geschichten aus jener Zeit und ihrem Leben zu erzählen.

Ihre Haltung dem eigenen Werk gegenüber war ganz anders. Sämtliche Anfragen, es zugänglich zu machen, wurden höflich, aber entschieden abgelehnt. Den hartnäckigsten Fragern erklärte sie, alles sei im Krieg zerstört worden, und fügte unweigerlich hinzu, es sei ohnehin nicht von Interesse und sollte am besten vergessen werden. Diese Herabsetzung der eigenen Leistung betrieb sie mit solchem Nachdruck, dass alle überzeugt waren, sie habe wenig oder nichts Bedeutendes geschaffen. »Oh, ich habe ein paar Bilder gemacht – aber das ist lange her«, sagte sie gern. Auch wenn sie es nie zugab, lagen die meisten ihrer alten Negative vernachlässigt in den merkwürdigsten Ecken von Farleys herum, weitere befanden sich in den Tresoren der Londoner *Vogue*. Für Lee war dieser Teil ihres Lebens abgeschlossen. Sie hatte keinerlei Interesse an ihrer eigenen Vergangenheit, außer dort, wo es um ihre alten Freunde ging, zum Beispiel um Man Ray.

Mit der Wiederannäherung der beiden Eheleute verbesserte sich auch Lees Verhältnis zu Tony. Er hatte sich der Schule und seinem Zuhause früh entzogen, und nach einigen Jahren als Ingenieur vermisste er entschieden die Kühe und das Land und begann, Landwirtschaft zu studieren. Seine Abwesenheit während langer Zeiträume, in denen er auf anderen Farmen arbeitete, half, die Brüche zu heilen. Allmählich konnten er und Lee einander besser tolerieren. Wenn er Freunde nach Hause brachte, hieß Lee sie ebenso gastfreundlich willkommen wie ihre eigenen Gäste.

Zwar weigerte sie sich inzwischen, selbst zu fotografieren, doch sie hatte Tony schon in jungen Jahren ihre Zeiss Contax anvertraut, mit sämtlichen Linsen und großen Mengen Film. Außer ein paar Bemerkungen, sie gut zu hüten – »Wenn du sie fallen lässt, breche ich dir den Hals« –, war sie klug genug, sich nicht einzumischen, und sie übernahm sogar großzügig die Rechnung für das Entwickeln. Sie fand, ihm die Gelegenheit zu bieten sollte als Ermutigung ausreichen, außerdem war ihr sehr bewusst, dass die Entwicklung eines persönlichen Stils durch fremden Einfluss leicht zu zerstören war.

Wie das Schicksal es meist will, wurde das Kriegsbeil zwischen ihr und Tony viel zu spät begraben. Im Oktober 1971 brach er mit Lees und Rolands Segen mit zwei Freunden in einem Land Rover zu einer Weltreise auf. Er war mehr als drei Jahre fort und telegrafierte beiläufig aus Neuseeland, dass er Suzanna geheiratet habe, eine wunderschöne Engländerin, die sich ihm in Australien angeschlossen hatte. Bei seiner Rückkehr herrschte sofort ein freundlicher Umgang, sehr unterstützt von Suzanna, zu der Lee sogleich Zuneigung fasste. Nicht alles war rosig – niemand konnte mit Lee eine ausgeglichene Beziehung führen –, doch es gab keine Kämpfe und auch keine ausgeklügelten gegenseitigen emotionalen Attacken mehr.

Lee beobachtete mit Interesse, wie Tony und Suzanna sich in einem Haus auf dem Farmgelände einrichteten. Suzanna war anfangs von ihrer Schwiegermutter ein wenig eingeschüchtert. Für eine junge Ehefrau ist es schließlich nicht gerade leicht, eine weltberühmte Feinschmeckerin zum Abendessen einzuladen, doch die weltberühmte Feinschmeckerin war so voller Lob und Wärme, dass sie sich nach kurzer Zeit miteinander anfreundeten. In gewohnter Großzügigkeit drängte Lee Suzanna Küchenutensilien und Beutestücke aus zahlreichen Preisausschreiben auf, doch nichts schien ihr größere Freude zu machen, als mit ihr im darauffolgenden Jahr gemeinsam Schwangerschaftskleidung einzukaufen. »Für das Baby kaufe ich nichts«, verkündete Lee. »Das machen alle, da es dein erstes ist. Stattdessen gehen wir dich ausstatten, damit du dich gut fühlst und großartig aussiehst.« Am Ende der Tour besaß Suzanna eine wunderschöne neue Garderobe, und Lee hatte sich bezüglich des Babys erweichen lassen. Der letzte Kauf war ein schielendes grünes Flusspferd.

Im Juli 1976 wurden Lee und Roland von Lucien Clergue zum jährlichen Fotofestival nach Arles eingeladen, wo in jenem Jahr mit einer Ausstellung, Workshops und Seminaren das Werk von Man Ray gefeiert wurde. Roland, dessen Buch über Man Ray ein Jahr zuvor veröffentlicht worden war, hielt einen Vortrag, doch in vieler Hinsicht war Lee der Star der Veranstaltung, da Man Ray sie gebeten hatte, ihn bei den Feierlichkeiten zu seinen Ehren zu vertreten. Sie strahlte vor guter Laune und genoss die Gesellschaft von Marc Riboud, Lucien Clergue und David Hurn. Viele junge Fotografen waren anwesend und präsentierten ihre Portfolios, und Lee verzog amüsiert das Gesicht ob ihrer Primadonnen-Allüren und der Groupies, die sie um sich scharten.

Im Winter erhielt Lee Besuch von ihrer Jugendfreundin Tanja Ramm (inzwischen Tanja McKee), die auf einer Theaterreise London besuchte. Für Lee schloss sich in diesem Augenblick einer der größten Kreise ihres Lebens. Beim Abendessen erwähnte sie Tanja gegenüber leise: ›Es ist Pech – man hat mir gerade gesagt, dass ich Krebs habe. Ich möchte nicht darüber reden, aber ich weiß, dass es nicht lange dauern wird.‹ Dann widmete sie sich wieder dem Gespräch über London und das Theater, als wäre nichts geschehen.

Auf irgendeine geheimnisvolle Weise hatte sie ihren Tod schon zwei Jahre zuvor bei einem Besuch bei Erik und Mafy vorausgesehen. Am letzten Abend hatte sie Mafy zu sich ins Zimmer gebeten. Sie unterhielten sich fast die ganze Nacht über die guten und die schlechten Zeiten, die sie gemeinsam erlebt hatten und die mehr als vierzig Jahre zurückreichten. Als Lee sich am

Morgen verabschiedete, um nach London zurückzufliegen, machte sie deutlich, dass sie nicht erwartete, die beiden wiederzusehen.

Ihr Gesundheitszustand verschlechterte sich rapide. Das letzte Mal, dass sie allein die Treppe hinuntergehen konnte, war am 7. Juni 1977, dem Tag des Silbernen Thronjubiläums der Königin; zu ihrer Freude konnte sie da auch noch Tony willkommen heißen, der von einer Filmreise aus dem Iran zurückgekehrt war. Als das Unvermeidliche näherrückte, verließ Roland kaum noch den Platz an ihrem Bett. Patsy kümmerte sich um alle ihre Bedürfnisse, bereitete verlockende Bissen zu und versuchte, die mannigfaltigen Ansprüche zu erfüllen, die nur Lee sich ausdenken konnte. Suzanna kam häufig zu Besuch und brachte Lees kleine Enkelin mit, die zu Lees Genugtuung ihr selbst auf ihren eigenen Babyfotos ähnlich sah. Andere Freunde kamen und gingen, und Lee riss sich zusammen, um sie zu begrüßen und ein paar Witzchen zu machen. Ihrem Tod blickte sie furchtlos, interessiert und offen entgegen, als dem Beginn eines neuen, großen Abenteuers.

An einem heißen, stillen Nachmittag schreckte sie plötzlich aus ihrem Schlummer auf. In einem Anfall von Panik flüsterte sie Tony, der an ihrem Bett saß, zu: »Ich habe das Gefühl, vor einem Abgrund zu stehen, und wenn ich loslasse, stürze ich hinunter und falle immer weiter.« »Nein, so ist es nicht«, sagte Tony, unvermittelt inspiriert vom Piepsen und Zwitschern unter dem Dachvorsprung. »Auch die jungen Mehlschwalben haben keine Chance zu üben, aber sobald sie sich aus dem Nest fallen lassen, merken sie, dass sie sich endlos drehen und wenden und auf und nieder fliegen können.« Der Gedanke schien Lee zufriedenzustellen. Ein paar Tage darauf, in der hellen, klaren Dämmerung des 21. Juli, starb sie in Rolands Armen.

Die meisten Nachrufe waren nur belangloses Geschwätz. Wer hätte denn auch in mehr als eins oder höchstens zwei der streng verschlossenen Abteilungen von Lees Leben einzudringen vermocht? Wie die wasserdichten Schotten ein Schiff, so verteidigte sie die verschiedenen Abteilungen vor fremden Eindringlingen, fest überzeugt, Schiffbruch zu erleiden, sobald eine einzige Person Einsicht in alle Abteilungen bekäme. Falls es so etwas wie einen angemessenen Nachruf gab, dann war es ein Gedicht von Roy Edwards. Edwards war Lee zum ersten Mal 1947 in Downshire Hill begegnet, wohin ihn als Jugendlicher von achtzehn Jahren sein Hunger nach surrealistischer Literatur und Dichtung geführt hatte. Roland hatte ihn zum Tee eingeladen, aber Lee, damals hochschwanger, wollte sich an diesem Tag nicht mit einer Teekanne abmühen und servierte dem Jungen einen Gin und erwarb sich damit seine ewige Bewunderung und Freundschaft. Er war fasziniert von ihren grünlackierten Fußnägeln, ihrer scharfen Wahrnehmung und ihrem Sinn für Verrücktheiten. In ihr erkannte er eine wahrhaft surrealistische Frau. Kurz nach ihrem Tod verfasste er ein Gedicht, aus dem ich hier einen Auszug wiedergebe:

LEE UND DIE FOTOGRAFIEN

(Sie wendet den Kopf
der Verführung durch Linse und Spiegel zu)

In einer uralten Landschaft werden in den samtigen Staub von
vierzig Jahren und fünfzigtausend Meilen verpackte Pakete
aus dem Wäscheschrank geholt und ausgepackt: Profile von
Präsidenten Königen und Königinnen werden gewürgt mit
Schnur aufgeknotet oder durchgeschnitten es ist Morgen und
Traumfetzen fallen ab doch die Luft duftet immer noch nach
Rauch

(Sie wendet den Kopf
und es wird erkannt dass die Negative die endgültige Essenz
des Lichts sind)

Wilde und wunderbare Skulpturen meditieren in den Ecken
ihres Zimmers und hören die Drohungen und Prophezeiungen
die ausgesprochen werden mit einem silbrigen Schimmer und
Kaskaden von Weizenähren: Irgendwo in der Stadt oder im
Wald jenseits dieser Mauern heulen die Wölfe

(Sie wendet den Kopf
Tag und Nacht treffen in ihrem Nacken aufeinander)

Die Wölfe die Hunde das Rudel Jungen und junger Mädchen
heulen auf allen vieren um verschimmelte Apfelpressen die
Wut räumt Kartons und Teekisten
Plastiktüten aus denen Lumpen und Fetzen quellen genug
einen Flickenquilt für das Meer zu nähen aber irgendwo sicher
in den Armen dieses wilden Windes steht ein Haus zwischen
Bäumen und beobachtet von Orion

(Sie wendet den Kopf
und der Blitzableiter feuert Stromstöße in den Himmel)

Wolken lösen sich auf und ein Kondensstreifen löst sich auf im
himmlischen Blau in Schleifen der Liebe Karten gekennzeich-
net vom Schrecken der Knüppel und Schwerter fallen aus der
Hand und sind schneebedeckt und nach dem Tauwetter wird
nur ein Herz-Ass die Schmelze überwinden besudelt von Ruß
Exkrementen und transparenten Veilchenblüten Der Wind
blättert die Seiten auf und findet ein sepiabraunes Bild das die
Zerbrechlichkeit und die fleischgewordene Ewigkeit bestätigt

(Sie wendet den Kopf
und die Dichtung unterzeichnet das Dokument ihrer eigenen
Unterwerfung)

Roy Edwards

Diese Biografie zu schreiben glich gelegentlich der Teilnahme an einer komplizierten Schatzsuche, die Lee sich in einer boshaften Stimmung ausgedacht hatte. Tagelang eine Sackgasse um die andere, dann aber auch unerwartete Belohnungen. Die verschiedenen, scheinbar willkürlichen Hinweise waren in Haufen von Manuskripten, Negativen und flüchtigen Skizzen versteckt, allesamt gehortet in Farley Farm. Sie führten unerbittlich nach New York, Chicago, Los Angeles und Paris, und wenn Zeit und Geld es ermöglicht hätten, hätte die Spur kreuz und quer durch Europa, Ägypten und in den Osten geführt.

Die Lee, auf die ich dort stieß, war eine andere als die, mit der ich in jahrelange Kämpfe verstrickt war, und mir bleibt das tiefe Bedauern, sie nicht besser gekannt zu haben. Dieses Bedauern wird vermutlich von vielen anderen geteilt, da Lee einzelnen Menschen immer nur einen kleinen Teil ihrer selbst offenbarte. Oft wurden gerade die ihr am nächsten Stehenden von meinen Entdeckungen am meisten überrascht, beinahe als hätte Lee sich diesen kleinen postumen Streich sorgfältig ausgedacht.

Kapitel 1

1 Lee Miller, ›What They See in the Cinema‹, in: *Vogue* (August 1956): 46.

2 Arthur Gold und Robert Fizdale, ›The Most Unusual Recipes You Have Ever Seen‹, in: *Vogue* (April 1974): 160-87.

3 Horst P. Horst im Gespräch mit dem Autor, März 1984, New York City.

4 Hintergrundinformation zu Condé Nast stammt aus: Caroline Seebohm, *The Man Who Was Vogue*, New York 1982.

Kapitel 2

1 Brigid Keenan, *The Woman We Wanted to Look Like*, London 1977, S. 136.

2 Zitiert nach Arturo Schwartz in Man Ray, *Self Portrait*, London 1977, S. 321.

3 Man Ray, *Self Portrait*, London 1963, S. 168.

4 Mario Amaya, ›My Man Ray‹ (Interview mit Lee Miller), *Art in America* (Mai-Juni 1975): 55.

5 Cecil Beaton, *Vogue*, ca. 1960.

6 Horst P. Horst im Gespräch mit dem Autor, März 1984, New York City.

7 Mario Amaya, ›My Man Ray‹, S. 57.

8 Ibid.

9 David Hurn im Gespräch mit Lee Miller in Arles 1976, dem Autor geschildert im Juni 1984.

10 Julien Levy, *Memoir of an Art Gallery*, London 1977, S. 83.

11 ›Rayograms‹, in: *Time* (18. April 1932).

12 ›Briefe an den Herausgeber‹, in: *Time* (1. August 1932).

13 Erik Miller, Anmerkungen auf Band, Februar 1979.

14 Lee Miller, unveröffentlichtes Manuskript.

15 Lee Miller, *Vogue* (August 1956): 98.

16 Julien Levy, *Memoir of an Art Gallery*, S. 121.

17 Man Ray in *This Quarter* (1932): 55. Die Briefe von Man Ray an Lee Miller befinden sich in den Lee Miller Archives, Burgh Hill House, Chiddingly, East Sussex.

Kapitel 3

1 Nicht identifizierter Zeitungsarti-
   kel, November 1932.
2 Erik Miller, im Gespräch mit dem
   Autor, Juli 1974.
3 Julien Levy, *Memoir of an Art
   Gallery*, London 1977, S. 297.
4 David Travis, *Photographs from
   the Julien Levy Collection*,
   Chicago 1976, S. 53.
5 *New York Sun* (23. Dezember
   1932).
6 John Houseman, *Run Through*,
   London 1973, S. 96.
7 *Poughkeepsie Evening Star*
   (1. November 1932).
8 Erik Miller, Anmerkungen auf
   Band, Februar 1979.

Kapitel 4

1 Die Briefe von Aziz Eloui und Lee
   an Lees Eltern und Erik befinden
   sich in den Lee Miller Archives,
   Burgh Hill House, Chiddingly,
   East Sussex. Theodore Miller
   bewahrte sie in Poughkeepsie
   auf und übergab sie Lee Mitte
   der 1960er Jahre.
2 Erik Miller, Anmerkungen auf
   Band, Februar 1979.

Kapitel 5

1 Roland Penrose, *Scrap Book*,
   London 1981, S. 104.
2 Ibid., S. 109.
3 Ibid., S. 118.

Kapitel 6

1 Roland Penrose, *Scrap Book*,
   London 1981, S. 134.
2 David E. Scherman, unveröffentlichtes Manuskript, 1983.
3 Edward Murrow, *Grim Glory*,
   London 1941.
5 Caroline Seebohm, *The Man Who
   Was Vogue*, New York 1982, S. 244.

Kapitel 7

1 Lee Miller, ›St. Malo‹ in: *Vogue*
   (Oktober 1944): 51.
2 Lee Miller, ›Paris‹ in: Vogue
   (Oktober 1944): 51.
3 Ibid., S. 78.
4 Christine Zervos, *Pablo Picasso*,
   Bd. 14, *Éditions Cahiers d'Art*,
   Paris 1963.
5 Lee Miller, unveröffentlichtes
   Manuskript, redigiert als Teil von
   ›Paris Fashion‹ in: *Vogue*
   (November 1944): 36.
6 Lee Miller, ›Colette‹, in: *Vogue*
   (März 1945): 50.
7 Lee Miller, ›Pattern of Liberation‹,
   in: *Vogue* (Januar 1945): 80.

8 Henry McNulty, ›High Spirits from White Alcohol‹, in: *House & Garden* (April 1970): 182.

9 Lee Miller, ›Hitleriana‹, in: *Vogue* (Juli 1945): 74.

Kapitel 8

1 Lee Miller, Zusammenfassung aus einem unveröffentlichten Manuskript über Salzburg.

2 Lee Miller, Zusammenfassung aus einem unveröffentlichten Manuskript über Salzburg.

3 Lee Miller, unveröffentlichtes Manuskript über Salzburg.

4 Ibid.

5 Lee Miller, unveröffentlichtes Telegramm-Manuskript, Wien.

Kapitel 9

1 John Phillips, *Odd World*, New York 1959, S. 197.

2 Lee Miller, ›Hungary‹, in: *Vogue* (April 1946): 64, und unveröffentlichte Teile desselben Manuskripts.

3 Ibid.

4 Ibid.

5 Lee Miller, Originalmanuskript von ›Romania‹, in: *Vogue* (Mai 1946): 64.

6 Ibid.

7 Ibid.

Kapitel 11

1 Aus Patsy Murrays Notizbuch: *Muddles Green Chicken für acht Personen:*

4 Hühnerbrüste (halbiert) – entbeint und gehäutet

2 Pfund Sellerie mit Blättern

1 Viertel starke Hühnerbrühe

2 Scheiben weißes Toastbrot ohne Kruste

1 Pfund Lauch

5 Unzen Petersilie mit Stielen

5 Unzen dicke Sahne

2 Unzen gekochte, gekühlte Roux (aus Vorrat)

1 Unze Butter

1 Kräutersträußchen

Salz und Pfeffer

Sellerie samt Blättern grob hacken. Sellerie, Lauch, Petersilie, Toastbrot mit dem Kräutersträußchen, Salz und Pfeffer in die Brühe geben. Weichkochen. Kräutersträußchen herausnehmen. Alles in den Mixer geben und glatt rühren – es sollte eine dicke pürierte Suppe entstehen. Falls sie zu dünn ist, erneut aufkochen und Roux hinzufügen.

Hühnerbrüste in heiße Butter geben und anbraten, ohne zu

bräunen, dann sanft im Suppenpüree fertig garen. Sahne hinzufügen. Nicht mehr aufkochen.
In großen Suppenschalen mit Scones und Erbsen servieren. Es können auch andere Hühnerteile verwendet werden, jedoch zuvor enthäuten.

2 Roy Edwards, *Chaka Speaks and Other Poems*, London 1981, S. 93. Copyright Roy Edwards 1981. Abdruck mit freundlicher Genehmigung.

Nach Lees Tod entdeckten wir viele Kisten und Koffer mit Negativen, Originalabzügen und Manuskripten, die, dem Rasiermesser des Zensors geschuldet, häufig geschreddert waren. Dank Alex Kroll von der *Vogue* vergrößerte sich die Sammlung durch weitere Negative aus dem *Vogue*-Archiv, für die die Zeitschrift keinen Platz mehr hatte. Auf diese Weise entstand das Lee-Miller-Archiv. Das Ganze befand sich in einem so heillosen Durcheinander, dass es zwei Jahre sorgfältigen Sortierens durch Kenneth Clarke bedurfte, bis eines der 40 000 Negative oder einer der 500 Abzüge katalogisiert werden konnte. Mit der Unterstützung von Valerie Loyd (ehemals Royal Photographic Society), Tim Hawkins, Delia Hardy und Sylvia Masham nahm sich meine Frau Suzanna dieser Aufgabe an. Größtes Glück hatten wir, Carole Callow kennenzulernen, eine Spezialistin für Foto-Drucke mit allerhöchsten Fähigkeiten. Ursprünglich unter der fachmännischen Anleitung Helen McQuillans, besorgte Carole Callow sämtliche Abzüge für unsere Ausstellungen und dieses Buch. Die Abzüge wurden von Helen McQuillan und Terry Boxall retuschiert.

So viele Menschen haben bei den Nachforschungen und der Entstehung dieses Buches geholfen, dass ich unmöglich jeden einzeln aufzählen kann, dem ich zu Dank verpflichtet bin. Besonders erwähnen muss ich jedoch die Hilfe von Roland Penrose, aus dessen *Scrapbook* (London 1981) ich mich frei mit Informationen über Lee bedienen konnte. Dankbar bin ich auch folgenden Personen für ihre Hilfe:

USA

Erik und Mafy Miller, John und Edith Miller, Simon Bourgin, Alfred de Liagre, Bill Ewing, Deborah Frumkin, Robert Hahni

(›Chespy‹), Horst P. Horst, John Houseman, Tanja McKee (ehemals Ramm), Cipe Penellis, John Phillips, Oreste Puciani, Kate Quesada, David und Rosemarie Scherman, Allene Talmey, David Travis.

PARIS
Lucien Clergue, Philippe und Yen Hiquily, Peter und Ninette Lyon, Juliet Man Ray, Marc Riboud, Lucien Treillard.

GROSSBRITANNIEN
Fred und Joan Baker, Sir Bernard und Lady Burrows, Carole Callow, Kenneth Clarke, Elsa Fletcher, David Hurn, Constance Kaine, Alex Kroll, Catherine Lamb, Alastair und Julie (›Tommy‹) Lawson, Valerie Loyd, Henry und Bettina McNulty, Claudia McNulty, Helen McQuillan, Patsy Murray, Terry und Timmie O'Brien, Suzanna Penrose, David Sylvester, Allan Tyrer, Gertie Wissa, Audrey Withers.

Normale Zahlen weisen auf Textstellen, fette Zahlen in eckigen Klammern auf Fotos hin.

Sechs Rebellinnen, die zu Ikonen wurden

Die 1920er Jahre versprechen einen Aufbruch in ein neues Leben. In den USA machen die Flapper von sich reden: junge Frauen, die kurze Röcke und kurzes Haar tragen und sich selbstbewusst über gesellschaftliche Konventionen hinwegsetzen. Doch es geht diesen Frauen um mehr als nur Provokation: Es ist vor allem der Kampf um Selbstverwirklichung und Unabhängigkeit in einer männerdominierten Welt. Mit dem Flapper ist der Typus einer neuen »gefährlichen« Frau geboren!

Reich bebildert und spannend geschrieben – Judith Mackrell erzählt von sechs Frauen, die zu Ikonen der »Roaring Twenties« wurden: Josephine Baker, Zelda Fitzgerald, Tallulah Bankhead, Lady Diana Cooper, Nancy Cunard und Tamara de Lempicka.

»*Die Flapper* erinnert uns an die bleibende gesellschaftliche Wirkung von kämpferischen und energischen Frauen.« *Los Angeles Times*

Judith Mackrell, Die Flapper. Rebellinnen der wilden Zwanziger. Mit zahlreichen Abbildungen. Aus dem Englischen von Susanne Hornfeck und Viola Siegemund. insel taschenbuch 4990. 624 Seiten. Auch als eBook erhältlich

Judith Mackrell
DER UNVOLLENDETE
PALAZZO

it
Liebe,
Leidenschaft
und Kunst in Venedig

»**Mitreißende Geschichten von drei faszinierenden Frauen.**« *The Times*

Heute ist das Guggenheim-Museum eine der touristischen Hauptattraktionen Venedigs. Dieser reich bebilderte Band erzählt erstmals die spannende Geschichte des Palazzos. Die Millionenerbin und Mode-Ikone Luisa Casati, die Salonnière Doris Castlerosse und die Kunstsammlerin Peggy Guggenheim machten ihn zum glamourösen und berüchtigten Treffpunkt der internationalen Künstlerszene und der High Society: Man Ray, Pablo Picasso, Cole Porter und Yoko Ono und viele andere gingen hier ein und aus.

Das Porträt einer singulären Stadt, die Geschichte eines außergewöhnlichen Hauses und dreier atemberaubender Frauen.

Judith Mackrell, Der unvollendete Palazzo. Liebe, Leidenschaft und Kunst in Venedig. Aus dem Englischen von Andrea Ott und Susanne Hornfeck. Mit zahlreichen Abbildungen. insel taschenbuch 4826. 522 Seiten. Auch als eBook erhältlich

NF 564/1/12.22

»Eine glänzend recherchierte Biografie.« *Badische Neueste Nachrichten*

Sie gilt als eine der größten Filmschauspielerinnen aller Zeiten: Asta Nielsen (1881-1972) war Weltstar der Stummfilm-Ära. Sie verkörperte die neue moderne Frau, feierte triumphale Erfolge auf der Leinwand und auf den deutschen Theaterbühnen. Umworben von den Nazis, lässt sie sich doch nicht vereinnahmen und kehrt 1939 Deutschland schließlich den Rücken.

Barbara Beuys leuchtet das breite Panorama eines faszinierenden und dramatischen Lebens aus, das in einem ärmlichen Arbeiterviertel Kopenhagens begann und in die schillernde und glamouröse Filmwelt der Goldenen Zwanziger führte.

»Barbara Beuys' Biographie porträtiert mit Asta Nielsen eine bemerkenswerte Frau, die ihrer Zeit weit voraus war.« *aviva-berlin.de*

Barbara Beuys, Asta Nielsen. Filmgenie und Neue Frau. Mit zahlreichen Fotografien. insel taschenbuch 4904. 463 Seiten. Auch als eBook erhältlich

NF 565/1/12.22

Die farbenfrohe Roman-biografie über die Jahr-hundertkünstlerin

Frida spricht nicht, sie brüllt, sie flucht wie ein Bierkutscher, demonstriert mit den Kommunisten auf den Straßen von Mexiko-Stadt, trinkt literweise Tequila, feiert unzählige Feste – und das alles mit einem von Schmerzen gepeinigten und geschundenen Körper. Und sie malt, revolutioniert mit ihren Selbstporträts die Kunst ihrer Zeit, man sieht ihre Werke in den Galerien von New York und Paris. Frida will kein Leben ohne Sturm.
Noch nie war man Frida Kahlo so nah wie in dieser Romanbiografie, die ebenso gut aus der Feder der mexikanischen Künstlerin selbst hätte stammen können.

»An vielen Stellen leuchtet die Erzählung so, wie Kahlos Bilder leuchten.« *Elke Heidenreich, Kölner Stadt-Anzeiger*

Claire Berest, Das Leben ist ein Fest. Ein Frida-Kahlo-Roman. Aus dem Französischen von Christiane Landgrebe. insel taschenbuch 4901. 221 Seiten. Auch als eBook erhältlich

Die mitreißende Lebensgeschichte einer außergewöhnlichen Frau

Liebe, Kunst und politische Untergrundarbeit prägen das kurze, leidenschaftliche Leben der Tina Modotti (1896-1942). Von San Francisco, wo sie als »exotische Schönheit« in Theater und Stummfilm auftritt, reist sie mit ihrem Geliebten Edward Weston nach Mexiko. Ihr Haus wird Treffpunkt mexikanischer und ausländischer Künstler, unter ihnen Frida Kahlo und Diego Rivera.

Und wie viele ihrer Künstlerfreunde engagiert sie sich auf Seiten der revolutionären Linken – bis im Januar 1929 ihr Liebhaber, der Politemigrant Julio Antonio Mella, auf offener Straße erschossen und Tina des Mordes verdächtigt wird …

Elena Poniatowska, Tinissima. Die Romanbiographie der unvergleichlichen Tina Modotti. Aus dem Spanischen von Christiane Barckhausen-Canale. Mit zahlreichen Fotografien. insel taschenbuch 4908. 464 Seiten. Auch als eBook erhältlich

NF 567/1/12.22

»Alle Macht den Nanas!«

Sie wurde geliebt und gehasst, als Femme fatale bewundert und sexistisch beleidigt – die Künstlerin Niki de Saint Phalle (1930-2002) war eine einzige Herausforderung für ihre Zeit. Berühmt wurde sie für ihre knallbunten Nanas, die Gartenplastiken und Brunnen, ihre selbstbewussten Auftritte und ihre »Schießbilder« – aber dahinter steckt das Schicksal einer sensiblen und oft verletzten Frau.

In der Romanbiografie begibt sich Gabriela Jaskulla auf die Spur der großen Künstlerin und erzählt, wie aus der »adeligen Lady«, dem Missbrauchsopfer und der Femme fatale die größte Plastikerin des 20. Jahrhunderts wurde – eine Künstlerin, die von einer »Stadt der Frauen« träumte und von einer gerechteren Welt.

Gabriela Jaskulla, Niki de Saint Phalle und die Pracht der Frauen. Romanbiografie. insel taschenbuch 4912. 464 Seiten. Auch als eBook erhältlich

MAXINE
WILDNER

EIN
ABEND
MIT
MARILYN

ROMAN

**Von Norma Jean Baker
zu Marilyn Monroe –
das dramatische Leben
der Ikone**

New York, 31. Mai 1962: der Abend vor Marilyn Monroes Geburtstag. Alle sind da, um mit ihr zu feiern: Billy Wilder, Lau-
rence Olivier, Lauren Bacall, ihre Mutter und die Ex-Ehemänner,
sogar JFK soll noch kommen. Während die illustre Gesellschaft
auf Marilyn wartet, lässt sie in Geschichten und Erzählungen
das Leben des Weltstars vor uns erstehen.
Ein berührender und dramatischer Roman über eine Frau, die
der umschwärmteste und vielleicht unglücklichste Hollywood-
star aller Zeiten war.

»Nicht nur für Fans ein tolles Buch.« *skymichaelis*

Maxine Wildner, Ein Abend mit Marilyn. Roman. insel
taschenbuch 4946. 270 Seiten. Auch als eBook erhältlich

NF 568/1/12.22

Ziemlich beste Freunde

Im Jahr 1999 lernen sich Sébastien Jondeau und Karl Lagerfeld kennen. Für den Jugendlichen aus einfachen Pariser Verhältnissen wird ein Traum wahr: Ab diesem Zeitpunkt wird er nicht mehr von der Seite des Modeschöpfers weichen. Jondeau wird Fahrer, Leibwächter, Assistent, Vertrauter, enger Freund. Lagerfeld wird zu einer Vaterfigur für Jondeau, ein Vorbild, das er bis zu dessen Tod im Jahr 2019 begleitet – und das eine große Lücke in seinem Leben hinterlässt.

Jondeau erinnert sich an die gemeinsamen Jahre – und berichtet von einem außergewöhnlichen Menschen, dem er so nah war wie kein anderer.

»Jondeau erzählt vor allem von Loyalität. Von einer außergewöhnlichen Freundschaft. Ein herausragendes Buch.« *Gala*

Sébastien Jondeau, Ça va, cher Karl? Erinnerungen an Karl Lagerfeld. Unter Mitarbeit von Virginie Mouzat. Aus dem Französischen von Bettina Seifried. insel taschenbuch 4910. 190 Seiten. Auch als eBook erhältlich

NF 569/1/12.22